CIDADES DE PAPEL

"A PROSA DE
GREEN
É IMPRESSIONANTE
– DE GÍRIAS E
PALAVRÕES
HILÁRIOS
E INTELECTUAIS
A FILOSOFIAS
COMPLEXAS E
OBSERVAÇÕES
VERDADEIRAS E
DEVASTADORAS."
SCHOOL LIBRARY JOURNAL

"HILÁRIO E
MORDAZ."
KLIATT

"IRRESISTÍVEL."
THE BULLETIN
OF THE CENTER
FOR CHILDREN'S BOOKS

"O ESTILO
DE GREEN
é esplêndido,
uma voz
que combina
PERFEITAMENTE
com sua
divertida obra."
BOOKLIST

"GREEN,
numa abordagem adorável,
apresenta um menino
inteligente e
sua maneira de amar.
CIDADES DE PAPEL
tem diálogos reais – e muito
engraçados –; um mistério
intricado, porém crível, e
personagens secundários
ENCANTADORES."
KIRKUS REVIEWS

JOHN GREEN

CIDADES DE PAPEL

Tradução de Juliana Romeiro

Folhas de relva. Tradução de Rodrigo Garcia Lopes, extraída da edição da Iluminuras, 2005.

TÍTULO ORIGINAL
Paper Towns

PREPARAÇÃO
Fernanda Lizardo

REVISÃO
Shirley Lima
Marcela de Oliveira

ADAPTAÇÃO DE CAPA
ô de casa

DIAGRAMAÇÃO
Editoriarte

CIP-BRASIL. CATALOGAÇÃO-NA-FONTE
SINDICATO NACIONAL DOS EDITORES DE LIVROS, RJ

G83c

Green, John, 1977-

Cidades de papel / John Green ; tradução Juliana Romeiro.
- 1. ed. - Rio de Janeiro : Intrínseca, 2013.
368p. ; 21 cm

Tradução de: Paper Towns
ISBN 978-85-8057-374-9

1. Ficção americana. I. Romeiro, Juliana. II. Título.

13-02500. CDD: 813
CDU: 821.111(73)-3

[2013]

EDITORA INTRÍNSECA LTDA.
Rua Marquês de São Vicente, 99, 3º andar
22451-041 – Gávea
Rio de Janeiro – RJ
Tel./Fax: (21) 3206-7400
www.intrinseca.com.br

Para Julie Strauss-Gabel;
sem ela nada disto teria se tornado realidade.

E depois, quando
saímos para ver sua lanterna já pronta
da rua, eu disse que gostava do jeito como a luz
brilhava no rosto que bruxuleava na escuridão.

— "Jack O'Lantern", Katrina Vanderberg, em *Atlas*

As pessoas dizem que amigos não destroem uns aos outros
O que elas sabem sobre amigos?

— "Game Shows Touch our Lives", The Mountain Goats

CIDADES DE PAPEL

JOHN GREEN

Intrínseca

PRÓLOGO

Na minha opinião, todo mundo tem seu milagre. Por exemplo, muito provavelmente eu nunca vou ser atingido por um raio, nem ganhar um Prêmio Nobel, nem virar ditador de uma pequena ilha do Pacífico, nem ter um câncer terminal de ouvido, nem sofrer combustão espontânea. Mas, se você levar em conta todos os eventos improváveis, é possível que pelo menos um deles vá acontecer a cada um de nós. Eu poderia ter presenciado uma chuva de sapos. Poderia ter pisado em Marte. Poderia ter sido engolido por uma baleia. Poderia ter me casado com a rainha da Inglaterra ou sobrevivido meses à deriva no mar. Mas meu milagre foi diferente. Meu milagre foi o seguinte: de todas as casas em todos os condados em toda a Flórida, eu era vizinho de Margo Roth Spiegelman.

O bairro planejado onde morávamos, Jefferson Park, havia sido uma base da Marinha. Mas aí a Marinha já não precisava mais dela e devolveu o terreno para os cidadãos de Orlando, na Flórida, que decidiram construir um bairro gigante, porque é isso que se faz com os terrenos na Flórida. Meus pais e os de Margo acabaram se mudando para casas vizinhas assim que as primeiras foram construídas. Margo e eu tínhamos dois anos.

Antes de virar uma Pleasantville e antes mesmo de ser uma base da Marinha, Jefferson Park pertencia, de fato, a um sujeito de nome Jefferson, um tal de Dr. Jefferson Jefferson. Há uma escola batizada em homenagem a Jefferson Jefferson em Orlando, além de uma grande instituição de caridade, mas o detalhe fascinante e inacreditável, porém verdadeiro, a respeito do Dr. Jefferson Jefferson é que ele não era médico coisa nenhuma. Era apenas um vendedor de suco de laranja chamado Jefferson Jefferson. Quando ficou rico e poderoso, entrou com uma ação judicial, fez de "Jefferson" seu sobrenome e então mudou o nome para "Dr.". *D* maiúsculo, *r* minúsculo e ponto final.

E então Margo e eu tínhamos nove anos. Nossos pais eram amigos, por isso brincávamos juntos de vez em quando, de bicicleta, pelas ruas sem saída a caminho do Jefferson Park propriamente dito, no coração do bairro.

Quando descobria que Margo estava prestes a chegar eu sempre ficava muito nervoso, pois ela era a criatura mais fantasticamente linda que Deus já havia criado. Na manhã em questão, ela estava de short branco e camiseta cor-de-rosa com a estampa de um dragão verde soprando um fogo de *glitter* alaranjado. É difícil explicar que na época achei aquela camiseta incrível.

Margo, como sempre, pedalava em pé, os braços rígidos enquanto se inclinava sobre o guidom, os tênis roxos formando um círculo borrado. Era um dia quente e úmido de março. O céu estava claro, mas havia uma acidez no ar, como se um temporal fosse iminente.

Naquela época eu gostava de imaginar que era inventor, e depois de prendermos nossas bicicletas e iniciarmos uma curta caminhada até o parquinho, contei a Margo minha ideia para uma invenção chamada Fazedor de Anéis. O Fazedor de Anéis era um canhão gigante que atiraria pedras enormes e coloridas até uma órbita baixa, conferindo à Terra anéis como os de Saturno. (Ainda acho a ideia ótima, porém construir canhões capazes de atirar pedregulhos em uma órbita baixa é um tanto complicado.)

Eu já fora ao parque tantas vezes que tinha um mapa dele no cérebro, então mal havíamos entrado e comecei a sentir que o mundo estava fora de ordem, embora não soubesse de imediato *o que* estava diferente.

— Quentin — chamou Margo baixinho, devagar.

Ela apontava. Foi então que percebi o que havia de diferente.

A poucos metros de nós havia um carvalho. Grosso, retorcido e com jeito de muito antigo. Aquilo não era novidade. O parquinho à nossa direita. Também não era novidade. Já o cara de terno cinza largado junto ao tronco do carvalho, imóvel... aquilo era novidade. Estava rodeado de sangue; uma cascata sanguinolenta meio seca saía da boca. Que, por sua vez, estava aberta de um modo que bocas normalmente não deveriam ficar. Moscas pousavam na testa pálida.

— Ele está morto — disse Margo, como se eu não tivesse reparado.

Dei dois passinhos para trás. E me lembro de ter pensado que, se fizesse qualquer movimento súbito, ele poderia despertar e me atacar. Talvez fosse um zumbi. Eu sabia que zumbis não existiam, mas ele *parecia* um zumbi em potencial.

Quando dei os dois passos, Margo também deu, igualmente curtos e silenciosos, porém para a frente.

— Os olhos dele estão abertos — disse ela.

— Agentetemqueirpracasa — falei.

— Eu achava que a gente fechava os olhos quando morria.

— Margoagentetemqueirpracasaecontarpralguém.

Ela deu outro passo. Estava perto o suficiente para tocar o pé do sujeito caso esticasse o braço.

— O que você acha que aconteceu com ele? — perguntou. — Talvez tenha sido por causa de drogas ou coisa assim.

Eu não queria deixar Margo sozinha com o cara morto que podia ser um zumbi assassino, mas também não estava a fim de ficar ali conversando sobre o motivo da morte dele. Tomei coragem e dei um passo à frente para pegar a mão dela.

– Margoagentetemqueiragora!

– Ok, tudo bem – disse ela.

Corremos até nossas bicicletas, e eu sentia um frio na barriga exatamente como o de empolgação, mas não era. Montamos nas bicicletas, e deixei Margo ir na frente porque eu estava chorando e não queria que ela visse. Tinha sangue na sola dos tênis roxos dela. O sangue dele. O sangue do cara morto.

E então chegamos às nossas respectivas casas. Meus pais telefonaram para o serviço de emergência, e eu ouvi as sirenes a distância e pedi para ver o carro dos bombeiros, mas minha mãe não deixou. Então tirei um cochilo.

Meus pais são psicólogos, o que significa que sou centrado para cacete. Então, quando acordei, tive uma longa conversa com minha mãe sobre o ciclo da vida, e sobre a morte ser parte da vida, mas não uma parte da vida com a qual eu precisasse me preocupar muito aos nove anos, e aquilo fez com que eu me sentisse melhor. Para falar a verdade, nunca me preocupei muito com essa questão. O que é um feito e tanto, porque eu sou um bocado preocupado.

O lance é o seguinte: eu encontrei um cara morto. Eu, o pequeno e adorável menino de nove anos, e minha ainda menor e mais adorável companheira de brincadeiras encontramos um cara com sangue escorrendo da boca, e aquele sangue estava nos pequenos e adoráveis tênis dela quando voltamos de bicicleta para casa. É tudo muito dramático e coisa e tal, mas e daí? Eu não conhecia o cara. Gente que eu não conheço morre o tempo todo. Se eu surtasse toda vez que uma coisa ruim acontecesse no mundo, ia acabar completamente pirado.

Naquela noite, fui para o quarto às nove, porque nove era minha hora de dormir. Minha mãe me colocou na cama, disse que me amava, eu falei "Até amanhã", ela respondeu "Até amanhã" e então apagou a luz e deixou a porta entreaberta.

Quando me virei de lado, vi Margo Roth Spiegelman parada do lado de fora da janela, o rosto quase colado na tela. Eu me levantei e abri a janela, mas a tela continuou entre nós, deixando Margo toda quadriculada.

— Fiz uma investigação — declarou ela muito seriamente.

Mesmo de perto, a tela dividia seu rosto, mas dava para ver que trazia nas mãos um caderninho e um lápis com marcas de dente na borracha. Ela baixou os olhos para as anotações.

— A Sra. Feldman, lá de Jefferson Court, disse que o nome dele era Robert Joyner. Ela me contou que ele morava na Jefferson Road, em um daqueles apartamentos em cima do mercadinho, então fui até lá e tinha um monte de policiais, e um deles me perguntou se eu trabalhava no jornal da escola, e eu respondi que nosso colégio não tinha jornal, então ele disse que, como eu não era jornalista, ele ia responder às minhas perguntas. Ele me contou que Robert Joyner tinha trinta e seis anos. Advogado. Não me deixaram entrar no apartamento, mas ele era vizinho de porta de uma moça chamada Juanita Alvarez, e eu pedi uma xícara de açúcar emprestada para entrar no apartamento dela, então ela me contou que Robert Joyner tinha se matado com um tiro. Aí eu perguntei o motivo, e ela me disse que ele estava se divorciando e que estava triste por causa disso.

Depois Margo parou, e eu simplesmente fiquei olhando para ela, o rosto cinzento iluminado pelo luar e dividido em mil pedaços pela trama da tela. Seus olhos redondos e arregalados ficaram se revezando entre mim e o caderno.

— Um monte de gente se divorcia e não se mata por causa disso — falei.

— Eu *sei* — disse ela, a voz fervilhando de empolgação. — Foi *isso* que eu disse a Juanita Alvarez. E então ela falou... — Margo virou as páginas do caderninho. — Ela falou que o Sr. Joyner era problemático. E aí eu perguntei o que isso significava, e ela me disse que nós apenas deveríamos rezar por ele e que eu precisava levar o açúcar para minha mãe, e eu falei para deixar o açúcar para lá e fui embora.

Fiquei em silêncio outra vez. Só queria que ela continuasse falando – aquela vozinha carregada de animação de quase saber das coisas, fazendo com que eu sentisse como se algo importante estivesse acontecendo comigo.

– Acho que sei o motivo – disse ela afinal.

– E qual é?

– Talvez todos os fios dentro dele tenham se arrebentado – respondeu ela.

Enquanto tentava pensar no que dizer, eu me aproximei e abri o trinco da tela que nos separava, soltando-a da janela. Coloquei a tela no chão, mas Margo não me deu oportunidade de falar. Antes que eu pudesse me sentar de novo, ela aproximou o rosto do meu e sussurrou:

– Feche a janela.

Então fechei. Pensei que ela fosse embora, mas simplesmente ficou ali me observando. Acenei e sorri para ela, mas seus olhos pareciam fixos em algo atrás de mim, algo monstruoso que a deixara pálida, e eu fiquei com medo demais para me virar e ver o que era. Só que não tinha nada atrás de mim, é claro – exceto, quem sabe, o cara morto.

Parei de acenar. Minha cabeça estava na mesma altura que a dela enquanto nos encarávamos através do vidro. Não lembro como aquilo terminou – se eu fui dormir primeiro ou se ela foi. Na minha lembrança, esse momento não termina. Só ficamos ali, fitando um ao outro, eternamente.

Margo sempre adorou um mistério. E, com tudo o que aconteceu depois, nunca consegui deixar de pensar que ela talvez gostasse tanto de mistérios que acabou por se tornar um.

PARTE UM
Os fios

1

O dia mais longo da minha vida começou atrasado. Perdi a hora, demorei muito no banho e acabei tendo que tomar meu café da manhã no banco do carona da minivan da minha mãe às 7h17 daquela manhã de quarta-feira.

Normalmente eu ia para o colégio de carona com meu melhor amigo, Ben Starling, mas naquele dia Ben tinha saído de casa na hora de sempre, o que não era conveniente para mim. Para nós, "na hora de sempre" significava chegar à escola trinta minutos antes do início da aula, porque a meia hora que antecedia o primeiro sinal era o auge de nossa agenda social: ficar batendo papo em frente à porta lateral que levava à sala de ensaio da banda. A maioria dos meus amigos participava da banda, e eu passava a maior parte do tempo livre no colégio em um raio de seis metros da sala da banda. Mas eu não fazia parte dela porque sofro de um tipo de surdez musical geralmente associado à surdez mesmo. Estava vinte minutos atrasado, o que tecnicamente significava que ainda chegaria dez minutos antes da aula.

Enquanto dirigia, minha mãe me perguntou sobre minhas aulas, as provas finais e o baile de formatura.

— Não acredito em baile de formatura — lembrei a ela enquanto o carro virava na esquina.

Com maestria, inclinei minha tigela de cereal para compensar a força G. Já tinha feito aquilo antes.

— Bem, não faz mal algum ir com uma amiga. Tenho certeza de que você poderia convidar Cassie Hiney.

E eu *podia* ter convidado Cassie Hiney, que, aliás, era perfeitamente simpática, agradável e bonita, embora tivesse um azar e tanto no sobrenome, gíria para bunda.

— Não é só porque eu não gosto de bailes de formatura. Também não gosto de gente que gosta de bailes de formatura — expliquei, embora não fosse verdade: Ben estava totalmente alucinado com a ideia de ir à festa.

Mamãe entrou na rua da escola, e eu segurei a tigela quase vazia com as duas mãos enquanto passávamos por um quebra-molas. Dei uma olhada no estacionamento dos alunos do último ano. O Honda prateado de Margo Roth Spiegelman estava na vaga de sempre. Minha mãe encostou o carro na rua sem saída em frente à sala da banda e me beijou na bochecha. Vi Ben e meus outros amigos de pé formando um semicírculo.

Caminhei até eles, e a semirrodinha se expandiu naturalmente para me incluir. Estavam comentando sobre minha ex-namorada, Suzie Chung, que tocava violoncelo e aparentemente estava dando o que falar desde que começara a sair com Taddy Mac, um jogador de beisebol. Eu não sabia se aquele era o nome verdadeiro dele. Mas a questão era que Suzie tinha aceitado ir ao baile de formatura com Taddy Mac. Mais uma baixa.

— Cara — disse Ben, que estava de frente para mim.

Ele balançou a cabeça para cima e para baixo e se virou. Eu deixei o grupo e o segui pela porta. Ben, um sujeito pequeno e de pele morena que havia chegado à puberdade sem passar por problemas, era meu melhor amigo desde o quinto ano, quando enfim nos demos conta de que provavelmente nenhum de nós seria capaz de atrair outra pessoa para ser seu melhor amigo. Além do mais, ele se esforçava bastante, e eu gostava disso — na maioria das vezes.

— E aí? — perguntei.

Estávamos seguros lá dentro, a conversa das outras pessoas abafando o som da nossa.

— Radar vai ao baile de formatura — disse ele, mal-humorado.

Radar era nosso outro melhor amigo. A gente o chamava assim porque ele se parecia com o cara baixinho e de óculos chamado Radar de um antigo programa de tevê intitulado *M*A*S*H*, só que: 1) O Radar da tevê não era negro e 2) Algum momento depois de ganhar o apelido nosso Radar cresceu uns quinze centímetros e passou a usar lentes de contato, então acho que 3) Ele não se parecia mais nem um pouco com o cara do *M*A*S*H*, mas 4) Não fazia sentido reapelidar o cara faltando três semanas e meia para a formatura do ensino médio.

— Com aquela garota, a Angela? — perguntei.

Radar nunca contava nada sobre sua vida amorosa, mas isso não nos impedia de especular com frequência.

Ben assentiu.

— Sabe aquele meu plano infalível de convidar uma caloura para o baile porque elas são as únicas que não sabem da história do Ben Mija-sangue? — indagou.

Concordei com a cabeça.

— Então — disse ele —, esta manhã, uma gatinha do nono ano veio me perguntar se eu era o Ben Mija-sangue, e eu comecei a explicar que tinha sido uma infecção renal, e ela desatou a rir e saiu correndo. Ou seja, o plano já era.

No décimo ano, Ben foi hospitalizado com uma infecção renal, só que Becca Arrington, a melhor amiga de Margo, espalhou o boato de que o verdadeiro motivo de haver sangue na urina dele era que ele se masturbava muito. Apesar de isso ser medicamente implausível, a história assombrava Ben desde então.

— Que merda — falei.

Ben começou a delinear os planos a fim de encontrar um par para a festa, mas eu não prestei muita atenção porque, através da multidão que se aglomerava no corredor, vi Margo Roth Spiegelman. Ela estava junto ao seu armário, ao lado do namorado, Jase. Usava saia branca na altura dos joelhos e camiseta azul estampada. Dava para ver seu colo acima do decote. Estava rindo de forma histérica — os ombros curvados para a frente, os olhos grandes enrugados nos cantos, a boca escancarada. Mas não parecia ser de nada que Jase tivesse dito porque ela estava olhando para o outro lado, para uma fileira de armários na parede oposta do corredor. Segui a trajetória dos olhos dela e vi Becca Arrington agarrada a um jogador de beisebol como se ela fosse um enfeite e ele, uma árvore de Natal. Sorri para Margo, embora soubesse que ela não podia me ver.

— Cara, você devia tentar. Esqueça o Jase. Meu Deus, isso é o que eu chamo de excesso de gostosura.

Enquanto caminhávamos, eu olhava de relance para ela de vez em quando através da multidão: uma série de instantâneos fotográficos intitulada *A perfeição fica parada enquanto os mortais passam por ela*. Ao me aproximar, imaginei que talvez ela não estivesse rindo, afinal de contas. Talvez lhe tivessem feito uma surpresa ou dado um presente ou algo assim. Parecia não conseguir fechar a boca.

— É — respondi para Ben, ainda sem prestar atenção, ainda tentando olhar para ela o máximo possível sem dar bandeira.

Não era nem o fato de ela ser tão bonita. É que ela era o máximo, literalmente. E então já estávamos longe demais dela, muita gente entre nós dois, e eu nem consegui me aproximar o suficiente para ouvir sua voz ou entender qual tinha sido a surpresa hilariante. Ben balançou a cabeça; ele já me vira olhando para ela milhares de vezes e estava acostumado.

— Sendo sincero, ela é gostosa, mas também não é *tudo isso*. Sabe quem é gostosa de verdade?

— Quem? — perguntei.

— Lacey — disse ele, referindo-se a outra melhor amiga de Margo. — E a sua mãe. Cara, eu vi sua mãe beijar sua bochecha hoje de manhã, e foi mal, mas juro por Deus que pensei, *cara, eu queria ser o Q. E também queria ter um pênis na bochecha.*

Dei uma cotovelada nas costelas dele, mas ainda pensava em Margo, porque ela era a única deusa que eu tinha como vizinha. Margo Roth Spiegelman, cujo nome de seis sílabas era frequentemente pronunciado inteiro, em uma espécie de reverência silenciosa. Margo Roth Spiegelman, cujas histórias de aventuras épicas se espalhavam pela escola como uma tempestade de verão: um velho que morava num casebre em Hot Coffee, Mississippi, a ensinara a tocar violão. Margo Roth Spiegelman, que passou três dias viajando com o circo — eles achavam que a menina tinha potencial no trapézio. Margo Roth Spiegelman, que bebeu uma caneca de chá de ervas no camarim do Mallionaires depois de um show em St. Louis, enquanto eles bebiam uísque. Margo Roth Spiegelman, que conseguiu entrar no tal show dizendo ao segurança na porta que era namorada do baixista e que eles não a estavam reconhecendo, e, fala sério, cara, meu nome é Margo Roth Spiegelman, e se você for lá dentro e pedir para o baixista vir aqui me ver, ele vai dizer que ou eu sou a namorada dele ou que ele queria que eu fosse, e quando o segurança fez isso, o baixista veio e disse "é, ela é minha namorada, pode deixar entrar", e depois, quando o cara quis ficar com ela, ela *deu um fora no baixista do Mallionaires.*

As histórias, quando passadas adiante, invariavelmente acabavam com um "Dá para acreditar?". Normalmente não dava, mas elas sempre se provavam verdadeiras.

E então chegamos aos nossos armários. Radar estava recostado no armário de Ben, digitando em um tablet.

— Quer dizer que você vai ao baile de formatura – falei para ele.

Ele levantou o olhar para mim e então voltou a encarar o aparelho.

— Estou desvandalizando um artigo no Omnictionary sobre um ex-primeiro-ministro francês. Ontem à noite alguém apagou o verbete inteiro e deixou só a frase "Jacques Chirac é viado", o que foge não só à verdade como também à gramática.

Radar é megaeditor de uma enciclopédia on-line aberta chamada Omnictionary. A vida inteira dele é dedicada à manutenção e ao bem-estar do Omnictionary. Por isso, e por vários outros motivos, o fato de ele ter alguém com quem ir à festa era algo tão surpreendente.

— Quer dizer que você vai ao baile de formatura – repeti.

— Foi mal – desculpou-se ele, sem erguer o olhar.

Todo mundo sabia que eu era contra o baile de formatura. Nada que tivesse a ver com essa festa me interessava – nem dançar música lenta, nem dançar música agitada, nem os vestidos e, definitivamente, nem os smokings alugados. Alugar um smoking me parecia uma ótima maneira de pegar uma doença medonha do locatário anterior, e eu não tinha a menor pretensão de ser o único virgem do mundo com chatos.

— Cara – disse Ben a Radar –, as calouras já sabem da história do Ben Mija-sangue. – Radar finalmente desviou os olhos do aparelho e assentiu em solidariedade. – Então – continuou Ben –, as duas estratégias que me restam são: contratar pela internet um par para o baile de formatura ou pegar um avião para um fim de mundo, tipo o Missouri, e sequestrar uma gatinha caipira.

Eu já tinha tentado avisar ao Ben que "gatinha" soava machista e caído, em vez de retrô e descolado, mas ele se recusava a abandonar a gíria. Chamava até a própria mãe de gatinha. Ben não tinha jeito.

— Vou perguntar a Angela se ela conhece alguém — disse Radar. — Só que lhe arrumar um par para o baile de formatura vai ser mais difícil do que transformar chumbo em ouro.

— Arrumar um par para você vai ser tão duro que só com a simples hipótese já daria para cortar diamantes — acrescentei.

Radar bateu o punho duas vezes em um dos armários, em um gesto de aprovação, e veio com outra:

— Ben, arrumar um par para você é tão difícil que o governo norte-americano acha que não dá para fazer isso só com diplomacia, e que vai ser preciso usar a força.

Eu estava tentando pensar em algo mais quando nós três vimos, ao mesmo tempo, a massa humana de anabolizantes que atende pelo nome de Chuck Parson caminhando cheio de si em nossa direção. Chuck Parson não participava de nenhum esporte coletivo porque isso o afastaria de seu principal objetivo na vida: ser preso por homicídio algum dia.

— E aí, seus bichinhas — disse ele.

— Chuck — cumprimentei do jeito mais amistoso que pude.

Havia uns dois anos que Chuck não representava um problema maior para nós — alguém do grupinho de alunos descolados tinha decretado que não era para mexer com a gente. Então era meio esquisito ele vir falar conosco.

Talvez porque eu tivesse falado alguma coisa, talvez não, ele deu um soco no armário e firmou as mãos ali, uma de cada lado e eu no meio, e chegou tão perto do meu rosto que eu podia imaginar qual era a marca da pasta de dente dele.

— O que você sabe sobre Margo e Jase?

— Hum — respondi.

Pensei em tudo que sabia sobre eles: Jase era o primeiro e único namorado sério de Margo Roth Spiegelman. Eles haviam começado a sair no fim do ano anterior. Os dois iam para a Universidade da Flórida no ano seguinte. Jase conseguira uma bolsa pelo time de beisebol da universidade. Ele nunca ia à casa dela, a não ser para buscá-la para sair. Ela nunca agia como se gostasse dele tanto assim, mas... ela nunca agia como se gostasse de ninguém tanto assim.

— Nada — respondi, por fim.

— Para de sacanagem — rosnou ele.

— Eu *mal* conheço a Margo — falei, o que tinha se tornado verdade.

Ele refletiu por um instante, e eu tentei encarar aqueles olhos juntos. Ele assentiu muito ligeiramente, tirou as mãos do armário e se afastou, a caminho de sua primeira aula do dia: como manter e cultivar os músculos peitorais. O segundo sinal tocou. Um minuto para a aula. Radar e eu estávamos na turma de cálculo; Ben, na de matemática finita. As salas eram geminadas; caminhamos juntos, os três lado a lado, confiando que o mar de alunos iria abrir passagem para nós, e abriu.

— Arrumar um par para você vai ser tão difícil que mil macacos digitando em mil máquinas de escrever durante mil anos não digitariam "Eu vou ao baile de formatura com o Ben" — falei.

Nem o próprio Ben conseguiu deixar de se zoar:

— Minhas chances de arrumar um par são tão baixas que nem a avó do Q me quis. Ela disse que estava esperando o convite do Radar.

— É verdade, Q. Sua avó adora os irmãos de cor.

Radar concordou com um movimento lento de cabeça.

Foi muito fácil me esquecer de Chuck e conversar sobre o baile de formatura, ainda que eu não desse a mínima para a festa. E assim foi a vida naquela manhã: nada importava de verdade, nem as coisas boas, nem as ruins. Estávamos entretidos em divertir uns aos outros, e estávamos mandando razoavelmente bem.

* * *

Passei as três horas seguintes dentro de salas de aula, tentando não olhar para os relógios acima de diferentes quadros-negros e então voltar a olhá-los e me surpreender por só terem passado uns poucos minutos desde a última espiada. Eu tinha quase quatro anos de experiência olhando para aqueles relógios, mas a lerdeza deles nunca deixava de me impressionar. Se alguém me dissesse que eu só teria mais aquele dia de vida, eu iria diretamente para os corredores sagrados da Winter Park High School, famosa pelo dia que dura mil anos.

No entanto, embora parecesse que a aula de física do terceiro tempo nunca iria acabar, ela acabou, e eu fui com Ben para a cantina. Radar almoçava no quinto tempo, com a maioria de nossos amigos, então normalmente éramos eu e Ben apenas, umas duas cadeiras entre nós e um grupo de alunos do teatro que a gente conhecia. Naquele dia, estávamos comendo minipizzas de pepperoni.

— Gosto de pizza — falei. Ele concordou distraidamente. — O que foi?

— Nada — respondeu ele com a boca cheia de pizza. E então engoliu. — Sei que você acha que é uma idiotice, mas eu quero ir ao baile de formatura.

— Um: sim, acho que é uma idiotice; dois: se você quer ir, vá; três: se não estou enganado, você ainda nem convidou ninguém.

— Convidei Cassie Hiney durante a aula de cálculo. Passei um bilhete para ela.

Ergui a sobrancelha, questionando-o. Ben enfiou a mão no bolso e me passou um pedaço de papel dobrado várias vezes. Desdobrei:

Ben,
Eu adoraria ir à festa com você, mas já falei para o Frank que iria com ele. Foi mal!
C.

Dobrei o bilhete e devolvi a Ben, por cima da mesa. Ainda me lembrava de jogar futebol com bolinhas de papel naquelas mesas.

— Que merda — comentei.

— É, tanto faz. — Naquele instante foi como se os muros de som estivessem se fechando sobre nós, e ficamos em silêncio por um instante e então Ben ergueu o olhar para mim e disse, muito sério: — Eu vou zoar muito na faculdade. Vou entrar no *Guinness* na categoria "O maior pegador de gatinhas".

Eu ri. Estava pensando nos pais de Radar, que estavam de fato no *Guinness*, quando reparei em uma menina negra bonita, com dreads pequenininhos e pontudos, caminhando em nossa direção. Levei um tempo para perceber que se tratava de Angela, a quem-sabe-namorada de Radar.

— Oi — cumprimentou ela.

— E aí? — respondi.

Nós éramos da mesma turma em algumas matérias, então eu a conhecia um pouco, mas a gente não se cumprimentava no corredor, nem nada parecido. Cheguei para o lado, para que ela se sentasse conosco. Ela puxou uma cadeira e ficou na cabeceira.

— Acho que vocês conhecem o Marcus melhor do que qualquer um — disse ela, usando o nome verdadeiro de Radar e inclinando-se em nossa direção, os cotovelos na mesa.

— É um trabalho sujo, mas alguém tem que fazer — respondeu Ben, sorrindo.

— Vocês acham que ele, tipo, tem vergonha de mim?

— O quê? Não.

Ben riu.

— Tecnicamente, *você* é quem deveria ter vergonha *dele* — acrescentei.

Ela revirou os olhos, sorrindo. Estava acostumada a receber elogios.

— Mas ele nunca me chamou para sair com vocês, por exemplo.

— Ahhh — falei, finalmente entendendo a questão. — Isso é porque ele tem vergonha *da gente.*

Ela riu.

— Vocês me parecem ser bem normais.

— É porque você nunca viu Ben beber Sprite pelo nariz e depois cuspir pela boca — respondi.

— Eu fico igual a um chafariz desvairado de refrigerante — acrescentou ele na maior cara de pau.

— Mas, é sério, vocês não ficariam preocupados? Quer dizer, estamos saindo há cinco semanas e ele nunca nem mesmo me levou à casa dele — Ben e eu trocamos um olhar cúmplice, e eu fiz uma careta para conter uma gargalhada. — O que foi? — perguntou ela.

— Nada — respondi. — Mas, sendo honesto, Angela, se ele estivesse forçando você a sair com a gente e levando você à casa dele o tempo todo...

— Aí sim significaria que ele *não* gosta muito de você — completou Ben para mim.

— Os pais dele são esquisitos?

Responder àquela pergunta com honestidade era uma saia justa:

— Hum, não. Eles são legais. Só um pouco superprotetores, acho.

— É, superprotetores — concordou Ben meio depressa demais.

Ela sorriu e se levantou, dizendo que precisava encontrar alguém antes do fim do almoço. Ben a esperou se afastar para dizer:

— Essa garota é o máximo.

— Eu sei. Será que a gente consegue trocar o Radar por ela?

— Mas ela provavelmente não manda bem em computadores. A gente precisa de alguém que seja bom com computadores.

Além do mais, aposto que é fraca em *Resurrection.* – Esse era nosso *video game* preferido. – Aliás – acrescentou Ben –, foi uma boa saída dizer que os pais do Radar eram superprotetores.

– Pois é, não sou eu quem tem que dizer a ela.

– Quanto tempo até ela conhecer a Residência e Museu Família Radar?

Ben sorriu.

Nosso horário de almoço estava quase no fim, então Ben e eu nos levantamos e levamos nossas bandejas até a esteira de coleta. A mesma em que Chuck Parson me atirara no primeiro ano, quando fui parar no assustador inferno das lava-louças da Winter Park. Caminhamos até o armário de Radar e ficamos ali até ele aparecer correndo logo depois do primeiro sinal.

– No meio da aula sobre ciências políticas concluí que literalmente era melhor chupar bola de jumento do que assistir àquela aula até o final do semestre – disse ele.

– Dá para aprender muito sobre o governo a partir das bolas de um jumento – falei. – Ah, e por falar em motivos pelos quais você gostaria de almoçar durante o quarto tempo, acabamos de almoçar com Angela.

Ben lançou um sorrisinho malicioso para Radar e disse:

– É, ela quer saber por que você nunca a levou à sua casa.

Radar expirou por um longo tempo enquanto girava o cadeado do armário. Ele soltou tanto ar que achei que fosse desmaiar.

– Bosta – disse ele, afinal.

– Você está com vergonha? – perguntei, sorrindo.

– Cale a boca – respondeu ele, dando-me uma cotovelada na barriga.

– Você tem uma casa encantadora – comentei.

– Sério, cara – acrescentou Ben. – Ela é mesmo uma garota muito legal. Não entendo por que você não pode apresentá-la aos seus pais e mostrar a Casa Radar.

Radar jogou os livros no armário e bateu a porta. O burburinho à volta diminuiu assim que ele olhou para cima e berrou:

— EU NÃO TENHO CULPA POR MEUS PAIS TEREM A MAIOR COLEÇÃO MUNDIAL DE PAPAIS NOÉIS NEGROS!

Eu já tinha ouvido Radar dizer "a maior coleção mundial de Papais Noéis negros" mais de mil vezes, e ainda assim nunca perdia a graça. Mas ele não estava brincando. Eu me lembro da primeira vez que o visitei. Devia ter uns treze anos. Era março ou abril, ou seja, vários meses depois do Natal, mas ainda havia Papais Noéis negros no parapeito da casa. Papais Noéis negros de papel pendendo do corrimão da escada. Velas de Papais Noéis negros decorando a mesa de jantar. Acima da lareira, um óleo sobre tela de um Papai Noel negro, e na prateleira abaixo várias estátuas de Papais Noéis negros. Eles tinham uma caixa de balas de Papai Noel negro comprada na Namíbia. A luminária plástica de Papai Noel negro que enfeitava a caixinha do correio entre o dia de Ação de Graças e o Ano-novo passava o restante do ano vigiando orgulhosamente um canto do banheiro de visitas, que era coberto por um papel de parede pintado em casa com tinta e uma esponja em formato de Papai Noel. Eles estavam em todos os quartos, exceto no de Radar, e a casa era o próprio império papai-noelístico: de gesso, plástico, mármore, argila, madeira, resina e tecido. Ao todo, os pais dele tinham mais de mil e duzentos Papais Noéis negros dos mais variados tipos. Ao lado da porta da frente, uma placa anunciava que a casa de Radar era oficialmente um ponto de referência na tradição dos Papais Noéis, de acordo com a Sociedade do Natal.

— Você tem que contar para ela, cara — falei. — É só dizer: "Angela, eu gosto mesmo de você, mas tem uma coisa que você precisa saber: quando a gente for lá em casa dar uns amassos, vamos ser observados por dois mil e quatrocentos olhos de mil e duzentos Papais Noéis negros."

Radar correu os dedos pelo cabelo raspado curto e balançou a cabeça.

— É, acho que não vai ser bem assim que vou dizer, mas vou dar meu jeito.

Segui para a aula de ciências políticas e Ben para a eletiva de design de *video games*. Observei relógios por mais dois tempos, e finalmente o alívio irradiou de meu peito quando as aulas acabaram — o final de cada dia como uma espécie de ensaio para o final do ensino médio, a menos de um mês.

Fui para casa. Lanchei dois sanduíches de manteiga de amendoim com geleia. Assisti ao pôquer na tevê. Meus pais chegaram às seis, se abraçaram e me abraçaram. Jantamos uma caçarola de macarrão. Eles me perguntaram sobre a escola. Perguntaram sobre o baile de formatura. Ficaram maravilhados com o excelente trabalho que desempenharam em minha criação. Contaram sobre o dia deles, lidando com gente que não tinha sido criada tão bem assim. Foram assistir à tevê. Eu segui para meu quarto e fui ler meu e-mail. Escrevi um pouco sobre *O grande Gatsby* para a aula de inglês. Li alguns artigos de *O Federalista* a fim de me preparar para a prova final de ciências políticas. Estava no chat com Ben, depois Radar ficou on-line. Enquanto conversávamos, ele usou a expressão "a maior coleção mundial de Papais Noéis negros" quatro vezes, e eu ri em todas elas. Eu disse que estava feliz por ele, por ter uma namorada. Ele disse que o verão seria ótimo. Concordei. Era cinco de maio, mas não fazia diferença. Meus dias tinham uma agradável uniformidade. E eu sempre gostei disso: eu gostava da rotina. Gostava de sentir tédio. Não queria gostar, mas gostava. E assim, o cinco de maio poderia ter sido um outro dia qualquer — até pouco antes de meia-noite, quando Margo Roth Spiegelman abriu a janela sem tela do meu quarto pela primeira vez desde que me mandara fechá-la nove anos antes.

2

Girei na cadeira de rodinhas quando ouvi a janela ser aberta, e os olhos azuis de Margo me encaravam. No início eu só consegui enxergar os olhos dela, mas logo minha visão se ajustou e eu percebi que ela havia pintado o rosto de preto e vestia um moletom com capuz também preto.

— É sexo virtual? — perguntou ela.

— Estou no chat com Ben Starling.

— Não foi o que perguntei, seu pervertido.

Soltei uma risada esquisita, então caminhei em direção a ela, me ajoelhei junto à janela, meu rosto a poucos centímetros do dela. Eu não fazia ideia de por que ela estava ali, na minha janela, daquele jeito.

— A que devo a honra de sua visita?

Margo e eu ainda éramos cordiais, acho, mas não amigos do tipo que se encontravam no meio da noite usando tinta preta na cara. Margo tinha amigos para isso, tenho certeza. Só que eu não era um deles.

— Preciso de seu carro — explicou ela.

— Não tenho carro — respondi, o que eu encarava como um ponto fraco.

— Bem, preciso do carro da sua mãe.

— Mas você tem o seu — argumentei.

Margo encheu a boca de ar e bufou.

— É, só que meus pais pegaram a chave do meu carro e trancaram em um cofre que eles guardam debaixo da cama deles, e Myrna Mountweazel — a cadela de Margo — está dormindo lá dentro. E Myrna Mountweazel tem uma porcaria de um aneurisma toda vez que me vê. Quer dizer, eu poderia entrar lá, roubar o cofre, descobrir a combinação, arrombar, pegar minhas chaves de volta e ir embora, mas o problema é que nem vale a pena tentar, porque se eu abrir uma frestinha da porta Myrna Mountweazel vai latir feito louca. Então, como eu disse, preciso de um carro. E também preciso que você dirija, porque tenho que fazer onze coisas hoje à noite e para pelo menos umas cinco delas é necessário um piloto de fuga.

Quando desfoquei a visão, ela se transformou apenas em olhos, olhos flutuando no etéreo. E então focalizei o rosto dela de novo, e enxerguei o contorno, a tinta ainda úmida na pele. As bochechas formando um triângulo com o queixo, os lábios negros quase se curvando em um sorriso.

— E isso envolve algum delito grave? — perguntei.

— Hum... arrombamento e invasão de domicílio são delitos graves?

— Não — respondi com firmeza.

— Não, não são delitos graves, ou não, você não vai ajudar?

— Não, não vou ajudar. Nenhuma de suas lacaias pode dirigir para você? — Lacey e/ou Becca sempre faziam as vontades dela.

— Na verdade, elas são parte do problema — respondeu Margo.

— E qual é o problema? — perguntei.

— São onze problemas — respondeu ela, meio impaciente.

— Nenhum delito grave — afirmei.

— Juro por Deus que você não vai ter que cometer nenhum delito grave.

E naquele instante os holofotes em volta da casa de Margo se acenderam. Em um movimento rápido, ela deu uma cambalhota para dentro de meu quarto e se enfiou embaixo de minha cama. Em questão de segundos, o pai dela estava de pé no quintal do lado de fora.

— Margo! — gritou ele. — Eu vi você!

— Ai, Jesus. — Ouvi um murmúrio abafado vindo de debaixo da cama. Ela saiu de lá, ficou de pé, foi até a janela e disse: — Fala sério, pai. Só estou tentando conversar com Quentin. Você vive me dizendo que ele poderia ser uma influência maravilhosa para mim.

— Só conversando com Quentin?

— Só.

— Então por que você está com a cara pintada de preto?

Margo fraquejou por apenas um breve instante.

— Pai, explicar isso levaria horas e horas de contextualização, e eu sei que você provavelmente está muito cansado, então por que você não volta pa...

— Já para casa — explodiu ele. — Agora!

Margo me agarrou pela camisa e sussurrou ao meu ouvido:

— Volto em um minuto.

E então pulou a janela.

Assim que ela saiu, peguei na mesa minhas chaves do carro. As *chaves* são minhas; o carro, infelizmente, não. Quando completei dezesseis anos, meus pais me deram um presente pequenininho, e no instante em que o peguei eu soube que era uma chave de carro, e quase mijei nas calças de emoção porque eles já estavam cansados de dizer que não tinham dinheiro para me dar um carro. Mas, quando me entregaram aquela caixa pequenininha embrulhada para presente, eu percebi também que estavam tentando me enganar, e que, no final das contas, eu ia ganhar um carro. Rasguei o embrulho e abri a caixa. E sim, tinha uma chave lá dentro.

Olhando com mais atenção, vi que era a chave de um Chrysler. A chave de uma minivan Chrysler. A mesma minivan de sempre da minha mãe.

— Meu presente é uma chave do seu carro? — perguntei a ela.

— Tom — ela se virou para meu pai —, eu avisei que ele ia se encher de esperanças.

— Ah, não venha colocar a culpa em mim — respondeu ele. — Você está só sublimando sua frustração com meu salário.

— Esse diagnóstico precipitado não é nem um pouquinho passivo-agressivo? — perguntou minha mãe.

— E acusações retóricas de agressão passiva não são inerentemente passivo-agressivas? — retrucou meu pai, e eles continuaram assim por um tempo.

Resumindo: eu tinha autorização para usar a maravilha automobilística que é uma minivan da Chrysler, exceto quando minha mãe estivesse com ela. E, como ela ia de carro para o trabalho todos os dias de manhã, eu só podia usá-lo nos fins de semana. Bem, nos fins de semanas e no meio daquela maldita noite.

Margo levou mais do que o minuto prometido para voltar à minha janela, mas não muito mais. No entanto, assim que ela voltou, recomecei com os pretextos:

— Amanhã tem aula.

— É, eu sei — respondeu ela. — Amanhã tem aula, e depois de amanhã também, e pensar muito nisso pode enlouquecer qualquer garota. Ok, tudo bem. Amanhã tem aula. É por isso que a gente tem que ir logo, para voltar antes de o dia nascer.

— Não sei, não.

— Q — disse ela. — Q. Meu bem. Há quanto tempo somos amigos?

— Não somos amigos. Somos vizinhos.

— Ai, Jesus, Q. Eu não sou legal com você? Eu não mando todos os meus diversos discípulos serem legais com você na escola?

— Ahã — respondi, na dúvida, embora na verdade eu sempre tivesse suspeitado de que Margo tinha sido a responsável por fazer Chuck Parson e sua laia parar de sacanear a gente.

Ela piscou. Tinha pintado até as pálpebras.

— Q — disse ela —, a gente tem que ir.

E então eu fui. Abri a janela, e corremos pela lateral lá de casa, cabeças abaixadas até abrirmos as portas da minivan. Margo disse em um sussurro para não batermos as portas — faz barulho demais —, e assim, com as portas abertas, coloquei a marcha em ponto morto, pus o pé para fora, dei impulso no chão e deixei o carro descer pela entrada. Deslizamos em ponto morto por mais algumas casas, até que dei partida no motor e acendi o farol. Batemos as portas e então dirigi pelas ruas sinuosas da imensidão de Jefferson Park, as casas ainda com aspecto de novas e artificiais, como uma vila de brinquedo que abrigava dezenas de milhares de pessoas de verdade.

— O problema é que eles sequer *ligam* — começou Margo a falar. — Eles acham que eu faço tudo só para estragar a reputação deles. Agora mesmo, sabe o que ele me falou? Ele disse: "Eu não ligo a mínima se você destruir sua vida, mas não nos envergonhe diante dos Jacobsen, eles são nossos *amigos*." Ridículo. E você não tem ideia de como eles dificultaram a minha vida para sair daquela maldita casa. Já viu que nos filmes de fuga da prisão colocam um monte de roupas debaixo das cobertas para fingir que tem uma pessoa ali? — Assenti. — Pois é, minha mãe colocou uma merda de babá eletrônica no meu quarto, para ouvir minha respiração a noite toda. Então tive que pagar cinco pratas para Ruthie dormir no meu quarto, e aí botei o montinho de roupas no quarto *dela*. – Ruthie é a irmã mais nova de Margo. – Agora é como *Missão Impossível*. Antes eu podia sair de casa feito uma cidadã normal. Era só sair pela janela e pular do telhado. Mas, Deus, agora é como se eu vivesse em uma ditadura fascista.

– Você vai me dizer aonde a gente está indo?

– Bem, primeiro a gente vai ao Publix. Por razões que vou explicar depois, preciso que você faça umas compras para mim. Depois seguiremos para o Wal-Mart.

– O quê? A gente só vai fazer um tour por todos os supermercados da Flórida Central? – perguntei.

– Hoje, meu bem, vamos acertar um monte de coisas que estão erradas. E vamos estragar algumas que estão certas. Os últimos serão os primeiros; e os primeiros serão os últimos; os mansos herdarão a terra. Mas, antes de redefinir completamente o mundo, precisamos fazer compras.

E assim entrei no estacionamento quase vazio do supermercado Publix e estacionei.

– Escute – disse ela –, quanto dinheiro você tem aí?

– Zero dólares e zero centavos – respondi.

Desliguei o carro e olhei para ela. Ela enfiou a mão no bolso da calça jeans preta justa e sacou várias notas de cem.

– Felizmente, o bom Deus distribuiu sua graça.

– Que merda é essa? – perguntei.

– O dinheiro do meu bat mitzvah. Não tenho acesso à conta, mas sei a senha dos meus pais porque eles usam "myrnamountw3az3l" para tudo. Então eu fiz um saque. – Tentei disfarçar meu espanto, mas ela reparou o jeito como eu estava olhando e sorriu maliciosamente para mim. – Basicamente – disse ela –, esta vai ser a melhor noite da sua vida.

3

O lance com Margo Roth Spiegelman era que, na verdade, tudo o que eu podia fazer era deixá-la falar, e então, quando ela parava de falar, encorajá-la a continuar falando, e isso porque 1) Eu era incontestavelmente apaixonado por ela; 2) Ela era absolutamente imprevisível em todos os sentidos; e 3) Ela nunca me perguntava nada, então o único jeito de evitar o silêncio era mantê-la falando.

E assim, no estacionamento do Publix, ela me disse:

— Certo, eu fiz uma lista para você. Se você tiver alguma dúvida, me ligue no celular. E escute, isso acaba de me fazer lembrar que tomei a liberdade de colocar umas coisas na mala do carro hoje mais cedo.

— Como assim, antes de eu concordar com tudo isto?

— Bem, é. Tecnicamente, sim. Enfim, me ligue se você tiver alguma dúvida, mas sobre a vaselina, você pega o frasco que é maior que a sua mão. Tem a vaselina bebê, tem a vaselina mamãe e tem a vaselina papai gordão, e é essa que você tem que pegar. Se não tiver, então pegue umas três da vaselina mamãe. — Ela me entregou a lista e uma nota de cem e disse: — Isto aqui deve dar.

A lista de Margo:

3 Bagres inteiros, Embalados separadamente
Veet (é para Depilar as pernas, Só que não Precisa De barbeador. Fica na parte de cosméticos para Mulheres)
Vaselina
6 latas de Mountain Dew
Uma dúzia de Tulipas
uma Garrafa De água
Lenços de papel
uma Lata de tinta Spray azul

— Legal como você usa as maiúsculas — falei.

— É. Sou uma grande adepta do uso aleatório de maiúsculas. As regras de letra maiúscula são muito injustas com as palavras que ficam no meio.

Agora, não sei bem o que se costuma dizer à mulher do caixa à meia-noite e meia, quando você junta diante dela quase seis quilos de bagre, Veet, o tubo papai gordão de vaselina, seis latas de Mountain Dew, uma lata de tinta spray azul e uma dúzia de tulipas. Mas eis o que eu disse:

— Não é tão estranho quanto parece.

A mulher pigarreou, mas não olhou para mim.

— Ainda assim, é estranho — murmurou ela.

— Eu realmente não quero me meter em confusão — falei a Margo quando voltei ao carro, enquanto ela usava a água da garrafa e os lenços de papel para remover a tinta preta do rosto. Aparentemente, ela só precisou do disfarce para sair de casa. — Em minha carta de admissão da Universidade Duke eles dizem expressamente que não vão me aceitar se eu for preso.

— Você é muito ansioso, Q.

— Só não vamos nos meter em confusão, por favor — pedi. — Quer dizer, eu quero me divertir e tal, mas não à custa de, tipo, meu futuro.

Ela ergueu o olhar para mim, o rosto quase inteiramente limpo, e lançou o menor dos sorrisos.

— Eu fico impressionada com o fato de você achar essa merda toda remotamente interessante.

— O quê?

— Universidade: entrar ou não. Confusão: se meter ou não. Colégio: tirar dez ou dois. Carreira: ter ou não. Casa: pequena ou grande, própria ou alugada. Dinheiro: ter ou não. É tudo muito chato.

Comecei a falar, dizendo que ela certamente também se importava pelo menos um pouco, porque tirava notas altas e havia conseguido uma bolsa para a turma especial na Universidade da Flórida do ano seguinte. Mas ela apenas falou:

— Wal-Mart.

Entramos juntos no Wal-Mart e pegamos uma trava de volante daquelas que a gente vê em comerciais na tevê, chamada The Club, que prende o volante do carro. Caminhávamos para a seção infantil quando perguntei a Margo:

— Por que a gente precisa dessa trava?

Ela deu um jeito de desfiar seu solilóquio enlouquecido de sempre sem me responder:

— Você sabia que na maior parte de toda a história da humanidade a expectativa média de vida foi inferior a trinta anos? Você podia contar com mais ou menos uns dez anos de vida adulta, certo? Não havia planos de aposentadoria. Não havia planos de carreira. Não havia *planos*. Não havia tempo para planejar. Não havia tempo para o futuro. Mas aí a expectativa de vida começou a aumentar, e as pessoas começaram a ter mais e mais futuro e a passar mais tempo pensando nele. No futuro. E agora a vida *se tornou* o futuro. Todos os momentos da vida são vividos no futuro: você frequenta a escola para entrar na faculdade para arrumar um bom emprego para comprar uma casa legal e mandar os filhos para a faculdade para que eles consigam arrumar um bom emprego para comprar uma casa legal para mandar os filhos para a faculdade.

Era como se ela estivesse só enrolando para não responder à pergunta. Então repeti:

— Por que a gente precisa dessa trava?

Margo me deu um tapinha de leve nas costas.

— É claro que tudo será revelado a você antes que a noite acabe.

E então, na seção de pesca, Margo pegou uma corneta de ar comprimido e eu disse:

— Não. — E ela disse:

— Não, o quê? — E eu disse:

— Não, não toque essa corneta. — Só que no *t* de *toque*, ela apertou a corneta com força, produzindo um barulho tão alto e ensurdecedor que soou dentro de minha cabeça como o equivalente sonoro de um aneurisma, e então ela disse:

— Foi mal, não ouvi o que você falou. O que foi? — E eu disse:

— Não t... — E ela apertou de novo.

Um funcionário não muito mais velho do que a gente veio em nossa direção e disse:

— Ei, você não pode usar isso aqui dentro. — E Margo disse, com aparente sinceridade:

— Foi mal, eu não sabia. — E o cara disse:

— Tudo bem. Na verdade, eu não ligo. — E então a conversa pareceu terminar, só que o cara não conseguia parar de fitar Margo e, para falar a verdade, eu não o culpo, porque é difícil parar de olhar para ela. E enfim ele disse: — O que vocês vão fazer hoje?

— Nada de mais — respondeu Margo. — E você?

— Eu largo uma da manhã e aí vou para um bar chamado Orange, se estiver a fim de ir. Mas você teria que deixar seu irmão em casa; eles são muito rígidos no lance de checar as identidades.

O quê?!

— Eu não sou irmão dela — protestei, olhando os tênis do cara.

E então Margo começou a mentir:

— Na verdade, ele é meu primo. — E então se pôs ao meu lado e passou o braço ao redor da minha cintura, de um modo que senti seus dedos apertando meu quadril, e acrescentou: — *E* meu amante.

O cara apenas revirou os olhos e foi embora. A mão de Margo continuou ali, e eu aproveitei para passar o braço ao redor dela também.

— Você é mesmo minha prima favorita — falei para ela.

Ela sorriu e me empurrou de leve com o quadril, soltando-se do meu abraço.

— Como se eu não soubesse!

4

Estávamos dirigindo pela rodovia I-4, felizmente vazia, e eu seguia as orientações de Margo. O relógio no painel indicava 1h07.

— Bonito, não é? — disse ela. Estava olhando pela janela, o rosto distante do meu, então eu mal podia vê-la. — Adoro dirigir depressa sob a luz dos postes.

— Luz — declamei —, o lembrete visível da Luz Invisível.

— Que bonito isso — disse ela.

— T.S. Eliot. Você leu também. Na aula de inglês, ano passado.

Na verdade, eu não conhecia o poema inteiro, mas os poucos versos que li haviam ficado em minha cabeça.

— Ah, é uma citação — disse ela, um tanto decepcionada. Vi a mão dela no espaço entre os bancos. Eu poderia ter colocado minha mão ali, e então nossas mãos estariam no mesmo lugar ao mesmo tempo. Mas não coloquei. — Recite de novo — pediu ela.

— Luz, o lembrete visível da Luz Invisível.

— É. Caraca, a frase é boa. Deve ajudá-lo com sua amiguinha.

— Minha ex-amiguinha — corrigi.

— Suzie largou você? — perguntou Margo.

— Como você sabe que foi *ela* quem *me* largou?

— Ah, foi mal.

— Mas foi — admiti, e Margo riu.

O término já tinha acontecido alguns meses antes, mas eu não culpava Margo por não prestar atenção ao mundo romântico da simples plebe. O que acontece na sala de ensaios fica na sala de ensaios.

Margo colocou os pés no painel e ficou balançando os dedos no ritmo da própria fala. Ela sempre falava daquele jeito, com aquela cadência perceptível, como se estivesse recitando poesia.

— Certo, bem, que pena! Mas eu entendo você. Meu querido namorado há muuuitos meses está comendo minha melhor amiga.

Voltei o olhar para ela, mas o cabelo lhe cobria todo o rosto, então não dava para saber se ela estava brincando.

— Sério? — Ela não respondeu. — Mas você estava rindo com ele hoje de manhã. Eu vi vocês.

— Não sei do que você está falando. Fiquei sabendo antes do primeiro tempo, e aí vi os dois conversando e comecei a gritar feito uma louca, e aí Becca correu para os braços de Clint Bauer, e Jase ficou lá de pé como um retardado, a saliva pingando daquela boca fedida.

Obviamente eu tinha interpretado mal a cena no corredor.

— Estranho, pois Chuck Parson me perguntou hoje de manhã o que eu sabia a respeito de você e do Jase.

— É, bem, Chuck só faz o que mandam, acho. Provavelmente estava tentando descobrir para o Jase quem ficou sabendo.

— Meu Deus, por que ele iria querer ficar com Becca?

— Bem, ela não é conhecida por sua personalidade ou generosidade de espírito, então deve ser porque é gostosa.

— Não tanto quanto você — soltei sem pensar.

— Isso sempre me pareceu tão ridículo, que as pessoas pudessem querer ficar com alguém só por causa de beleza. É como escolher o cereal de manhã pela cor, e não pelo sabor. A propósito, a gente vai pegar a próxima saída. Mas eu não sou bonita, não de perto, pelo menos. Normalmente, quanto mais as pessoas se aproximam de mim, menos me acham atraente.

— Isso... — comecei.

— Tanto faz — respondeu ela.

Acho um tanto injusto que um babaca feito Jason Worthington consiga transar com Margo *e* Becca, enquanto sujeitos perfeitamente agradáveis como eu não conseguem transar com nenhuma das duas — nem com ninguém, aliás. Dito isso, gosto de pensar que não sou do tipo de pessoa que sairia com Becca Arrington. Ela pode ser gostosa, mas também é 1) agressivamente insípida, e 2) uma absoluta e completa filha da mãe. Há muito tempo que o grupo que frequenta a sala de ensaios suspeita que ela mantém a boa forma se alimentando somente da alma de gatinhos e dos sonhos de crianças carentes.

— Becca é meio mala — falei, tentando puxar Margo de volta para a conversa.

— É — respondeu ela, encarando a janela do carona, o cabelo refletindo as luzes da rua. Pensei por um segundo que ela pudesse estar chorando, mas ela se aprumou depressa, subiu o capuz e tirou a trava The Club da sacola do supermercado. — Bem, vai ser divertido de qualquer forma — disse, abrindo a embalagem da trava.

— Já posso saber para onde estamos indo?

— Para a casa de Becca — respondeu.

— Ah, não.

Parei em um sinal. Coloquei a marcha do carro em ponto morto e comecei a dizer a Margo que ia levá-la de volta para casa.

— Nada de delitos graves. Eu juro. A gente precisa achar o carro de Jase. A rua de Becca é a próxima à direita, mas ele não iria estacionar na rua dela, porque os pais dela estão em casa. Tente a próxima. Isso é a primeira coisa.

— Tudo bem — falei. — Mas depois a gente vai para casa.

— Não, aí a gente vai para a parte dois das onze.

— Margo, essa é uma péssima ideia.

— Apenas dirija — ordenou, e foi o que eu fiz.

Encontramos o Lexus de Jase a duas quadras da rua de Becca, parado em uma rua sem saída. Antes mesmo que eu parasse o carro, Margo saltou, com a trava na mão. Ela abriu a porta do motorista do Lexus e pôs a trava no volante. Em seguida bateu a porta de leve.

— Babaca burro que nunca tranca o carro — balbuciou enquanto entrava de volta na minivan, guardando as chaves da trava no bolso. E então se aproximou e acariciou meu cabelo. — Parte um: resolvida. Agora, para a casa de Becca.

Enquanto eu dirigia, Margo me explicou as partes dois e três.

— É genial — comentei, embora, lá no fundo, estivesse tremendo de nervosismo.

Entrei na rua de Becca e parei duas casas antes da Mansão Arrington. Margo pulou para a parte de trás do carro e voltou com um binóculo e uma câmera digital. Primeiro, ela olhou pelo binóculo, depois o passou para mim. Dava para ver uma luz no porão da casa, mas não havia movimento. Eu estava impressionado com o simples fato de a casa *ter* um porão — não dá para cavar muito fundo em Orlando sem atingir o lençol freático.

Enfiei a mão no bolso, peguei meu celular e liguei para o número que Margo havia ditado para mim. O telefone tocou uma, duas vezes, e então uma voz masculina sonolenta atendeu:

— Alô?

— Sr. Arrington? — perguntei.

Margo quis que eu ligasse porque ninguém jamais reconheceria minha voz.

— Quem é? Meu Deus, que horas são?

— Acho que o senhor deveria saber que, neste momento, sua filha está transando com Jason Worthington no porão de sua casa.

E então desliguei. Parte dois: concluída.

Margo e eu abrimos as portas do carro e corremos rua abaixo, e nos deitamos de bruços atrás da cerca viva ao redor do jardim de Becca. Ela me passou a câmera, e eu fiquei observando enquanto uma luz foi acesa em um quarto do segundo andar, depois na escada, e então na cozinha, até que, finalmente, na escada do porão.

— Lá vem ele — sussurrou Margo.

Eu não entendi muito bem o que ela queria dizer até que, pelo canto do olho, notei um Jason Worthington sem camisa pendurado na janela do porão. Ele correu, atravessando o gramado só de cueca, e, quando se aproximou, levantei e bati uma foto dele, completando a parte três. Acho que o flash surpreendeu a nós dois, e ele piscou na escuridão por um instante antes de sair correndo pela noite.

Margo me puxou pela calça; olhei para baixo, e ela estava sorrindo de maneira tola. Estiquei a mão, a ajudei a se levantar e nós corremos de volta para o carro. Eu estava enfiando a chave na ignição quando ela disse:

— Quero ver a foto.

Passei a câmera para ela e, juntos, vimos a foto surgir na tela, nossa cabeça quase se tocando. Ao ver a cara assustada e pálida de Jason Worthington, não consegui segurar o riso.

— Ai, meu Deus — disse Margo, apontando.

Na pressa, parece que Jason não conseguira enfiar o Pequeno Jason dentro da cueca. E lá estava ele, pendurado, capturado digitalmente para a posteridade.

— É um pênis — disse Margo —, do mesmo jeito que aquela titica de Rhode Island é um estado: pode até ter uma história ilustre, mas certamente não é grande.

Olhei de volta para a casa e notei que a luz do porão estava apagada. Percebi que me sentia meio mal por Jason — não era culpa dele ter o pênis pequeno e uma namorada ardilosamente vingativa. Mas no sexto ano Jase prometera não socar meu braço se eu comesse uma minhoca viva, então eu comi, e ele me socou na cara. Por isso não me senti mal por muito tempo.

Quando olhei de novo para Margo, ela estava observando a casa pelo binóculo.

— A gente precisa ir — disse Margo. — Entrar naquele porão.

— O quê? Por quê?

— Parte quatro. Pegar as roupas dele caso ele tente retornar. Parte cinco. Deixar um peixe para Becca.

— Não.

— Sim. Agora — mandou ela. — Ela está lá em cima, levando uma bronca dos pais. Mas, tipo, quanto tempo esse sermão deve durar? Quer dizer, o que se diz nesses casos? "Você não devia transar com o namorado de Margo no porão de casa." É basicamente um sermão de uma frase só. Então a gente tem que correr.

Ela saiu do carro com a tinta spray em uma das mãos e um bagre na outra.

— Essa é uma péssima ideia — sussurrei, mas eu a segui de perto, agachado como ela, até chegarmos à janela ainda aberta do porão.

— Eu vou primeiro — disse ela.

Ela passou uma das pernas pela janela para entrar, e, quando estava de pé na escrivaninha de Becca, metade dentro da casa, metade fora, perguntei:

— Posso ficar só vigiando aqui fora?

— Enfia logo essa bunda magra aqui dentro — respondeu ela, e eu obedeci.

Rapidamente peguei as roupas masculinas que vi jogadas no carpete lilás de Becca: uma calça jeans com cinto de couro, um par de chinelos, um boné de beisebol do time da Winter Park e uma polo azul-bebê. Voltei-me para Margo, que me passou o peixe enrolado em jornal e uma das canetinhas roxas de Becca. Ela me mandou escrever o seguinte:

Uma mensagem de Margo Roth Spiegelman: a amizade de vocês dorme com os peixes.

Margo escondeu o peixe no armário, entre os shorts dobrados de Becca. Ouvi passos no andar de cima e dei um tapinha no ombro de Margo, arregalando os olhos para ela. Ela apenas sorriu e sacou devagar a tinta spray. Enfiei-me pela janela e me virei para observar enquanto Margo se debruçava sobre a mesa e sacudia a lata de tinta calmamente. Com um movimento elegante — do tipo que você associaria a calígrafos ou ao Zorro —, ela pichou a letra *M* na parede acima da mesa.

Ela esticou as mãos, e eu a puxei pela janela. Ela estava se levantando quando ouvi uma voz estridente gritando:

— QUE CACETE!

Peguei as roupas e saí correndo com Margo em minha cola.

Apenas ouvi, porém sem ver, a porta da frente da casa de Becca se abrindo, mas não parei, nem me virei, nem mesmo quando uma voz grossa gritou:

— PARADOS!

E nem quando ouvi o som inconfundível de uma arma sendo engatilhada.

Ouvi Margo balbuciar a palavra "arma" atrás de mim — ela não parecia exatamente chateada a esse respeito, estava só fazendo uma observação —, e então, em vez de contornar a cerca viva, mergulhei por cima dela. Não sei muito bem como eu esperava aterrissar — talvez com um salto mortal artístico ou algo assim –, mas, de qualquer forma, eu me estabaquei no asfalto, pousando no ombro esquerdo. Por sorte, o montinho de roupas de Jase acertou o chão primeiro e amorteceu a queda.

Xinguei um palavrão e, antes que pudesse ao menos começar a me levantar, senti as mãos de Margo me puxando, e então estávamos de volta ao carro, eu dirigindo de ré com os faróis apagados. E foi assim que quase atropelei um cara seminu, a começar pela ausência do boné de beisebol do time da Winter Park. Jase estava correndo bem, mas não parecia estar indo para nenhum lugar em especial. Senti mais uma pontada de arrependimento quando passamos por ele de ré, então abri a janela até a metade e joguei a camisa polo na direção dele. Felizmente, acho que ele não nos viu, e não tinha nenhum motivo para reconhecer a minivan, já que – e eu não quero parecer amargo ou algo assim por trazer isto à tona – *eu não posso ir de carro para o colégio.*

– Por que diabos você fez isso? – perguntou Margo enquanto eu acendia os faróis, dirigindo para a frente e tentando me localizar no labirinto de ruas suburbanas para retornar à rodovia interestadual.

– Senti pena dele.

– Dele? Por quê? Porque ele está me traindo há seis semanas? Porque ele me passou sabe-se lá que tipo de doença? Porque ele é um idiota nojento que provavelmente vai ser rico e feliz pelo resto da vida, provando assim a total injustiça do universo?

– Ele só parecia meio desesperado – respondi.

– Tanto faz. Casa de Karin agora. Fica na Pensilvânia, do lado da ABC Liquors.

– Não fique com raiva de mim – pedi. – Um cara acabou de apontar uma arma para mim só porque resolvi ajudar você, então não fique com raiva de mim.

– NÃO ESTOU COM RAIVA DE VOCÊ! – berrou Margo, socando o painel do carro.

— Bem, você está gritando.

— Eu achei que talvez... ah, deixa para lá. Eu achei que talvez ele não estivesse me traindo.

— Ah.

— Foi Karin quem me contou. E acho que um monte de gente já sabia há um tempão. E ninguém me falou nada até Karin me avisar. Achei que talvez ela só estivesse querendo arrumar confusão ou algo assim.

— Foi mal.

— Tá, tá. Nem acredito que me importo com isso.

— Meu coração está acelerado — falei.

— É assim que a gente sabe que está se divertindo — disse Margo.

Mas não parecia divertido; parecia um ataque cardíaco. Parei o carro no estacionamento de uma loja de conveniência vinte e quatro horas e levei o dedo até a jugular, observando os dois pontinhos no relógio digital piscarem a cada segundo. Quando me virei para Margo, ela estava revirando os olhos.

— Minha pulsação está perigosamente acelerada — disse.

— Eu nem lembro qual foi a última vez em que fiquei empolgada por algo assim. A adrenalina na garganta e os pulmões inflando.

— Inspire pelo nariz, expire pela boca — respondi.

— Toda essa sua ansiedade. É tão...

— Bonitinho?

— É assim que estão chamando "infantil" hoje em dia?

Margo sorriu. Ela pulou no banco de trás e voltou com uma bolsa. *Quanta coisa ela enfiou aqui dentro?*, pensei. Ela abriu a bolsa e tirou um vidro de esmalte vermelho tão escuro que era quase preto.

— Vou pintar as unhas enquanto você se acalma — disse, seu sorriso para mim aparecendo atrás da franja. — Não tenha pressa.

E ali ficamos, ela com o vidro de esmalte equilibrado no painel, e eu com o dedo trêmulo checando minha pulsação. O esmalte era de uma cor bonita, e Margo tinha dedos elegantes, mais magros e ossudos que o restante do corpo, todo curvilíneo. Os dedos dela eram do tipo que qualquer um gostaria de entrelaçar aos seus. Eu me lembrei deles em meu quadril quando estávamos no Wal-Mart, fato que parecia ter acontecido dias antes. Meu coração se acalmou. E tentei dizer a mim mesmo: Margo tem razão. Não há nada a se temer aqui, não nesta cidade, nesta noite tranquila.

5

— Parte seis — disse Margo assim que voltei a dirigir. Ela estava agitando os dedos no ar, quase como se estivesse tocando piano. — Deixar flores na porta da casa de Karin com um pedido de desculpas.

— O que você fez a ela?

— Bem, quando ela me contou do Jase, eu meio que culpei o mensageiro.

— Como?

Estávamos parados em um sinal, e uns garotos no carro esporte ao lado ficaram acelerando. Até parece que eu ia apostar corrida usando um Chrysler. Ele chiava toda vez que eu pisava fundo.

— Bem, eu não me lembro exatamente do que a chamei, mas foi algo do tipo "você é uma vadia chorona, nojenta, idiota, dentuça, cheia de espinhas nas costas, com a bunda gorda, e ainda tem o pior cabelo de toda a Flórida Central... o que não é pouco".

— O cabelo dela é ridículo — concordei.

— *Eu sei.* Foi a única coisa que eu falei que era verdade. Quando você fala coisas ruins das pessoas, nunca deve dizer a verdade, porque depois você não pode negar tudo, entende? Quer dizer, ou você faz luzes, ou você faz mechas. Mas não se pinta uma faixa de gambá no cabelo.

Enquanto eu dirigia até a casa de Karin, Margo sumiu na parte de trás do carro e voltou com o buquê de tulipas. Colado com fita ao caule de uma das flores, havia um bilhete que Margo dobrara para parecer um envelope. Ela me entregou o buquê assim que parei o carro, então corri pela calçada, deixei as flores junto à porta da casa de Karin e voltei depressa.

— Parte sete — disse ela tão logo entrei na minivan. — Deixar um peixe para o adorável Sr. Worthington.

— Imagino que ele ainda não esteja em casa — falei, apenas o mais leve sinal de pena na voz.

— Espero que a polícia o encontre descalço, louco e pelado em alguma vala por aí, daqui a uma semana — comentou Margo, impassível.

— Lembre-me de nunca despertar a fúria de Margo Roth Spiegelman — balbuciei, e ela riu.

— Sério — disse ela. — Aos nossos inimigos, a *minha* lei.

— Aos seus inimigos — corrigi.

— Vamos ver — respondeu ela depressa, e então se animou e disse: — Tá legal, eu cuido da próxima. O problema com a casa do Jason é que eles têm um sistema de segurança muito bom. E não podemos ter outro ataque de pânico.

— Hum.

Jason morava no final da rua de Karin, em um loteamento imobiliário ultrarrico chamado Casavilla. Todas as casas de Casavilla eram no estilo espanhol, com telhas vermelhas e tudo, só que não tinham sido construídas por espanhóis. Haviam sido construídas pelo pai de Jason, que era um dos construtores mais ricos da Flórida.

— Casas grandes e feias para gente grande e feia — comentei com Margo quando entramos em Casavilla.

— Nem me diga. Se algum dia eu virar o tipo de gente que tem apenas um filho e mora em uma casa de sete quartos, pode me dar um tiro.

Encostei diante da casa de Jase, uma monstruosidade arquitetônica que parecia uma casa de campo espanhola desproporcional, exceto pelas três colunas dóricas que iam até o teto. Margo pegou o segundo bagre no banco de trás, tirou a tampa de uma caneta com os dentes e rabiscou numa letra que não parecia bem a dela:

o amor de MS Por você Dorme Com os Peixes.

— Preste atenção: deixe o motor ligado — ordenou ela e pôs o boné de beisebol de Jase, com a aba para trás.

— Certo.

— Deixe o carro engatado.

— Certo — respondi, sentindo a pulsação aumentar.

Inspire pelo nariz, expire pela boca. Inspire pelo nariz, expire pela boca. Com o bagre e a lata de spray em mãos, Margo abriu a porta do carro, cruzou o imenso gramado diante da casa dos Worthington e se escondeu atrás de um carvalho. Acenou para mim em meio à escuridão, eu acenei de volta, e então, de forma um tanto teatral, ela tomou fôlego, estufou o peito, virou-se e correu.

Ela mal deu um passo e a casa se acendeu como uma árvore de Natal de shopping e uma sirene começou a soar. Por um instante cogitei abandonar Margo à própria sorte, mas fiquei inspirando pelo nariz e expirando pela boca enquanto ela corria em direção à casa. Ela jogou o peixe em uma janela, mas a sirene era tão alta que mal consegui ouvir o som do vidro se quebrando. E aí, só porque ela é Margo Roth Spiegelman, dedicou um tempo para desenhar cuidadosamente um lindo *M* na parte intacta da janela. Só então começou a correr em direção ao carro, e eu estava com um pé no acelerador e o outro no freio, e naquele momento era como se o Chrysler fosse um puro-sangue bufando. Margo correu tão depressa que o boné voou para trás. Ela pulou no carro e nós partimos antes mesmo de ela fechar a porta.

Parei em uma placa de "pare" ao final da rua e Margo gritou:

— Você ficou maluco? Vai, vai, vai, vai, vai.

— Ah, é mesmo – respondi, porque eu tinha esquecido que estava jogando a precaução e tudo o mais pela janela.

Passei direto por mais três placas de "pare" em Casavilla, e então já havíamos avançado mais de um quilômetro na Avenida Pensilvânia quando um carro de polícia passou por nós com a sirene ligada.

— Foi bem intenso – disse Margo. – Tipo, até para mim. Para explicar no estilo Q, minha pulsação está um pouco acelerada.

— Meu Deus – falei. – Você não podia ter deixado no carro dele? Ou pelo menos na porta da casa?

— A gente faz a bosta da lei, Q.

— Por favor, me diga que a parte oito é menos aterrorizante.

— Não se preocupe. A parte oito é brincadeira de criança. A gente vai voltar para Jefferson Park. Para a casa de Lacey. Você sabe onde ela mora, não é?

Eu sabia, embora também soubesse que Lacey Pemberton jamais se dignaria a me receber em casa. Ela morava no lado oposto de Jefferson Park, a um quilômetro e meio de distância de mim, em um prédio bacana que ficava sobre uma papelaria. No mesmo bloco em que morava o cara morto, na verdade. Eu já tinha ido ao prédio antes porque uns amigos dos meus pais moravam no terceiro andar. Era preciso passar por duas portarias antes de chegar ao prédio em si. Eu diria que nem mesmo Margo Roth Spiegelman seria capaz de arrombar aquele lugar.

— E aí, Lacey tem sido boazinha ou malvada? — perguntei.

— Lacey tem sido *especialmente* malvada — respondeu Margo. Estava olhando pelo vidro do carona de novo, falando com o rosto próximo à janela, então eu mal conseguia ouvi-la. — Quer dizer, somos amigas desde o jardim de infância.

— E?

— E ela não me contou do Jase. Mas não é só isso. Quando penso em retrospecto, ela é simplesmente uma amiga *péssima*. Por exemplo, você acha que estou gorda?

— Meu Deus, não. Você... — E parei antes de dizer *não é magrela, mas isso é que é legal em você, o fato de você não parecer um menino*. — Você não precisa perder peso.

Ela riu e acenou para mim, dizendo:

— Você adora minha bunda grande.

Tirei os olhos da rua por um instante e olhei de relance para ela. Não devia ter feito isso, pois assim ela podia ler minha expressão, e minha expressão dizia: Bem, em primeiro lugar eu não diria *grande* exatamente, e em segundo lugar, ela é sensacional. Mas era mais do que isso. Não dava para dissociar a pessoa Margo do corpo Margo. Não dava para ver uma coisa sem a outra. Ao olhar para os olhos de Margo, via-se tanto o azulão deles quanto o jeito Margo de ser. No final das contas, não dava para dizer que Margo Roth Spiegelman era gorda ou magra, do mesmo jeito que não dá para dizer que a torre Eiffel é ou não é solitária. A beleza de Margo era uma espécie de invólucro selado de perfeição — intacto e inviolável.

— Mas ela sempre fazia uns comentários — continuou Margo. — "Eu emprestaria esse short para você, mas acho que não vai caber." Ou "Você é tão ousada. Adoro o jeito como faz os garotos se apaixonarem pela sua personalidade." Sempre me depreciando. Acho que ela nunca disse uma coisa que não fosse uma tentativa de depreciamento.

— Depreciação.

— Obrigada, Super Mestre Linguístico Irritante.

— Linguista — corrigi.

— Ai, meu Deus, eu vou matar você! — Mas ela estava rindo.

Contornei o perímetro do Jefferson Park, para não termos que passar diante de nossas casas, caso nossos pais tivessem acordado e se dado conta de nosso sumiço. Seguimos ao longo do lago (Lago Jefferson) e viramos no Jefferson Court, entrando no pequeno centro comercial de Jefferson Park, que estava sinistramente vazio e silencioso. Encontrei a picape preta de Lacey estacionada na frente de um restaurante japonês. Paramos a um quarteirão dela, na primeira vaga disponível que não ficava sob um poste aceso.

— Você pode me passar o último peixe? — pediu Margo.

Eu estava feliz por me livrar do peixe, porque ele já estava começando a feder. E Margo escreveu em um pedaço de papel com a própria letra.

sua Amizade com ms Dorme com Os peixes

Contornamos a área iluminada pelo poste, caminhando tão naturalmente quanto duas pessoas podem caminhar quando uma delas (Margo) está carregando um peixe de tamanho considerável enrolado em jornal e a outra (eu) está segurando uma lata de spray. Um cachorro latiu, e nós paramos, mas depois ele ficou quieto de novo e logo chegamos ao carro de Lacey.

— Bom, isso dificulta as coisas — disse Margo ao ver que o carro estava trancado.

Ela enfiou a mão no bolso e puxou um bom pedaço de arame que um dia já tinha sido um cabide. Levou menos de um minuto para arrombar a porta do carro. E eu fiquei devidamente impressionado.

Quando a porta do motorista se abriu, ela se esticou e abriu a porta do carona para mim.

— Ei, me ajude a levantar o banco — sussurrou ela.

Juntos, erguemos o banco. Margo largou o peixe, contamos até três e soltamos o banco em cima dele. Deu para ouvir o barulho nojento de intestino de bagre explodindo. Fiquei imaginando o cheiro que ficaria no carro depois de um dia cozinhando ao sol e admito que fui tomado por uma espécie de serenidade.

— Desenhe um *M* no teto para mim — pediu Margo.

Não precisei pensar duas vezes antes de concordar, escalar o para-choque traseiro e me debruçar no teto da picape para pichar rapidamente um *M* gigante. Em geral sou contra vandalismo. Mas em geral também sou contra Lacey Pemberton — e, no final das contas, este sentimento foi mais forte. Pulei do carro. Corri na escuridão — a respiração ficando ofegante — ao longo do quarteirão, em direção à minivan. Quando coloquei as mãos no volante, notei que meu indicador estava azul. Ergui o dedo para Margo ver. Ela sorriu e levantou os próprios dedos azuis, e, então eles se tocaram, e seu dedo azul estava apertando o meu de leve, o que não ajudou minha pulsação a baixar.

— Parte nove: centro da cidade — disse ela depois de um longo intervalo.

Eram 2h49 da manhã. Em toda a minha vida, eu nunca me sentira mais bem-disposto.

6

Turistas nunca visitam o centro de Orlando porque não há nada para ver a não ser uns arranha-céus de bancos e companhias de seguro. É o tipo de centro de cidade que fica completamente deserto à noite e nos fins de semana, com exceção de algumas boates frequentadas pelos muito desesperados ou muito toscos. À medida que eu seguia as indicações de Margo pelo labirinto de ruelas de mão única, víamos gente dormindo nas calçadas ou sentadas nos bancos, mas ninguém se mexia. Quando Margo abriu a janela, senti o vento denso soprando em meu rosto, mais quente do que se espera para um vento noturno. Dei uma olhada e notei mechas de cabelo voando ao redor de seu rosto. Embora pudesse vê-la ali, eu me sentia completamente sozinho em meio àqueles prédios grandes e vazios, como se tivesse sobrevivido ao apocalipse e o mundo tivesse me dado todo aquele universo fascinante e infinito, só meu, para ser explorado.

— A gente está passeando pelo centro? — perguntei.

— Não — disse ela. — Estou tentando chegar ao prédio do SunTrust. Fica ao lado do Aspargão.

— Ah — respondi, porque pela primeira vez naquela noite eu tinha uma informação útil a oferecer. — Fica no sul.

Dirigi por mais alguns quarteirões e virei na curva. Margo apontou alegremente, e sim, diante de nós, estava o Aspargão.

Tecnicamente, o Aspargão não é um aspargo grande, nem é feito de aspargos. É só uma escultura que lembra um aspargo de dez metros de altura – muito embora eu já tenho ouvido gente associá-la a:

1) Um pé de feijão de vidro verde;
2) A representação abstrata de uma árvore;
3) Uma versão mais ecologicamente correta, mais vítrea e mais feia do Monumento a Washington;
4) O falo verde e gigantesco do gigante da propaganda de ervilha enlatada Green Giant.

A questão é que, certamente, ele *não* se parece com uma torre de luz, o verdadeiro nome da escultura. Encostei o carro diante de um parquímetro e olhei para Margo. Por um instante, eu a flagrei olhando para o nada, os olhos perdidos, não exatamente encarando o Aspargão, mas olhando para além dele. Foi a primeira vez que achei que talvez algo estivesse errado – não errado do tipo "meu namorado é um babaca", mas realmente *errado*. E eu devia ter dito algo. Claro. Eu devia ter começado a falar sem parar. Mas tudo o que falei foi:

– Posso saber por que você me trouxe até o Aspargão?

Ela se virou para mim e sorriu. Margo era tão bonita que até seus sorrisos falsos eram convincentes.

– A gente precisa verificar o nosso progresso. E o melhor lugar para fazer isso é do topo do prédio do SunTrust.

Revirei os olhos.

– Não. Não mesmo. De jeito nenhum. Você falou que não haveria arrombamentos nem invasão de domicílios.

– E desde quando isso aqui é um domicílio? Além do mais, é só entrar, porque a porta não fica trancada.

— Margo, isso é ridículo. É cla...

— Eu admito que ao longo da noite cometemos tanto arrombamento quanto invasão de domicílio. Invadimos a casa de Becca. Arrombamos a casa de Jase. E vamos invadir aqui também. Mas em nenhum momento cometemos arrombamento e invasão ao mesmo tempo. Teoricamente, a polícia poderia nos acusar de arrombamento e poderia nos acusar de invasão, mas não de arrombamento *e* invasão. Então mantive minha palavra.

— Na certa o SunTrust tem, sei lá, um segurança ou qualquer coisa assim.

— Eles têm — disse ela, soltando o cinto de segurança. — É claro que eles têm. Ele se chama Gus.

Entramos pela porta da frente. Sentado atrás de um imenso balcão semicircular, estava um rapaz com cavanhaque ralo e vestindo uniforme da companhia Regents Security.

— Qual é a boa, Margo? — disse ele.

— E aí, Gus? — respondeu ela.

— Quem é a criança?

A GENTE TEM A MESMA IDADE!, eu queria gritar, mas deixei Margo responder por mim.

— É o meu amigo Q. Q, este é Gus.

— Qual é a boa, Q? — perguntou Gus.

Ah, a gente só está largando uns peixes mortos pela cidade, quebrando janelas, fotografando uns caras pelados e curtindo no saguão de entrada de arranha-céus às 3h15 da manhã. Esse tipo de coisa.

— Nada de mais — respondi.

— Os elevadores passam a noite desligados — disse Gus. — Tive que desligar às três. Mas vocês podem usar a escada.

— Legal. Até mais, Gus!

— Até, Margo.

* * *

— Como assim você conhece o segurança do SunTrust? — perguntei assim que chegamos às escadas e não podíamos mais ser ouvidos.

— Ele estava no último ano quando a gente estava no primeiro — respondeu ela. — Você precisa vir mais rápido, ok? Estamos perdendo tempo.

Margo começou a subir os degraus de dois em dois, voando, uma das mãos no corrimão, e eu tentava acompanhá-la, sem sucesso. Margo não praticava esportes, mas gostava de correr — às vezes eu a via correndo sozinha em Jefferson Park, ouvindo música. Eu, ao contrário, não gostava de correr. Aliás, eu não gostava de nada que envolvesse esforço físico. Mas naquele momento eu tentava manter o ritmo, limpando o suor da testa e ignorando a queimação nas pernas. Quando cheguei ao vigésimo quinto andar, Margo estava de pé no patamar ao final do lance de escada, à minha espera.

— Dê uma olhada — disse ela. — Ela abriu uma porta e de repente estávamos em uma sala enorme com uma mesa de carvalho do comprimento de dois carros, mais uma longa fileira de janelas que iam do chão ao teto. — Sala de reuniões. A melhor vista do prédio inteiro. — Eu a segui enquanto ela caminhava de janela em janela. — Certo, ali fica Jefferson Park — disse ela, apontando. — Está vendo nossas casas? As luzes ainda estão apagadas, bom sinal. — Ela deu mais alguns passos. — Ali é a casa de Jase. Luzes apagadas, nada de carros de polícia. Excelente, embora talvez signifique que ele conseguiu chegar, o que é uma pena.

A casa de Becca ficava longe demais para ser vista, mesmo lá do alto. Margo ficou quieta por um instante, depois caminhou até o vidro e apoiou a testa ali. Fiquei afastado, mas então ela agarrou minha camiseta e me puxou para perto da janela. Eu não queria o peso de nós dois sendo sustentado por uma única folha de vidro, mas ela continuou me puxando, e eu sentia seu punho na lateral do meu corpo, até que apoiei a testa no vidro o mais leve possível e dei uma olhada ao redor.

Do alto, Orlando era bem iluminada. Abaixo de nós dava para ver os sinais de pedestre vermelhos nos cruzamentos, e as luzes da rua subindo e descendo ao longo da cidade em uma grade perfeita até os limites do centro, e então começavam as ruas retorcidas e sem saída dos subúrbios infinitos de Orlando.

— É lindo — comentei.

Margo bufou com desdém.

— Sério? Você acha mesmo?

— Quer dizer, bem, talvez não — falei, embora fosse lindo.

Quando eu via Orlando de um avião, a cidade se assemelhava a um cenário de LEGO mergulhado em um oceano de verde. Ali, à noite, parecia um lugar de verdade, mas pela primeira vez um lugar que eu enxergava. Ao caminhar pela sala de reuniões e os outros escritórios naquele andar, consegui ver tudo: ali estava a escola. A Jefferson Park. E lá, a distância, a Disney. O Wet'n Wild. Ali, o estacionamento da lojinha vinte e quatro horas onde Margo pintara as unhas e eu lutara para recuperar o fôlego. Estava tudo ali: meu mundo inteiro, e eu conseguia vê-lo só de andar ao longo de um prédio.

— É mais impressionante — disse eu, em voz alta. — Assim, ao longe. Não dá para ver o desgaste das coisas, entende? Não dá para ver a poeira ou as ervas daninhas ou a tinta rachando. A gente enxerga o lugar da forma como alguém um dia o imaginou.

— De perto tudo é mais feio — disse ela.

— Não você — respondi sem pensar.

Mantendo a testa apoiada no vidro, ela se virou para mim e sorriu.

— Uma dica: você fica bonitinho quando está seguro de si. E menos quando não está. — Antes que eu pudesse dizer qualquer palavra, seus olhos se voltaram para a vista e ela começou a falar: — Eis o que não é bonito em tudo isso: daqui não se vê a poeira ou a tinta rachando ou sei lá o quê, mas dá para ver o que este lugar é de verdade. Dá para ver o quanto é falso. Não é nem consistente o suficiente para ser feito de plástico. É uma cidade de papel. Quer dizer, olhe só para ela, Q: olhe para todas aquelas ruas sem saída, aquelas ruas que dão a volta em si mesmas, todas aquelas casas construídas para virem abaixo. Todas aquelas pessoas de papel vivendo suas vidas em casas de papel, queimando o futuro para se manterem aquecidas. Todas as crianças de papel bebendo a cerveja que algum vagabundo comprou para elas na loja de papel da esquina. Todos idiotizados com a obsessão por possuir coisas. Todas as coisas finas e frágeis como papel. E todas as pessoas também. Vivi aqui durante dezoito anos e nunca encontrei ninguém que se importasse realmente com qualquer coisa.

— Vou tentar não levar isso para o lado pessoal — comentei.

Estávamos os dois encarando a escuridão longínqua, as ruas sem saída e os lotes de um metro quadrado. Mas o ombro dela estava encostado em meu braço, e as costas de nossas mãos estavam se tocando, e embora eu não estivesse olhando para Margo, me apoiar naquele vidro era quase como me apoiar nela.

— Foi mal — disse ela. — Talvez as coisas tivessem sido diferentes para mim se eu tivesse passado mais tempo com você em vez de... ah. É só que... Deus! Eu me odeio tanto por me importar com meus, abre aspas, amigos. Quer dizer, só para constar, não é que eu esteja tão chateada com Jason. Ou com Becca. Ou até com Lacey, embora eu gostasse dela de verdade. Mas é que estava por um fio. Era um fio tênue, sim, mas era o que restava. E toda garota de papel precisa de pelo menos um fio, não é?

E eis o que eu disse. Eu disse:

— Você pode almoçar com a gente amanhã.

— É muito gentil — respondeu ela, a voz ficando mais baixa. Ela se virou para mim e assentiu ligeiramente. Eu sorri. Ela sorriu. Acreditei naquele sorriso. Caminhamos até a escada e descemos correndo. Ao final de cada lance, eu pulava os últimos degraus e batia os calcanhares a fim de fazê-la rir, e ela ria. Eu achei que estivesse colocando Margo para cima. Achei que ela pudesse ser colocada para cima. Achei que talvez, se eu parecesse confiante, algo poderia acontecer entre nós.

Eu estava enganado.

7

Sentados na minivan, com a chave na ignição, porém com o motor desligado, ela perguntou:

— A que horas seus pais acordam, a propósito?

— Não sei, lá pelas 6h15? — Eram 3h51. — Quer dizer, ainda temos duas horas e já concluímos a parte nove.

— Eu sei, mas guardei a tarefa mais difícil para o final. De qualquer modo, a gente vai dar conta de tudo. Parte dez: é a vez de Q escolher uma vítima.

— O quê?

— Já escolhi o castigo. Agora é só você escolher em quem vamos fazer valer nossa poderosa lei.

— *Com* quem vamos fazer valer nossa lei — corrigi, e ela balançou a cabeça com nojo. — Não há ninguém com quem eu queira fazer valer nossa poderosa lei — falei, e era verdade.

Sempre achei que só pessoas importantes tinham inimigos. Por exemplo: historicamente, a Alemanha tem mais inimigos do que Luxemburgo. Margo Roth Spiegelman era a Alemanha. E a Inglaterra. E os Estados Unidos. E a Rússia czarista. Eu, eu era Luxemburgo. Só na minha, criando minhas ovelhas e cantando à tirolesa.

— E o Chuck? — perguntou ela.

— Hum.

Chuck Parson *tinha* sido uma pessoa bem horrível em todos os anos antes de seu reinado. Além do fiasco da esteira da cantina, uma vez ele me agarrou do lado de fora do colégio enquanto eu esperava pelo ônibus e torceu meu braço enquanto gritava:

— Diga que é uma bichinha.

Era disso que ele era capaz, insultos do tipo "eu tenho o vocabulário de um moleque de doze anos, então não espere de mim uma ampla variedade de xingamentos". E, mesmo sendo ridiculamente infantil, no final eu tive que dizer que era uma bichinha, o que realmente me incomodou porque 1) Eu acho que ninguém deveria usar essa palavra, muito menos eu, 2) Por acaso, eu não sou gay, e além do mais, 3) Chuck Parson achava que chamar alguém de bichinha era a pior humilhação do mundo, embora eu não veja problema algum em ser gay, e era exatamente isso que eu tentava explicar enquanto ele torcia meu braço mais e mais em direção ao ombro e dizia:

— Se você tem tanto orgulho de ser uma bichinha, por que não admite logo que é uma bichinha, sua bichinha?

Obviamente, Chuck Parson não era nenhum Aristóteles quando o assunto era lógica. Mas ele tinha um metro e noventa e pesava cento e vinte quilos, o que conta para alguma coisa.

— Você poderia armar para Chuck — reconheci.

Liguei o carro e comecei a dirigir em direção à rodovia. Eu não sabia para onde estávamos indo, mas tinha certeza de que não ficaríamos no centro da cidade.

— Lembra o baile na Escola de Dança Crown? — perguntou ela. — Eu estava pensando naquela noite.

— Ui. É.

— Foi mal por aquilo, aliás. Não tenho ideia de por que caí na dele.

— É. Já passou — respondi, recordando, no entanto, como ficara puto da vida no baile da Escola de Dança Crown. E acrescentei: — É. Chuck Parson. Você sabe onde ele mora?

— Eu sabia que podia ativar seu lado vingativo. Ele mora em College Park. Pegue a saída em Princeton. — Virei na rampa de acesso à rodovia e o fundo do carro bateu no asfalto. — Ei, cuidado — disse Margo. — Não vá danificar o Chrysler.

No sexto ano, um bando de alunos, incluindo Margo, Chuck e eu, foi obrigado pelos pais a fazer aula de dança de salão na Escola de Humilhação, Degradação e Dança Crown. Funcionava assim: os meninos ficavam de pé de um lado e as meninas do outro, e então a professora dizia que nós, os meninos, deveríamos ir até as meninas e dizer: "Me concede esta dança?", e a menina responderia: "Sim". As meninas *eram proibidas* de responder "não". Mas aí um dia — estávamos aprendendo foxtrote — Chuck Parson convenceu todas as meninas a dizerem "não" para mim. Para mais ninguém. Só para mim. Então caminhei até Mary Beth Shortz e disse:

— Me concede esta dança?

E ela disse "não".

E perguntei a outra menina, e a outra, e então perguntei para Margo, que também disse não, e a outra, e então comecei a chorar.

A única coisa que pode ser pior do que ser rejeitado em uma aula de dança é chorar por ser rejeitado em uma aula de dança, e a única coisa pior do que isso é chegar para a professora e dizer em meio às lágrimas:

— Todas as meninas estão dizendo não e elas não *podemdizernão*.

E é óbvio que fui chorando falar com a professora, e por isso passei a maior parte do ensino fundamental tentando superar a vergonha. Então, resumindo, por causa de Chuck Parson, eu nunca dancei foxtrote, o que não deveria ser uma coisa especialmente horrível para um aluno do sexto ano. E eu não estava mais chateado com aquilo nem com nada que ele tivesse feito comigo ao longo dos anos. Mas certamente não iria lamentar o sofrimento dele.

— Peraí, ele não vai saber que sou eu, vai?

— Não. Por quê?

— Não quero que ele pense que me importo o suficiente para fazer alguma coisa contra ele. — Pousei a mão no descanso entre as poltronas e Margo deu um tapinha de leve nela.

— Não se preocupe — disse ela. — Ele nunca vai saber que produto depilatório o atingiu.

— Acho que você não usou essa palavra corretamente, mas não sei o que quer dizer.

— Eu conheço uma palavra que você não conhece — cantarolou ela. — EU SOU A NOVA RAINHA DO VOCABULÁRIO! USURPEI SEU LUGAR!

— Soletre *usurpei* — pedi.

— Não — respondeu ela, rindo. — Não vou dar minha coroa de bandeja por causa de *usurpei*. Você vai ter que fazer melhor do que isso.

— Tudo bem — falei e sorri.

Dirigimos ao longo de College Park, um bairro que entrou para a história de Orlando porque quase todas as suas casas foram construídas há uns trinta anos. Margo não se lembrava do endereço exato de Chuck ou de como era a casa dele ou até mesmo em qual rua ficava ("Tenho quase noventa e cinco por cento de certeza de que fica na Vassar").

Finalmente, depois de o Chrysler rodar por uns três quarteirões da Rua Vassar, Margo apontou para a esquerda e disse:

— Aquela.

— Tem certeza? — perguntei.

— Tipo uns noventa e sete vírgula dois por cento de certeza. Quer dizer, tenho quase certeza de que o quarto dele é ali. — Ela apontou. — Uma vez ele deu uma festa e, quando a polícia chegou, eu fugi pela janela dele. Tenho quase certeza de que é aquela janela.

— A gente pode acabar arrumando problema.

— Mas, se a janela estiver aberta, então não tem arrombamento. Só invasão. E a gente *acabou* de invadir o SunTrust e não foi um grande problema, foi?

— Você está me transformando em um criminoso. — Eu ri.

— A ideia é essa. Certo, utensílios: pegue o Veet, a tinta spray e a Vaselina.

— Ok.

Peguei tudo.

— Agora vê se não vai entrar em pânico, Q. A boa notícia é que Chuck dorme como um urso hibernando. Eu sei porque era da mesma turma de inglês que ele, e ele não acordava nem quando a Sra. Johnston o espancava com um exemplar de *Jane Eyre*. A gente vai subir até a janela dele, abrir, tirar os sapatos e entrar em silêncio, aí eu vou sacanear o Chuck. E então eu e você vamos correr em direções opostas e cobrir todas as maçanetas com Vaselina. Assim, mesmo que alguém acorde, eles vão ter um trabalho do caramba para sair da casa a tempo de pegar a gente. E aí a gente vai sacanear o Chuck um pouquinho mais, pintar a casa um pouco, e então vai embora. E boca fechada.

Levo a mão até a jugular, mas estou sorrindo.

Estávamos nos afastando do carro juntos quando Margo pegou minha mão, entrelaçou os dedos aos meus e apertou. Retribuí o aperto e dei uma olhada de relance para ela. Ela assentiu solenemente, e eu assenti de volta, e então ela soltou minha mão. Escalamos até a janela. Subi cuidadosamente a esquadria de madeira. Ela rangeu bem baixinho, mas se abriu com um único movimento. Olhei para dentro. Estava escuro, mas dava para ver um corpo na cama.

A janela era um pouco alta para Margo, então juntei as mãos e ela pisou nelas, só de meias, daí eu a impulsionei para cima. O silêncio dela ao entrar na casa teria deixado um ninja com inveja. Me ajeitei para pular lá dentro, passei a cabeça e os ombros pela janela e tentei, com uma ondulação complicada do tronco, me esgueirar feito uma lagarta para dentro do quarto. Teria funcionado perfeitamente se eu não tivesse batido o saco no parapeito, e doeu tanto que soltei um gemido, um erro daqueles.

Uma lâmpada de cabeceira se acendeu. E ali, na cama, estava deitado um velho – definitivamente, não era Chuck Parson. Os olhos dele estavam arregalados de pavor; ele não disse uma palavra.

– Hum – disse Margo.

Pensei em fugir, correr de volta para o carro, mas, pelo bem de Margo, fiquei ali, metade dentro da casa, em uma linha paralela ao chão.

– Hum, acho que é a casa errada.

Ela se virou e olhou para mim com urgência. E só então eu me dei conta de que estava bloqueando a saída. Eu me joguei pela janela, agarrei meus tênis e saí correndo.

Fomos de carro até o outro lado do College Park, para nos recompormos.

– Acho que nós dois somos culpados nessa – disse Margo.

– Hum, *você escolheu a casa errada* – falei.

– Ok, mas foi *você* quem fez barulho.

Ficamos em silêncio por um minuto, rodando em círculos, até que eu disse:

– A gente deve conseguir o endereço dele na internet. Radar tem uma senha para acessar o banco de dados do colégio.

– Genial – disse Margo.

Então telefonei para Radar, mas a ligação caiu diretamente na caixa postal. Pensei em ligar para a casa dele, mas os pais dele eram amigos dos meus, ou seja, não ia dar certo. Enfim, pensei em ligar para Ben. Ele não era Radar, mas sabia todas as senhas de Radar. Liguei. Caiu na caixa postal, mas só depois de tocar algumas vezes. Então liguei de novo. Caixa postal. Liguei de novo. Caixa postal. E Margo falou enquanto eu discava de novo:

— Está na cara que ele não vai atender.

— Ah, ele vai atender. — E, depois de mais quatro chamadas, ele atendeu.

— Acho melhor você me dizer que tem onze gatinhas peladas na sua casa e que está me ligando para requisitar os serviços especiais que só o papai aqui pode oferecer.

— Preciso que você use o login de Radar para entrar no banco de dados dos alunos e consultar um endereço para mim. Chuck Parson.

— Não.

— Por favor — implorei.

— Não.

— Você vai ficar feliz por ter ajudado, Ben. Eu prometo.

— Ok, ok, já entrei. Eu estava acessando o banco de dados enquanto dizia não. Nunca deixo um amigo na mão. Rua Amherst, número quatro, dois, dois. Ei, por que você quer saber o endereço de Chuck Parson às quatro e vinte da manhã?

— Vá dormir, Benners.

— Vou registrar isso como um sonho — respondeu Ben, e desligou.

A Amherst ficava a uns dois quarteirões. Paramos em frente ao número quatrocentos e dezoito, pegamos os utensílios e atravessamos o gramado diante da casa de Chuck, o orvalho voando da grama para minhas panturrilhas.

Diante da janela dele, que por sorte era mais baixa do que a do Velho Aleatório, pulei silenciosamente para dentro da casa e puxei Margo para dentro. Chuck Parson estava dormindo de barriga para cima. Margo caminhou em direção a ele, na ponta dos pés, e eu fiquei atrás dela, o coração martelando. Ele mataria a gente se acordasse. Ela puxou o Veet, colocou um punhado do que parecia creme de barbear na mão e então, bem de leve e com cuidado, espalhou pela sobrancelha direita de Chuck. Ele sequer se mexeu.

E então ela abriu a vaselina – a tampa fez um *clique* que pareceu ensurdecedor de tão alto, porém, mais uma vez, Chuck não demonstrou nem sinal de que iria acordar. Ela colocou um naco gigante na minha mão e nós seguimos para lados opostos da casa. Primeiro fui até a porta de entrada e passei vaselina na maçaneta, e depois lambuzei a maçaneta interna da porta aberta de um quarto e, com o mais leve dos ruídos, fechei a porta.

Finalmente retornei ao quarto de Chuck – Margo já estava lá –, e juntos fechamos a porta e lambuzamos a maçaneta até não podermos mais. Espalhamos a vaselina restante por todas as superfícies do quarto, torcendo para que aquilo dificultasse a abertura da janela depois que a fechássemos ao sair.

Margo deu uma conferida no relógio e ergueu dois dedos. Aguardamos. E durante aqueles dois minutos apenas nos encaramos, e eu fitei o azul dos olhos dela. Foi bom – no escuro e no silêncio, sem a possibilidade de eu dizer algo que estragasse o momento, os olhos dela me encarando de volta como se houvesse algo em mim que valesse a pena ser visto.

E então Margo acenou com a cabeça e eu andei em direção a Chuck. Enrolei a mão na camisa, do jeito que ela havia me mandado fazer, me inclinei para a frente e, com o máximo de leveza possível, esfreguei o dedo na testa dele rapidamente, removendo o Veet. Junto com o creme veio todo e qualquer cabelo que Chuck Parson um dia já teve na sobrancelha direita. Eu estava de pé ao lado de Chuck, com a sobrancelha direita dele na camisa, quando seus olhos se abriram. Em um instante, Margo agarrou as cobertas e jogou nele, e quando olhei de novo a pequena ninja já tinha saído pela janela. Eu a segui o mais depressa que pude enquanto Chuck gritava:

— MAMÃE! PAPAI! LADRÃO, LADRÃO!

Eu queria dizer: *A única coisa que a gente roubou foi sua sobrancelha*, mas continuei mudo enquanto passava uma perna de cada vez pela janela. Quase caí em cima de Margo, que estava pichando um *M* no revestimento de PVC na lateral da casa, e então nós dois agarramos nossos tênis e disparamos para o carro. Quando me virei para olhar a casa, as luzes estavam acesas, mas ninguém estava do lado de fora ainda, uma prova da simplicidade genial de uma maçaneta bem lambuzada de vaselina. Quando o Sr. (ou Sra., talvez, não dava para ver direito) Parson abriu as cortinas da sala e olhou para fora, estávamos dirigindo de ré em direção à Rua Princeton e à rodovia.

— Cara! — gritei. — Foi genial.

— Você viu? A cara dele sem a sobrancelha? Ele parece permanentemente em dúvida, não é? Tipo, "Ah é? Você está dizendo que eu só tenho uma sobrancelha? Até parece." E eu adoro o fato de obrigarmos aquele babaca a decidir: é melhor raspar a esquerda ou pintar a direita? Adoro. E o jeito como ele chamou pela mamãe, chorão de merdinha.

— Espere aí, por que *você* o odeia?

— Eu não disse que odiava. Eu só o chamei de chorão de merdinha.

— Mas você sempre meio que foi amiga dele — falei, ou pelo menos eu achava que fosse.

— É, sim, eu sempre fui meio que amiga de um monte de gente — disse ela. Margo se inclinou dentro do carro e apoiou a cabeça em meu ombro magro, os cabelos escorrendo pelo meu pescoço. – Estou cansada.

– Cafeína? – propus.

Ela pegou a sacola e puxou uma lata de Mountain Dew para cada um de nós. Bebi a minha em dois goles.

– Agora a gente vai para o SeaWorld – disse ela. – Parte onze.

– A gente vai libertar Willy ou algo assim?

– Não. A gente vai até o SeaWorld, só isso. É o único parque temático que ainda não invadi.

– Não dá para invadir o SeaWorld – falei e parei o carro no estacionamento de uma loja de móveis, desligando o motor.

– A gente não tem muito tempo – argumentou ela, esticando-se para ligar o carro de novo.

Afastei sua mão.

– A gente não pode arrombar e invadir o SeaWorld – repeti.

– Ai, de novo essa história. – Ela parou e abriu outra lata de Mountain Dew. A lata refletiu a luz no rosto dela, e por um segundo eu a vi sorrindo por causa da frase que estava prestes a dizer: – A gente não vai *arrombar* nada. Não pense nisso como *arrombar* o SeaWorld. Pense que vamos visitar o SeaWorld de graça no meio da noite.

8

— Em primeiro lugar, a gente vai ser pego — disse eu.

Eu ainda não tinha ligado o carro e estava enumerando as razões pelas quais não daria partida, e me perguntando se ela conseguia me ver no escuro.

— É claro que a gente vai ser pego. E daí?

— É ilegal.

— Q, no plano geral, que tipo de problema o SeaWorld pode trazer para você? Quer dizer, meu Deus, depois de todas as coisas que eu fiz por você hoje à noite, você não pode fazer uma coisinha por mim? Você não pode simplesmente calar a boca, se acalmar e parar de ficar tão apavorado por causa de cada pequena aventura? — E então ela continuou em voz baixa: — Meu Deus. Vê se cria bolas.

Agora eu estava realmente com raiva. Puxei o cinto de segurança para me aproximar dela e me inclinei no descanso entre as poltronas.

— Depois de tudo que VOCÊ fez por MIM? — quase berrei. Ela queria que eu demonstrasse segurança? Pois ali estava minha segurança. — Você por acaso ligou para o pai da MINHA amiga, que estava dando para MEU namorado, para que ninguém soubesse que era eu quem estava ligando? Você por acaso deu a volta ao mundo servindo de motorista para MIM, não por você ser assim tão importante para mim, mas só porque eu precisava de uma carona e você estava à toa? É esse o tipo de coisa que você fez por mim esta noite?

Ela não me encarou. Apenas olhou para frente, para o revestimento na parede da loja de móveis.

— Você acha que eu precisava de você? Você não acha que eu poderia ter dado uma dose de Benadryl para Myrna Mountweazel dormir e ter roubado a chave do cofre debaixo da cama de meus pais? Ou entrar no seu quarto escondida enquanto você estivesse dormindo e pegar as suas chaves? Eu não precisava de você, seu idiota. Eu *escolhi* vir com você. E você me escolheu. — E então ela me encarou: — É como uma promessa. Pelo menos esta noite. Na saúde e na doença. Na alegria e na tristeza. Na riqueza e na pobreza. Até que o sol nos separe.

Liguei o carro e saí do estacionamento, mas, apesar de toda aquela baboseira de trabalho em equipe, eu ainda me sentia pressionado a fazer alguma coisa, então quis ter a última palavra:

— Tudo bem, mas quando o SeaWorld mandar uma carta para a Universidade Duke dizendo que o patife do Quentin Jacobsen invadiu o terreno deles às quatro e meia da manhã com uma mocinha de olhar selvagem a tiracolo, a Universidade Duke vai ficar enfurecida. Meus pais também.

— Q, você vai entrar na Duke. Você vai ser um grande advogado-ou-sei-lá-o-quê muito bem-sucedido, se casar e ter filhos e viver sua vidinha. E aí você vai morrer. E nos seus momentos finais, quando estiver engasgando na própria bile em um asilo, vai dizer para si: "Bem, desperdicei minha vida inteira, mas pelo menos invadi o SeaWorld com Margo Roth Spiegelman no último ano do colégio. Pelo menos "*carpei*" um *diem*.

— *Noctem* — corrigi.

— Tudo bem, você é o Rei da Gramática de novo. Recuperou seu trono. Agora me leve para o SeaWorld.

Enquanto dirigíamos em silêncio ao longo da I-4, eu me flagrei pensando no dia que vimos o cara de terno cinza morto. *Talvez seja por isso que ela me escolheu*, pensei. E foi então que finalmente me lembrei do que ela dissera sobre o cara e os fios — e sobre si mesma e os fios.

— Margo — falei, quebrando o silêncio.

— Q — disse ela.

— Você disse... Quando aquele cara morreu, você disse que talvez todos os fios dentro dele tivessem se arrebentado, e agora você acabou de dizer a mesma coisa sobre si, que estava por um fio.

Ela meio que riu.

— Você se preocupa demais. Não quero que crianças me encontrem em Jefferson Park em uma manhã de sábado, cheia de moscas. — Ela aguardou um instante antes de concluir: — Sou vaidosa demais para ter esse destino.

Ri, aliviado, e peguei a saída da rodovia. Entramos na International Drive, a capital do turismo mundial. Havia mil lojas ao longo da rua, e todas vendiam exatamente a mesma coisa: merda. Merda moldada em forma de conchas, chaveiros, tartarugas de vidro, ímãs de geladeira no formato da Flórida, flamingos cor-de-rosa de plástico, o que fosse. Na verdade, havia diversas lojas na International Drive que de fato vendiam merda: cocô de tatu, literalmente, a quatro pratas e noventa e cinco o saco.

No entanto, às 4h50 da manhã os turistas dormiam. A rua estava completamente deserta, como tudo o mais, à medida que passávamos por loja seguida de estacionamento, seguida de loja, seguida de estacionamento.

— O SeaWorld fica depois desta avenida — disse Margo. Ela estava de volta ao banco de trás da minivan, vasculhando uma mochila ou algo assim. — Eu tenho um monte de mapas e fiz um plano de ataque, mas não consigo encontrar em lugar nenhum. De qualquer maneira, basta virar à direita depois da avenida, e à sua esquerda você vai ver uma loja de suvenir.

— À minha esquerda tem mais ou menos umas dezessete mil lojas de suvenir.

— Certo, mas depois da avenida só vai ter uma.

E, exatamente como ela falou, lá estava a única loja, então entrei em um estacionamento vazio e parei o carro bem debaixo de um poste. Afinal, toda hora um carro era assaltado na International Drive. E, embora apenas um ladrão verdadeiramente masoquista pensasse em roubar o Chrysler, a ideia de precisar explicar à minha mãe como e por que o carro tinha desaparecido na madrugada de um dia útil realmente não me agradava.

Ficamos do lado de fora, encostados na traseira do carro, o ar tão quente e pesado que eu podia sentir as roupas grudando na pele. Senti medo de novo, como se pessoas que eu não podia ver estivessem me observando. Estava escuro demais havia muito tempo, e meu intestino doía por causa de tantas horas de preocupação. Margo encontrara os mapas, e à luz do poste seu dedo sujo de tinta azul traçou nosso caminho.

— Acho que tem uma cerca bem aqui — disse ela, apontando um pedaço de madeira que a gente teria alcançado logo depois de cruzar a avenida. — Li sobre isso na internet. Eles instalaram há alguns anos, depois que um bêbado entrou no parque no meio da noite e decidiu nadar com a Shamu, que de imediato o matou.

— Sério?

— É, então, se um bêbado é capaz, com certeza a gente consegue fazer isso estando sóbrios. Quer dizer, nós somos ninjas.

— Bem, *você* talvez seja uma ninja — falei.

— Você é só um ninja meio barulhento e desengonçado — disse Margo —, mas nós somos dois ninjas. — Ela prendeu o cabelo atrás das orelhas, levantou o capuz e o apertou ao redor do rosto, puxando as cordinhas; o poste iluminou suas feições pálidas e angulosas. Talvez nós dois fôssemos ninjas, mas só ela possuía a vestimenta completa.

— Tudo bem — disse ela. — Memorizar o mapa.

De longe, a parte mais aterrorizante da corrida de oitocentos metros que Margo tinha planejado para nós era o fosso. O SeaWorld fora construído no formato de um triângulo. Um lado era protegido por uma estrada, que Margo imaginava ser constantemente patrulhada por vigias noturnos. O segundo lado era guardado por um lago que tinha pelo menos um quilômetro e meio de diâmetro. O terceiro era um fosso de escoamento; pelo mapa, parecia ter a largura de uma rua de duas pistas. E na Flórida, onde existem fossos cheios de água próximos a lagos, normalmente também existem jacarés.

Margo segurou meus ombros e me virou em direção a ela.

— O mais provável é que a gente seja pego, e quando isso acontecer, deixe que eu fale. Apenas faça essa cara bonitinha de mescla de inocência e segurança que você tem e vai dar tudo certo.

Tranquei o carro, tentei ajeitar meu cabelo rebelde e sussurrei:

— Sou um ninja.

Eu não queria que Margo ouvisse, mas ela respondeu:

— Claro que é! Agora vamos.

Corremos ao longo da International Drive e então seguimos por um matagal de arbustos altos e carvalhos. Comecei a me preocupar com a possibilidade de haver alguma hera venenosa, mas ninjas não se preocupam com heras venenosas, então segui a trilha, meus braços na frente afastando espinheiros e arbustos enquanto caminhávamos em direção ao fosso. Enfim, as árvores acabaram e o campo se abriu, e eu consegui enxergar a avenida à nossa direita e o fosso logo adiante. Se houvesse carros passando, as pessoas poderiam nos ver da rua, mas não havia nenhum. Juntos, corremos pelo meio do mato e depois fizemos uma curva acentuada em direção à avenida.

— Agora, agora! — gritou Margo.

Então corri ao longo das quatro pistas da rodovia. Mesmo vazia, havia algo de emocionante e errado em atravessar uma rodovia tão grande.

Chegamos ao outro lado e então nos ajoelhamos na grama, da altura do joelho, ao lado da rodovia. Margo apontou para a faixa de árvores entre o estacionamento infinitamente gigantesco do SeaWorld e o pretume da água parada do fosso. Corremos por um minuto ao longo da linha das árvores e, em seguida, Margo me puxou pelas costas da camisa e disse calmamente:

— Agora o fosso.

— Damas primeiro.

— Que nada! Fique à vontade — respondeu ela.

E eu não pensei nos jacarés ou na camada nojenta de algas salobras. Eu só corri e pulei o mais longe que consegui. Caí em uma água que batia na cintura e atravessei com passos longos. A água fedia e era pegajosa, mas pelo menos eu não estava molhado da cintura para cima. Ou pelo menos não estava até Margo pular, espirrando um monte de água em mim. Eu me virei e dei um banho nela. Ela fingiu ânsia de vômito.

— Ninjas não jogam água em outros ninjas — reclamou ela.

— O verdadeiro ninja não cai esparramando um monte d'água — revidei.

— Hum... *touché*.

Fiquei observando Margo tomar impulso para sair do fosso. E me sentia bem satisfeito com a ausência de jacarés. Minha pulsação estava em um ritmo aceitável, embora acelerado. E, sob o moletom aberto, a camiseta preta dela estava colada ao corpo por causa da água. Resumindo: várias coisas iam muito bem até que vi pelo canto do olho um movimento na água próximo a Margo. Ela estava começando a sair da água, dava para notar seu tendão de aquiles se retesando, e antes que eu pudesse dizer qualquer coisa uma cobra se esticou e picou o calcanhar esquerdo dela, logo abaixo da barra da calça jeans.

— Merda! — disse Margo. Ela olhou para baixo e repetiu: — Merda!

A cobra ainda estava presa a ela. Eu mergulhei e a agarrei pela cauda, arrancando-a de Margo e jogando-a no fosso.

— Ai, Deus — disse ela. — Que cobra era? Uma mocassim d'água?

— Não sei, deite no chão, deite — ordenei, e então segurei a perna dela e subi a calça jeans.

Dois pingos de sangue saíam do ponto onde as presas haviam picado. Eu me inclinei, coloquei a boca na ferida e chupei o máximo que consegui, tentando extrair o veneno. Cuspi, e estava prestes a repetir o procedimento quando ela disse:

— Espere, estou vendo a cobra. — Dei um pulo, apavorado, e ela disse: — Não, não, meu Deus, é só uma cobra garter.

Ela apontava para o fosso, e eu segui o dedo e vi uma pequena cobra garter serpenteando na superfície, nadando sob um feixe de luz. A distância e bem iluminada, ela não parecia mais aterrorizante do que um filhotinho de lagarto.

— Graças a Deus — exclamei, sentando-me junto a ela e recuperando o fôlego.

Depois de olhar para a mordida e se dar conta de que havia parado de sangrar, Margo perguntou:

— E aí, o que você achou de dar um chupão na minha perna?

— Gostei bastante — respondi, o que era verdade.

Ela inclinou de leve o corpo em minha direção e senti seu braço em meu quadril.

— Raspei a perna hoje de manhã *exatamente* para isso. Eu estava, tipo: "Nunca se sabe quando alguém vai se atracar à sua panturrilha para tentar sugar veneno de cobra."

Havia uma cerca de arame à nossa frente, mas tinha menos de dois metros de altura. Como Margo falou:

— Sério mesmo, primeiro cobras garter, agora esta cerca? Esse sistema de segurança é uma espécie de insulto aos ninjas.

Ela escalou a cerca, girou o corpo e desceu do outro lado, como se fosse uma escada simples. Eu consegui não cair.

Passamos por um pequeno matagal de árvores, nos espremendo contra uns tanques opacos que um dia provavelmente tinham abrigado algum animal, e então saímos em um caminho asfaltado e vi o imenso anfiteatro onde Shamu me dera um banho quando eu era criança. Os pequenos alto-falantes alinhados ao longo do corredor estavam tocando música ambiente. Talvez para acalmar os animais.

— Margo — falei —, a gente está no SeaWorld.

— Sério?

E então ela correu para longe de mim e eu a segui. Chegamos ao tanque das focas, mas não parecia haver nenhuma ali dentro.

— Margo — repeti —, a gente está no SeaWorld.

— Aproveite — disse ela praticamente sem mover os lábios. — Porque aí vem o segurança.

Corri para um arbusto da altura da cintura, mas Margo não se mexeu, então parei. Um sujeito vestindo um colete com a inscrição SEAWORLD — SEGURANÇA se aproximou e perguntou muito casualmente:

— E aí?

Ele carregava uma lata de alguma coisa. Spray de pimenta, acho.

Para me manter calmo, pensei: *Será que ele tem algemas normais ou algemas especiais do SeaWorld? Tipo, será que elas têm o formato de dois golfinhos saltando?*

— Na verdade, a gente estava de saída — disse Margo.

— Ah, isso é certo — disse o homem com sotaque carregado. — A questão é se vocês vão sair caminhando ou se serão levados pelo xerife do condado.

— Se para você der no mesmo, a gente preferia ir andando — disse Margo.

Fechei os olhos. Eu queria dizer a Margo que aquilo não era hora de bancar a engraçadinha. Mas o sujeito riu.

— Sabe, há uns dois anos teve um cara que pulou num tanque grande e acabou morrendo, e nós recebemos ordem para nunca deixar ninguém entrar, não importava se fossem bonitinhos. — Margo puxou a camisa para que não ficasse tão colada ao corpo. E só então eu me dei conta de que ele estava falando com os peitos dela.

— Bem, então acho que você vai ter que prender a gente.

— Aí é que mora o problema. Eu já tô quase acabando meu turno, pronto para ir para casa, tomar uma cerveja e dormir um pouco. E se eu chamar a polícia agora, eles vão levar aquele tempo todo de sempre. Tô só pensando alto aqui — disse ele, e então Margo ergueu os olhos, compreendendo.

Ela enfiou a mão no bolso molhado e puxou uma nota de cem dólares suja de água do fosso.

— Bem, é melhor vocês irem embora — disse o segurança. — Se eu fosse vocês, não passaria pelo tanque das baleias. É cheio de câmeras de segurança lá, e vocês não vão querer que ninguém saiba que estão aqui.

— Sim, senhor — respondeu Margo, recatada, e assim o homem se afastou na escuridão. — Cara — balbuciou Margo assim que ele se afastou –, eu realmente não queria dar dinheiro para aquele pervertido. Mas, ah... Dinheiro foi feito para gastar. – Eu mal conseguia ouvi-la; tudo o que eu sentia era o alívio tiritando em minha pele. Aquele prazer bruto compensava toda a preocupação anterior.

– Graças a Deus ele não entregou a gente – falei.

Margo não respondeu. Ela estava olhando para além de mim, os olhos semicerrados, quase fechados.

– Me senti exatamente assim quando entrei no Universal Studios – disse ela depois de um tempo. – É legal e tal, mas não tem muito para ver. Os brinquedos ficam desligados. Tudo que é legal fica trancado. A maioria dos animais é transferida para tanques diferentes durante a noite. – Ela virou o rosto e admirou o SeaWorld que podíamos ver. – Acho que o prazer não está aqui dentro.

– E onde está? – perguntei.

– No planejamento, acho. Não sei. Fazer as coisas nunca é tão bom quanto imaginá-las.

– Isso aqui parece bem legal para mim – confessei. – Mesmo que não tenha nada para ver.

Sentei-me em um banco de praça e ela se sentou ao meu lado. Estávamos olhando para o tanque das focas, mas não havia focas, só uma ilha deserta com umas pontas de pedras feitas de plástico. Eu podia sentir o cheiro dela junto a mim, o suor e as algas do fosso, o xampu com essência de lilases e a pele com cheiro de amêndoas.

Senti cansaço pela primeira vez e pensei em nós dois deitados juntos na grama do SeaWorld, eu de costas, ela de lado com um braço em volta de mim, a cabeça em meu ombro, me olhando. Sem fazer nada – só deitados ali, juntos, sob o céu, a noite tão clara a ponto de ofuscar as estrelas. E talvez eu sentisse a respiração dela junto ao meu pescoço, e talvez a gente pudesse ficar ali até o dia seguinte, e então as pessoas caminhariam por nós no parque, nos veriam e pensariam que éramos apenas turistas também, e nós poderíamos desaparecer no meio delas.

Mas não. Tinha um Chuck de uma sobrancelha só a ser visto, e Ben, a quem eu precisava contar a história toda, e as aulas, a sala de ensaios, a Universidade Duke, o futuro.

— Q.

Eu olhei para ela e por um instante não entendi por que ela tinha dito meu nome, mas então acordei do cochilo. E ouvi. A música ambiente das caixas de som tinha aumentado de volume, só que não era mais música de elevador — era música de verdade. Um jazz antigo do qual meu pai gosta, chamado "Stars Fell on Alabama". Apesar de as caixas de som serem pequenas, dava para notar que quem estava cantando tinha uma voz e tanto.

E eu senti o fio ininterrupto, o meu e o dela, se esticando desde nossos berços até o cara morto, de quando éramos apenas conhecidos até agora. E eu queria dizer que para mim o prazer não estava no planejamento ou na execução ou na saída; o prazer estava em ver nossos fios se cruzarem e se separarem, e depois se tocarem de novo — mas aquilo parecia algo muito brega de se dizer, e de qualquer forma Margo já estava se levantando.

Os olhos azuis piscaram, e, bem ali, ela parecia impossivelmente bonita, a calça jeans molhada colada ao corpo, o rosto brilhando sob a luz acinzentada.

Fiquei de pé, estendi a mão e disse:

— Me concede esta dança?

Margo fez uma reverência, pegou minha mão e respondeu:

— Sim.

E então minha mão estava na curva entre a cintura e o quadril dela, e a mão dela em meu ombro. E passo-passo-lado, passo-passo-lado. Dançamos todo o caminho até o tanque das focas, e a música continuava falando sobre estrelas cadentes.

– Música lenta do sexto ano – anunciou Margo, e nós mudamos de posição, as mãos dela em meus ombros, e as minhas no quadril dela, os cotovelos esticados, mais de meio metro entre nós.

E depois dançamos mais foxtrote, até a música acabar. Dei um passo adiante e a inclinei para trás, exatamente como haviam ensinado para a gente na Escola de Dança Crown. Ela levantou uma perna e soltou todo o peso do corpo quando a virei. Ou ela confiava mesmo em mim, ou desejava cair.

9

Compramos panos de prato numa lojinha de conveniência na International Drive e nos esforçamos ao máximo para limpar o lodo e o fedor do fosso de nossas roupas e pele. Antes de contornarmos Orlando, enchi o tanque até o mesmo nível do início da noite. Os assentos estariam um pouco úmidos quando mamãe fosse para o trabalho, mas eu torcia para que ela não notasse, já que era muito distraída. Em geral, meus pais acreditavam que eu era a pessoa mais equilibrada do mundo e menos inclinada a invadir o SeaWorld. Afinal, meu bem-estar psicológico era uma prova do talento profissional deles.

Voltei para casa sem pressa, evitando a rodovia e pegando as ruas menores. Margo e eu estávamos ouvindo rádio, tentando descobrir em que estação tinha tocado "Stars Fell on Alabama", mas então ela desligou:

— No geral, acho que foi um sucesso.

— Com certeza — falei, embora naquele ponto estivesse me perguntando como seria o dia seguinte. Será que ela iria aparecer na sala de ensaios para ficar com a gente antes do início da aula? Iria almoçar comigo e com Ben? — Eu me pergunto se amanhã vai ser diferente.

— É — disse ela. — Eu também. — Ela deixou a questão no ar, e então acrescentou: — Ah, por falar em amanhã, como agradecimento por todo o seu trabalho duro e dedicação nesta noite extraordinária, eu gostaria de lhe dar um presente. — Ela deu uma vasculhada junto aos pés e então pegou uma câmera digital. — Pegue — ofereceu. — E use o Poder do Pequeno Bigulinho sabiamente.

Eu ri e enfiei a câmera no bolso.

— Vou baixar a foto em casa e amanhã devolvo a máquina na escola, tudo bem? — perguntei. Eu ainda queria que ela respondesse: *Na escola, onde as coisas vão ser completamente diferentes, onde vamos ser amigos em público e também decididamente solteiros.* Mas ela só respondeu:

— Ok, tanto faz.

Eram 5h42 quando entrei em Jefferson Park. Dirigimos pela Jefferson Drive até o Jefferson Court e viramos em nossa rua, a Jefferson Way. Apaguei os faróis pela última vez e subi na entrada de carros. Eu não sabia o que dizer, e Margo estava calada. Enchemos uma sacola de compras com o lixo, tentando fazer o Chrysler parecer como se as últimas seis horas não tivessem acontecido. Em outra sacola, ela me deu o restante da vaselina, a tinta spray e as últimas latas de Mountain Dew. Meu cérebro estava acelerado de cansaço.

Com uma bolsa em cada mão, parei por um instante do lado de fora do carro, olhando para ela:

— Bem, foi uma noite e tanto — falei, afinal.

— Venha cá — disse ela, e eu dei um passo adiante. Ela me abraçou, e as sacolas me atrapalharam ao abraçá-la de volta, mas se eu as soltasse alguém poderia acordar. Dava para sentir que Margo estava na ponta dos pés, e sua boca estava bem juntinho ao meu ouvido. Ela disse com muita clareza: — Vou. Sentir. Falta. De. Me. Divertir. Com. Você.

— Não precisa sentir — respondi em voz alta, tentando disfarçar a decepção. — Se você não gosta mais deles, é só sair comigo. Meus amigos são bem legais, na verdade.

Seus lábios estavam tão próximos de mim, que eu até os sentia sorrindo.

— Infelizmente não vai dar — sussurrou ela.

E me soltou, porém permaneceu olhando para mim, dando um passo de cada vez para trás. Por fim, ergueu uma sobrancelha e sorriu, e eu acreditei naquele sorriso. Eu a observei escalar uma árvore e se jogar no telhado da própria casa, perto da janela dela no segundo andar. Ela arrombou a janela e se arrastou para dentro.

Entrei pela porta da frente de casa, destrancada, e caminhei na ponta dos pés da cozinha até o quarto, tirei a calça jeans, joguei-a em um canto do armário, junto à tela da janela, baixei a foto de Jase no computador e fui para a cama, minha mente fervilhando com as coisas que eu iria dizer a ela no colégio.

PARTE DOIS
A relva

1

Dormi por cerca de meia hora até o despertador tocar às 6h32. Mas, pessoalmente, não reparei que o despertador tinha parado uns dezessete minutos antes, não até sentir mãos em meus ombros e a voz distante de minha mãe dizendo:

— Bom dia, dorminhoco.

— Hum — respondi.

Eu me sentia significativamente mais cansado do que às 5h55, e teria matado aula, mas eu nunca faltava, e, embora soubesse que jamais faltar não é algo especialmente impressionante nem mesmo admirável, eu queria manter a chama viva. Além do mais, queria ver como Margo se comportaria perto de mim.

Quando entrei na cozinha, meu pai estava contando algo à minha mãe junto ao balcão do café da manhã. Ao me ver, ele parou e perguntou:

— Dormiu bem?

— Maravilhosamente bem — respondi, o que era verdade. Pouco, mas bem.

Ele sorriu.

— Eu estava contando para sua mãe que tenho um sonho recorrente por ansiedade — disse ele. — Estou na faculdade. Na aula de hebraico, só que o professor não fala hebraico, e as provas não são em hebraico, são um monte de coisas sem sentido. Mas todo mundo está agindo como se aquela língua inventada com um alfabeto inventado *fosse* hebraico. E aí eu faço essa prova, e tenho que escrever em uma língua que não entendo em um alfabeto que não conheço.

— Interessante — disse eu, embora não fosse. Nada é tão tedioso quanto o sonho alheio.

— É uma metáfora da adolescência — interveio minha mãe. — Escrever em uma língua que não entende... é a vida adulta; usando um alfabeto que não reconhece... é a interação social madura...

Minha mãe trabalhava com adolescentes malucos em presídios e centros de detenção juvenis. Acho que por isso ela nunca se preocupou muito comigo. Desde que eu não estivesse decapitando hamsters ou mijando na própria cara, ela me considerava um sucesso.

Uma mãe normal talvez dissesse: "Ei, parece que você acabou de sair de uma farra de anfetamina e está cheirando a lodo. Por acaso duas horas atrás você estava dançando com uma Margo Roth Spiegelman picada por cobra?" Mas não. Eles preferiam falar de sonhos. Tomei um banho, vesti uma camiseta e uma calça jeans. Estava atrasado, mas, enfim, eu sempre estava atrasado.

— Você está atrasado — falou minha mãe quando voltei à cozinha.

Tentei afastar a nuvem que encobria meu cérebro para lembrar como amarrar o cadarço.

— Eu sei — resmunguei.

Mamãe me levou até o colégio. Fui sentado no banco que Margo havia ocupado. Minha mãe permaneceu quieta a maior parte do caminho, o que foi bom, porque eu estava inteiramente adormecido, a cabeça apoiada na janela do carro.

Quando mamãe parou o carro perto da escola, vi que a vaga de Margo estava vazia. Mas na verdade eu não podia culpá-la por estar atrasada. Os amigos dela não chegavam tão cedo quanto os meus.

Enquanto eu caminhava em direção aos garotos da banda, Ben gritou:

— Jacobsen, eu estava sonhando ou você... — Balancei a cabeça ligeiramente e ele mudou a frase no meio — ... e eu embarcamos numa aventura selvagem na Polinésia Francesa ontem à noite, viajando num barco feito de bananas?

— Era um barco delicioso — respondi.

Radar ergueu os olhos para mim e caminhou em direção à sombra de uma árvore. Eu o segui.

— Perguntei a Angela se conhecia alguém para ir à festa com Ben. Nada feito. — Lancei uma olhadela para Ben, que estava conversando animadamente, um palitinho de mexer café dançando em sua boca enquanto ele falava.

— Que merda — comentei. — Mas tudo bem. Ele e eu vamos nos encontrar e fazer uma maratona de *Resurrection* ou algo assim.

Ben se aproximou e perguntou:

— Vocês estão tentando ser sutis? Porque eu sei que vocês estão falando da tragédia da formatura sem gatinhas que é a minha vida.

Ele se virou e entrou no colégio. Radar e eu o seguimos, conversando enquanto passávamos pela sala de ensaios, onde alunos do primeiro e do segundo ano estavam sentados batendo papo entre uma pilha de caixas de instrumentos.

— Por que você quer ir? — perguntei.

— Cara, é nossa *formatura*. É minha última chance de ser a melhor lembrança de colégio de uma dessas gatinhas.

Revirei os olhos para ele. O primeiro sinal tocou, o que significava que faltavam cinco minutos para começar a aula, então todo mundo começou a correr agitadamente de um lado a outro, enchendo os corredores, feito cães de Pavlov. Ben, Radar e eu paramos diante do armário de Radar.

— Então... por que você me ligou às três da manhã para perguntar o endereço de Chuck Parson?

Eu estava refletindo qual seria a melhor resposta quando vi Chuck Parson caminhando em nossa direção. Cutuquei Ben com o cotovelo e voltei os olhos para Chuck, que, aliás, tinha resolvido que a melhor estratégia era raspar a sobrancelha esquerda.

— Putz — disse Ben.

Em um instante, Chuck estava cara a cara comigo enquanto eu me encolhia contra o armário, a testa dele deliciosamente pelada.

— O que vocês estão olhando, seus babacas?

— Nada — disse Radar. — Com certeza não estamos olhando para suas sobrancelhas.

Chuck empurrou Radar de lado, bateu a mão aberta no armário atrás de mim e foi embora.

— Foi você? — perguntou Ben, incrédulo.

— Vocês não podem contar a ninguém — avisei aos dois. E então acrescentei bem baixinho: — Eu estava com Margo Roth Spiegelman.

Ben levantou a voz de empolgação:

— Você estava com Margo Roth Spiegelman ontem à noite? Às TRÊS DA MANHÃ? — Assenti. — Sozinho? — Assenti de novo. — Ai, meu Deus, se você pegou Margo Roth Spiegelman precisa me contar tudo o que aconteceu nos mínimos detalhes. Você vai ter que escrever uma monografia sobre a aparência e a sensação de tocar os peitos dela. Trinta páginas, no mínimo!

— Eu quero um desenho a lápis com realismo de fotografia — disse Radar.

— Uma escultura também seria aceitável — acrescentou Ben.

Radar meio que ergueu a mão. Educadamente, cedi a palavra a ele.

— Eu estava pensando se você poderia escrever uma sextilha sobre os seios de Margo Roth Spiegelman. Suas seis palavras são: *rosa*, *redondo*, *firmeza*, *suculentos*, *curvos* e *maciez*.

— Pessoalmente — disse Ben —, acho que pelo menos uma das palavras devia ser brrruuuu.

— Não conheço essa — disse.

— É o som que minha boca faz quando mergulho a cara no meio dos air-bags de uma gatinha. — E então fez uma mímica do que ele faria na improvável hipótese de seu rosto se deparar com peitos.

— Nesse instante — disse eu —, embora não saibam, milhares de meninas por todo o país estão sentindo um arrepio de medo e nojo descendo a coluna. De qualquer forma, eu não peguei Margo, seu pervertido.

— Típico — respondeu Ben. — Eu sou o único cara que conheço com colhões de atender aos desejos de uma gatinha, e o único que não tem essa oportunidade.

— Que coincidência interessante — comentei.

Era a vida como sempre tinha sido, só que mais tediosa. Eu tinha esperanças de que a última noite fosse mudar minha vida, mas não mudou, pelo menos não ainda.

O segundo sinal tocou. Corremos para as aulas.

Fiquei extremamente cansado durante o primeiro tempo de cálculo. Quer dizer, eu estava cansado desde que acordei, mas combinar cálculo e fadiga não parecia justo. Para evitar dormir, fiquei escrevendo um bilhete para Margo — nada que eu fosse mandar para ela, só um resumo dos meus momentos preferidos da noite anterior. Mas nem isso foi suficiente para me manter acordado. Em algum momento minha caneta simplesmente parou de se mexer e eu notei meu campo de visão diminuindo e diminuindo, e então eu estava tentando lembrar se a perda da visão periférica era um sintoma de fadiga. Concluí que devia ser, porque só havia uma coisa na frente, e essa coisa era o Sr. Jiminez diante do quadro-negro, e era só isso que meu cérebro conseguia processar, e aí fiquei extremamente confuso quando o Sr. Jiminez chamou:

— Quentin.

Porque a única coisa que estava acontecendo em meu universo era o Sr. Jiminez escrevendo no quadro, e eu não conseguia entender como era possível ele ser tanto uma presença auditiva quanto uma presença visual em minha vida.

— Pois não.

— Você ouviu a pergunta?

— Pois não — repeti.

— E você levantou a mão para responder?

Olhei para cima e, sim, lá estava minha mão erguida, mas eu não sabia como ela tinha ido parar lá no alto, e a única coisa que eu meio que sabia era como abaixá-la de novo. E então, após um esforço considerável, meu cérebro conseguiu ordenar que a mão descesse, e minha mão conseguiu descer, e eu disse, afinal:

— Posso ir ao banheiro?

— Vai lá — disse ele, e outra pessoa ergueu a mão e respondeu a uma pergunta sobre equação diferencial.

Caminhei até o banheiro, lavei o rosto e me apoiei na pia, junto ao espelho, me encarando. Tentei esfregar a vermelhidão dos olhos, mas não consegui. E então tive uma ideia genial. Entrei em uma das cabines, baixei o assento, sentei, me apoiei na divisória e dormi. O cochilo durou uns dezesseis milissegundos, até que o sinal indicando o tempo seguinte tocou. Levantei e caminhei até a aula de latim, e então para a aula de física e, por fim, quando chegou o quarto tempo, encontrei Ben na cantina:

— Preciso muito dormir.

— Vamos almoçar no PNC — respondeu ele.

O PNC era um Buick de quinze anos de idade que havia sido conduzido impunemente por todos os três irmãos mais velhos de Ben, e, quando chegou às mãos dele, era composto basicamente de fita adesiva e massa de reparo. Seu nome completo era Pé na Cova, mas a gente abreviava para PNC. O PNC não rodava com gasolina; era movido pelo combustível inesgotável que é a esperança humana. A gente sentava no flamejante estofamento sintético e torcia para o carro pegar, e então Ben girava a chave e o motor tentava pegar duas vezes, feito um peixe estrebuchando em terra firme. E a gente torcia com mais fervor, e o motor quase pegava mais umas duas vezes. E a gente torcia um pouco mais, e finalmente ele dava partida.

Ben ligou o PNC e colocou o ar-condicionado no máximo. Três das quatro janelas nem mesmo abriam, mas o ar funcionava magnificamente, embora pelos primeiros minutos só soprasse ar quente que se misturava ao ar abafado dentro do carro. Reclinei o assento do carona até o fim, quase deitado, e contei tudo a ele: Margo em minha janela, a ida ao Wal-Mart, a vingança, o prédio do SunTrust, a entrada na casa errada, o SeaWorld e o "Vou sentir falta de me divertir com você".

Ele não me interrompeu nem uma vez — uma das qualidades de Ben era que ele não interrompia a gente. Quando terminei, no entanto, imediatamente ele fez a pergunta que martelava em sua cabeça:

— Peraí, sobre Jase Worthington, quão pequeno você quer dizer?

— Ele estava sob estresse considerável, então deve ter encolhido. Mas você já viu um lápis? – perguntei. Ben assentiu. — Bem, você já viu a borracha na ponta do lápis? – Ele assentiu outra vez. – Bem, você já viu os farelos de borracha que ficam no papel depois que você apaga alguma coisa? – Mais meneios de cabeça. – Eu diria que eram uns três farelos de comprimento e um de diâmetro — concluí.

Ben já havia aturado muita porcaria de tipos como Jason Worthington e Chuck Parson, então achei que ele tinha o direito de se divertir um pouco. Mas ele nem mesmo riu. Ficou apenas balançando a cabeça de leve, descrente.

— Meu Deus, ela é do mal.

— Eu sei.

— É o tipo de pessoa que ou morre tragicamente aos vinte e sete anos, tipo Jimi Hendrix ou Janis Joplin, ou envelhece para ganhar, sei lá, o primeiro Prêmio Nobel por Tirar Onda.

— É – falei.

Eu raramente me cansava de falar sobre Margo Roth Spiegelman, mas eu raramente estava tão exausto. Deitei no estofado sintético e dormi de imediato. Quando acordei, tinha um hambúrguer Wendy em meu colo com um bilhete: *Cara, tive que voltar para a aula. Vejo você depois do ensaio.*

Mais tarde, depois do último tempo, fiquei traduzindo Ovídio do lado de fora da sala de ensaios, recostado na parede de tijolos de concreto, tentando ignorar o gemido cacofônico que vinha de dentro da sala. Eu sempre permanecia no colégio por mais uma hora, até o final do ensaio, porque sair antes de Ben e Radar significava enfrentar a insuportável humilhação de ser o único aluno do último ano no ponto de ônibus.

Depois que eles saíram, Ben deixou Radar em casa, que ficava juntinho ao centro de Jefferson Park, perto de onde Lacey morava. E depois me levou para casa. Notei que o carro de

Margo também não estava na garagem. Então ela não tinha matado aula para dormir. Tinha matado aula por causa de mais uma aventura – uma na qual eu *não* estava incluído. Provavelmente tinha gastado o dia passando creme depilatório nos travesseiros de outros inimigos ou algo assim. Eu me senti um pouco excluído enquanto caminhava até a porta de casa, mas é claro que ela sabia que eu jamais teria me juntado a ela – eu me importava muito com a lista de presença no colégio. E quem poderia dizer se, para Margo, aquele era apenas mais um dia? Talvez ela tivesse partido para mais uma excursão de três dias pelo Mississippi ou tivesse se juntado a um circo temporariamente. Mas não era nada daquilo, claro. Era algo que eu não imaginaria, jamais, porque eu não podia ser Margo.

Fiquei pensando sobre as histórias que ela traria de volta para casa dessa vez. E se me contaria durante o almoço. Talvez, pensei, fosse isso que ela estivesse querendo dizer com "vou sentir falta de me divertir com você". Ela sabia que estava indo para algum lugar, em mais uma de suas folgas curtas do mundo de papel de Orlando. Mas na volta, quem sabe? Ela não podia passar as últimas semanas de aula com os amigos de sempre, então talvez optasse por passá-las comigo, depois de tudo.

Ela não precisava sumir por muito tempo para os boatos começarem a circular. Ben me ligou naquela noite, depois de jantar.

– Ouvi dizer que ela não atende o telefone. Alguém postou no Facebook que ela havia falado que talvez se mudasse para um galpão escondido na Tomorrowland, a Terra do Amanhã, na Disney.

– Que imbecil – comentei.

– Eu sei. Tomorrowland é, de longe, o parque mais caído da Disney. Teve alguém que disse que ela conheceu um cara pela internet.

— Ridículo — falei.

— Ok, mas e aí?

— Ela deve estar sozinha, se divertindo de um jeito que a gente só consegue imaginar — justifiquei.

Ben deu uma risadinha.

— Você está dizendo que ela está se divertindo sozinha?

— Fala sério, Ben. — Bufei. — Quis dizer que ela deve estar por aí fazendo coisas típicas de Margo. Virando mundos de cabeça para baixo.

Naquela noite deitei de lado na cama, encarando pela janela o mundo invisível lá fora. Tentei dormir, mas a toda hora meus olhos se arregalavam, só para checar. Eu não podia parar de torcer para Margo Roth Spiegelman voltar à minha janela e arrastar meu corpo exausto para mais uma noite que eu jamais esqueceria.

2

Margo sumia com tanta frequência que ninguém organizava campanhas no colégio para encontrá-la ou coisa parecida, mas todos sentíamos sua falta. O ensino médio não é nem uma democracia, nem uma ditadura – nem, contrariando a crença popular, uma anarquia. O ensino médio é uma monarquia de direito divino. E, quando a rainha sai de férias, as coisas mudam. Mais especificamente, pioram. Foi durante a viagem de Margo para o Mississippi no segundo ano, por exemplo, que Becca espalhou para o mundo o boato do Ben Mija-sangue. E dessa vez não foi diferente. A menininha que enfiara o dedo na represa para proteger a cidade havia sumido. A enchente era inevitável.

Naquela manhã, eu tinha acordado no horário certo, para variar, e fui de carona com Ben. Estava todo mundo estranhamente quieto do lado de fora da sala de ensaios.

– Cara – disse nosso amigo Frank com um ar muito sério.

– O que foi?

– Chuck Parson, Taddy Mac e Clint Bauer pegaram o Tahoe do Clint e atropelaram doze bicicletas de alunos do primeiro e do segundo anos.

– Que merda – falei, balançando a cabeça.

— Ontem, também — acrescentou nossa amiga Ashley —, alguém rabiscou nossos telefones no banheiro dos meninos com... bem, um monte de sacanagem.

Balancei a cabeça de novo e me juntei ao silêncio. A gente não podia delatá-los; já tínhamos tentado dedurá-los várias vezes durante o ensino fundamental, e inevitavelmente o resultado era mais punição. Então normalmente a gente só esperava que alguém como Margo lembrasse a todos como eram imbecis e imaturos.

Mas Margo havia me ensinado um jeito de contra-atacar. E eu estava prestes a falar quando, pelo canto de olho, vi um indivíduo enorme correndo a toda velocidade em nossa direção. Usava uma máscara de esqui preta e carregava uma pistola d'água verde, grande e complexa. Ao passar por nós, ele esbarrou em meu ombro e eu perdi o equilíbrio, caindo com o lado esquerdo no chão de concreto rachado. Assim que chegou à porta, ele se virou e gritou para mim:

— Se você mexer com a gente, vai ficar *trúcido*.

Não reconheci a voz. Ben e os outros me levantaram. Meu ombro doía, mas eu não queria esfregá-lo.

— Tudo bem? — perguntou Radar.

— Tudo bem.

Só então esfreguei o ombro.

— Alguém precisa dizer a ele que, quando você *trucida* uma pessoa, ela não fica *trúcida* — disse Radar, balançando a cabeça.

Eu ri. Alguém apontou o estacionamento com a cabeça, e eu vi dois alunos do primeiro ano caminhando em nossa direção, as camisas ensopadas e largas em seus corpos magros.

— Era xixi! — gritou um deles.

O outro não falou nada; só estendeu as mãos o mais longe da camisa quanto era possível, o que não chegou a funcionar muito bem. Dava para ver filetes de líquido escorrendo da manga para o braço dele.

— Xixi de bicho ou de gente? — perguntou alguém.

— Como vou saber?! Você acha que eu sou algum tipo de especialista em xixi?

Caminhei até o garoto e botei a mão no alto da cabeça dele, o único lugar que parecia estar totalmente seco.

— Vamos dar um jeito — falei.

O segundo sinal tocou, e Radar e eu voamos para a aula de cálculo. Ao me sentar, bati o braço na mesa, e a dor irradiou até o ombro. Radar deu um tapinha em seu caderno, onde havia circulado uma mensagem: *Tudo ok com o ombro?*

Comparado àqueles garotos do primeiro ano, passei a manhã brincando com cachorrinhos em um campo de arco-íris, rabisquei no canto do meu caderno.

Radar riu alto o suficiente para o Sr. Jiminez lançar-lhe um olhar severo.

Tenho um plano, mas a gente precisa descobrir quem era, escrevi.

Radar escreveu de volta: *Jasper Hanson*, e circulou o nome várias vezes. Aquilo era inesperado.

Como você sabe?

Não reparou? O idiota estava usando o uniforme dele do time de futebol, escreveu Radar.

Jasper Hanson era do terceiro ano. Sempre pensei nele como um cara inofensivo e até meio legal — daquele jeito desajeitado, tipo "cara, e aí". Não o tipo de sujeito que se imagina batizando alunos do primeiro ano com xixi. Para ser sincero, na hierarquia administrativa da Winter Park High School, Jason Hanson era talvez um Assistente Substituto da Subsecretaria de Atletismo e Malfeitorias. E quando um cara desses é promovido a Vice-Presidente Executivo da Pistola de Xixi, é preciso tomar uma atitude imediata.

Então quando entrei em casa, naquela tarde, criei uma conta de e-mail e escrevi para meu velho amigo Jason Worthington.

De: vingadorm@gmail.com
Para: jworthington90@yahoo.com
Assunto: Você, eu, casa de Becca Arrington, seu pênis etc.

Prezado Sr. Worthington,

1. Duzentas pratas em dinheiro vivo para cada uma das doze pessoas cujas bicicletas seus colegas destruíram com um Chevrolet Tahoe. Isso não deve ser um problema, já que você é impressionantemente rico.
2. Esse negócio da pichação no banheiro tem que parar.
3. Pistola d'água? Com xixi? Vê se cresce.
4. Você devia tratar seus colegas com respeito, especialmente os socialmente menos afortunados do que você.
5. É melhor você instruir os membros de seu clã a se comportarem de forma semelhante.

Eu sei que vai ser difícil concluir algumas dessas tarefas. Mas daí também vai ser muito difícil não compartilhar a foto em anexo com o restante do mundo.

Atenciosamente,
Sua Cordial Nêmesis na Vizinhança

A resposta veio doze minutos depois:

Então, Quentin, é, eu sei que é você. Você sabe que não fui eu que joguei xixi naqueles garotos. Sinto muito, mas não posso controlar o que as outras pessoas fazem.

Minha resposta:

Sr. Worthington,

Compreendo que você não possa controlar Chuck e Jasper. Mas, sabe, eu estou em situação semelhante. Também não posso controlar o diabinho sentado em meu ombro esquerdo. E ele está dizendo: "IMPRIMA ESTA FOTO IMPRIMA ESTA FOTO ESPALHE POR TODO O COLÉGIO IMPRIMA IMPRIMA IMPRIMA." E no meu ombro direito tem um anjinho branco. E ele está dizendo: "Cara, espero mesmo que todos aqueles garotos recebam o dinheiro na segunda-feira de manhã."
Eu também, anjinho. Eu também.

Atenciosamente,
Sua Cordial Nêmesis na Vizinhança

Ele não respondeu, e nem precisava. Tudo o que havia para ser dito já fora dito.

Ben passou lá em casa depois do jantar e a gente jogou *Resurrection*, parando a cada meia hora para ligar para Radar, que tinha saído com Angela. Deixamos onze mensagens na caixa postal dele, cada uma mais irritante e atrevida que a outra. Já havia passado das nove quando a campainha tocou.

— Quentin! — berrou minha mãe.

Ben e eu imaginamos que fosse Radar, então pausamos o jogo e fomos até a sala de estar. Chuck Parson e Jason Worthington estavam parados em frente à minha casa. Caminhei até eles, e Jason disse:

— Oi, Quentin.

Respondi balançando a cabeça. Jason olhou para Chuck, que virou para mim e balbuciou:

— Foi mal, Quentin.

— Pelo quê? — perguntei.

— Por mandar Jasper atirar xixi naqueles garotos. — Ele parou, e então completou: — E pelas bicicletas.

Ben abriu os braços, como se quisesse dar um abraço, e falou:

— Chega mais, parceiro.

— O quê?

— Chega mais — repetiu ele. Chuck deu um passo à frente. — Mais perto.

E então Chuck estava totalmente dentro da casa, talvez a uns trinta centímetros de Ben. Do nada, Ben deu um soco no estômago de Chuck, que mal recuou, mas tomou impulso para revidar. Jase, no entanto, segurou o braço dele.

— Fique frio, parceiro — disse Jase —, nem doeu. — Ele estendeu a mão para mim. — Curto a sua coragem, cara. Quer dizer, você é um babaca. Mas ainda assim...

Apertei a mão dele. Eles saíram, entraram no Lexus de Jase e desceram a entrada de carros da casa. Assim que fechei a porta, Ben soltou um gemido:

— *Aiiiiiiii*. Putz, minha Nossa Senhora, minha mão. — Ele tentou fechar a mão e estremeceu. — Acho que Chuck Parson estava com um livro de capa dura preso à barriga.

— Tem gente que chama de tanquinho — falei.

— Ah é. Já ouvi falar.

Dei um tapinha nas costas dele e voltamos ao quarto para jogar *Resurrection*. Tínhamos acabado de retomar o jogo quando Ben disse:

— Aliás, você reparou que o Jase fala parceiro? Eu renovei totalmente essa gíria. Só com o simples poder da minha genialidade.

— É, você vai passar a noite de sexta jogando *video game* e cuidando da mão que quebrou tentando socar uma pessoa na barriga. Não me admira que Jase Worthington tenha tentado dar carona para seu sucesso.

— Pelo menos eu sou *bom* em *Resurrection* — disse ele, e então atirou em mim pelas costas, ainda que estivéssemos na mesma equipe.

Jogamos por mais um tempo, até que Ben simplesmente se enroscou no chão, segurando o controle junto ao peito, e dormiu. Eu também estava cansado — tinha sido um dia bem longo. Imaginei que Margo estaria de volta na segunda-feira, de qualquer forma, mas mesmo assim senti certo orgulho em ser a pessoa que havia salvado o dia.

3

A partir de então, todas as manhãs eu verificava se havia algum sinal de vida no quarto de Margo. Ela sempre mantinha a persiana fechada, mas desde seu sumiço sua mãe ou alguém as abrira, então eu podia ver um pedaço de parede azul e um teto branco. No sábado de manhã, após apenas quarenta e oito horas do desaparecimento, não achei que ela já estaria de volta, mas mesmo assim senti uma pontinha de decepção quando vi a persiana aberta.

Escovei os dentes e então, depois de chutar Ben de leve na tentativa de acordá-lo, saí do quarto de bermuda e camiseta. Havia cinco pessoas sentadas à mesa de jantar. Minha mãe e meu pai. A mãe e o pai de Margo. E um negro robusto com óculos grandes demais usando um terno cinza e segurando uma pasta de arquivo.

— Hum, oi — cumprimentei.

— Quentin, você viu Margo na noite de quarta? — perguntou minha mãe.

Caminhei até a sala de jantar e me recostei na parede do lado oposto ao estranho. Já tinha pensado na resposta para aquela pergunta.

— Vi — contei. — Ela apareceu na janela do meu quarto lá pela meia-noite. Nós conversamos por um minuto, aí o Sr. Spiegelman percebeu e a levou de volta para casa.

— E foi só...? Você não a viu depois disso? — perguntou o Sr. Spiegelman. Ele parecia bem tranquilo.

— Não, por quê?

Foi a mãe de Margo quem respondeu à pergunta, com a voz esganiçada:

— Bem, parece que Margo fugiu. De novo. — Ela suspirou. — Esta deve ser... o quê, Josh, a quarta vez?

— Ah, já perdi a conta — respondeu ele, irritado.

— É a quinta vez que vocês prestam queixa — disse o cara negro. Ele então assentiu com a cabeça para mim e disse: — Investigador Otis Warren.

— Quentin Jacobsen — repliquei.

Mamãe se levantou e pôs as mãos nos ombros da Sra. Spiegelman.

— Debbie, sinto muito. É uma situação muito frustrante — disse ela.

Eu conhecia o truque. Era uma tática psicológica chamada escuta empática. Você diz o que a pessoa está sentindo para ela se sentir compreendida. Mamãe faz isso comigo o tempo todo.

— Não estou frustrada — declarou a Sra. Spiegelman. — Estou farta.

— Exatamente — concordou o Sr. Spiegelman. — Hoje de tarde um chaveiro vai passar lá em casa. Vamos trocar as fechaduras. Ela tem dezoito anos. Quer dizer, o investigador acabou de falar que a gente não pode fazer nada...

— Bem — interrompeu o agente Warren —, não foi exatamente isso que eu disse. Eu disse que ela não é uma *menor* desaparecida. Então ela tem o direito de sair de casa.

O Sr. Spiegelman continuou falando com minha mãe:

— Estamos dispostos a pagar pela faculdade dela, mas não podemos apoiar essa... essa palhaçada. Connie, ela tem dezoito anos! E ainda é tão egocêntrica! Ela precisa enfrentar as consequências.

Minha mãe tirou as mãos dos ombros da Sra. Spiegelman.

— Eu diria que ela precisa de *carinho*.

— Bem, ela não é sua filha, Connie. Ela não pisou em você feito capacho durante uma década. Temos outra criança com que nos preocupar — retrucou a mãe da Margo.

— Além de nós mesmos — acrescentou o Sr. Spiegelman. E então olhou para mim: — Quentin, sinto muito se ela tentou arrastar você para o joguinho dela. Você nem pode imaginar como isso... como isso é vergonhoso para nós. Você é um garoto tão bom, e ela... bem.

Eu me afastei da parede e endireitei o corpo. Conhecia um pouco os pais de Margo, mas nunca os tinha visto tão agressivos. Não era de se admirar que ela estivesse irritada com eles na noite de quarta. Dei uma olhada para o investigador. Ele estava folheando as páginas dentro da pasta.

— Ela costuma deixar uma trilha de migalhas de pão, não é? — perguntou ele.

— Pistas — disse o Sr. Spiegelman, pondo-se de pé. O investigador havia colocado a pasta na mesa, e o pai da Margo se aproximou para examiná-la junto com ele. — Pistas em todos os cantos. No dia em que fugiu para o Mississippi, ela comeu sopa de letrinhas e deixou exatamente quatro letras na tigela: um *M*, um *I*, um *S* e um *P*. Ficou decepcionada quando a gente não descobriu o que era, mas eu falei para ela no dia em que finalmente voltou para casa: "Como vamos encontrar você quando tudo o que sabemos é *Mississippi*? É um estado enorme, Margo!"

— E ela deixou uma boneca da Minnie na cama quando passou a noite na Disney — disse o agente, pigarreando.

— É — disse a mãe dela. — As pistas. As pistas idiotas. Mas, acredite em mim, elas *nunca* levam a lugar nenhum.

O investigador ergueu os olhos do bloco de anotações e disse:

— Vamos espalhar a notícia, claro, mas ela não pode ser obrigada a voltar para casa; vocês não devem necessariamente esperar que ela volte a morar com vocês em um futuro próximo.

— Eu *não* quero ela em nossa casa. — A Sra. Spiegelman levou um lenço aos olhos, embora eu não ouvisse nenhum sinal de choro em sua voz. — Eu sei que isso é terrível, mas é a verdade.

— Deb — disse minha mãe com sua voz de terapeuta.

A Sra. Spiegelman apenas balançou a cabeça ligeiramente.

— O que mais a gente pode fazer? Avisamos o investigador. Demos queixa. Ela já é adulta, Connie.

— Ela é *sua* adulta — disse minha mãe, mantendo a calma.

— Ah, por favor, Connie. Veja bem, é tão terrível assim para a gente preferir que ela fique fora de casa? Claro que é. Mas ela é terrível! Como se procura alguém que proclama que não vai ser encontrada, que sempre deixa pistas que não levam a lugar nenhum, que foge o tempo todo? Não dá!

Minha mãe e meu pai trocaram um olhar, e então o investigador falou comigo:

— Filho, será que a gente pode conversar em particular?

Concordei.

Fomos para o quarto de meus pais, ele em uma poltrona e eu sentado na beira da cama.

— Filho — começou ele ao se sentar —, permita-me lhe dar um conselho: nunca trabalhe para o governo. Porque, quando você trabalha para o governo, você trabalha para as pessoas. E, quando você trabalha para as pessoas, precisa interagir com elas, até mesmo com gente como os Spiegelman.

Eu meio que ri.

— Vou ser sincero com você, filho. Aqueles dois sabem como criar um filho tanto quanto eu sei fazer dieta. Já trabalhei com eles, e não gosto deles. Não ligo se você vai contar a eles onde ela está, mas gostaria que me contasse.

— Eu não sei — falei. — De verdade.

— Filho, eu tenho pensando nessa menina. As coisas que ela faz: invadir a Disney World, por exemplo, não é? Ir para o Mississippi e deixa pistas em uma sopa de letrinhas. Organizar uma campanha gigantesca para jogar papel higiênico na casa dos outros.

— Como você sabe *disso*?

Dois anos antes, Margo organizara uma farra do papel higiênico em duzentas casas em uma única noite. Nem preciso dizer que não fui convidado para a aventura.

— Trabalhei no caso. Então, filho, o ponto no qual eu gostaria que você me ajudasse: quem planeja essas coisas? Esses planos malucos? Ela é uma porta-voz, maluca o suficiente para executá-los. Mas quem os elabora? Quem está por aí, sentado diante de um bloquinho de anotações repleto de diagramas descobrindo quanto papel higiênico é necessário para cobrir uma tonelada de casas?

— Ela, acho.

— Mas talvez ela tenha um parceiro, alguém que a ajude a fazer todas essas coisas grandes e geniais, e talvez não seja a pessoa mais óbvia, como um melhor amigo ou o namorado. Talvez seja alguém em quem você não pensaria de imediato — disse ele e respirou fundo.

Ele estava prestes a dizer mais alguma coisa quando o interrompi:

— Eu não sei onde ela está. Juro por Deus.

— Só estava me certificando, filho. De qualquer modo, de alguma coisa você sabe, não é? Então vamos começar por aí.

Eu contei tudo. Confiei no cara. Ele anotou algumas coisas enquanto eu falava, mas nada muito detalhado. Havia algo ali, naquela necessidade de contar tudo a ele e de ele anotar no bloquinho, na incompreensão por parte dos pais dela – algo naquilo tudo tornou concreta para mim, pela primeira vez, a possibilidade de o sumiço dela ser definitivo. Senti a preocupação arrebatar minha respiração quando parei de falar. O investigador não disse nada por um tempo. Ele apenas se inclinou para a frente na poltrona e olhou para além de mim até ver o que esperava ver, e então começou a falar:

– Escute, filho. O negócio é o seguinte: algumas pessoas, normalmente as meninas, têm o espírito livre, não se dão bem com os pais. Esses adolescentes são como balões de hélio presos por um barbante. Eles fazem força na direção oposta ao barbante e fazem mais força, até que algo acontece, o barbante se rompe e eles vão embora, voando. E talvez a gente nunca mais os veja. Eles pousam no Canadá ou algo assim, começam a trabalhar em um restaurante, e, antes que se deem conta, o balão passou trinta anos miseráveis na mesma lanchonete servindo café. Ou talvez daqui a uns três ou quatro anos, ou três ou quatro dias, os ventos dominantes tragam o balão de volta para casa, seja porque ele precisa de dinheiro ou porque tomou juízo, ou porque sente falta do irmão caçula. Mas preste atenção, filho, o barbante sempre arrebenta.

– É, mas...

– Ainda não terminei, filho. O problema com esses balões é que existem muitos deles. O céu está lotado deles, esbarrando uns nos outros enquanto voam por aí, e, de um jeito ou de outro, todos esses malditos balões acabam na minha mesa, e depois de um tempo um sujeito acaba ficando desanimado. Balões para todos os lados, e cada um deles com uma mãe ou um pai ou, Deus me livre, os dois, e depois de um tempo não se consegue mais enxergá-los individualmente. Você olha para todos aqueles balões lá em cima e consegue ver todos eles, mas não consegue enxergar apenas um. – Ele fez uma pausa e inspirou profundamente, como se tivesse acabado de se dar conta de alguma coisa. – Mas de vez em quando você conversa com um garoto cabeludo e de olhos arregalados e se sente inclinado a mentir para ele, pois ele parece ser um garoto legal. E você se sente mal por ele, porque a única coisa pior do que o céu cheio de balões que *você* vê é o que ele vê: um céu azul imenso com apenas um balão. Porém, uma vez que aquele barbante se rompe, filho, você não pode remendá-lo. Compreende o que estou dizendo?

Fiz que sim com cabeça, embora não tivesse certeza de tê-lo compreendido *de verdade*. Ele ficou de pé e disse:

– Mas acho que ela não vai demorar a voltar. Se isso for de alguma ajuda.

Gostei da alegoria de Margo como um balão, mas achei que, em sua ânsia por ser poético, o investigador vira mais preocupação em mim do que a pontada que eu sentia de fato. Eu sabia que ela iria voltar. Ela iria murchar e voltar para Jefferson Park. Ela sempre voltava.

Segui o investigador de volta para a sala de jantar, e então ele disse que queria voltar à casa dos Spiegelman para dar uma olhada no quarto dela. A Sra. Spiegelman me deu um abraço e disse:

– Você sempre foi um menino tão bom. Sinto muito que você tenha se envolvido em toda essa confusão.

O Sr. Spiegelman apertou a minha mão e eles saíram. Assim que a porta se fechou, meu pai exclamou:

– Uau!

– Uau! – concordou mamãe.

– A dinâmica social é complicada ali, não é, filho?

– Eles são meio babacas – falei.

Meus pais sempre gostavam quando eu xingava assim na frente deles. Dava para notar prazer no rosto deles. Significava que eu confiava neles, que eu era eu mesmo na frente deles. Mas, ainda assim, eles pareciam tristes.

— Os pais de Margo sofrem de um trauma narcisístico grave toda vez que ela apronta — disse meu pai.

— Isso impede que eles desempenhem seu papel como pais de forma eficaz — acrescentou minha mãe.

— Eles são uns babacas — repeti.

— Na verdade — disse meu pai —, provavelmente eles têm razão. Ela na certa precisa de atenção. E Deus é testemunha, eu também precisaria de atenção se tivesse aqueles dois como pais.

— Quando ela voltar — disse minha mãe —, vai ficar arrasada. Ser abandonada desse jeito! Excluída quando sua maior necessidade é ser amada.

— Talvez ela pudesse morar com a gente quando voltasse — falei, e no mesmo instante me dei conta de como aquela ideia era fantasticamente perfeita.

Os olhos de minha mãe também se iluminaram, mas então ela percebeu a expressão de papai e me respondeu com seu tom contido de sempre:

— Bem, é claro que ela seria bem-vinda, mas isso envolveria outros desafios, como ficar porta a porta com os Spielgeman. Mas, quando ela voltar ao colégio, por favor, diga que é bem-vinda aqui e que, se ela não quiser ficar conosco, existem várias opções disponíveis para ela, e que ficaríamos muito felizes de conversar a respeito.

Ben se levantou, seu cabelo parecendo desafiar nossa compreensão primordial do poder que a força da gravidade exerce sobre a matéria.

— Sr. e Sra. Jacobsen, que prazer!

— Bom dia, Ben. Eu não sabia que você ia dormir aqui.

— Nem eu, na verdade — disse ele. — Aconteceu alguma coisa?

Contei para Ben a respeito do investigador e dos Spiegelman, e que Margo tecnicamente era uma adulta desaparecida. Quando terminei, ele fez que sim com a cabeça e disse:

— A gente devia conversar a respeito durante uma boa e velha partida de *Resurrection*.

Eu sorri e o segui de volta para o quarto. Radar chegou logo depois e, assim que ele apareceu, fui expulso do time, pois estávamos diante de uma missão difícil, e, apesar de eu ser o único que de fato tinha o jogo, eu não era muito bom em *Resurrection*. Enquanto eu os via atravessar uma estação espacial infestada de demônios, Ben dizia:

— Olhe o goblin, Radar, o goblin.

— Tô vendo.

— Venha aqui, seu filho da mãe — disse Ben, torcendo o controle com as mãos. — O papai aqui vai mandar você num barco para o outro lado do rio Estige.

— Você acabou de dar uma de machão usando mitologia grega? — perguntei.

Radar riu. Ben começou a esmagar os botões, gritando:

— Coma isso, seu goblin! Coma isso feito Zeus comeu Métis!

— Eu acho que na segunda ela já estará de volta — falei. — Não é bom perder muitos dias de aula, mesmo para Margo Roth Spiegelman. Talvez ela fique aqui até a formatura.

— Eu não entendo nem por que ela foi embora, foi só... *monstro, canto inferior da tela, não, cara, use a pistola de laser...* dor de amor? — respondeu Radar do jeito desligado de quem está jogando *Resurrection*. — Eu achava que ela... *onde fica a cripta, é à esquerda...* fosse imune a essas coisas.

— Não — comentei. — Acho que não foi isso. Não só isso, de qualquer forma. Ela meio que odeia Orlando, chamou de cidade de papel. Para dizer que tudo é tão falso e frágil. Acho que ela simplesmente queria umas férias disso tudo.

Olhei pela janela e imediatamente vi que alguém – o investigador, imaginei – tinha descido a persiana do quarto de Margo. Mas eu não estava vendo a persiana. Em vez disso, estava vendo um pôster em preto e branco colado atrás da persiana. Na foto, um homem de pé, os ombros levemente caídos, olhando para a frente. Um cigarro pendendo da boca. Uma guitarra pendurada no ombro, e palavras pintadas na guitarra: ESTA MÁQUINA MATA FASCISTAS.

– Tem alguma coisa na janela de Margo.

A música do jogo cessou e Radar e Ben se ajoelharam junto a mim, um de cada lado.

– Aquilo é novo? – perguntou Radar.

– Já vi a traseira daquela persiana um milhão de vezes – respondi –, mas nunca tinha visto aquele pôster.

– Estranho – disse Ben.

– Os pais de Margo disseram hoje de manhã que às vezes ela deixa pistas – falei. – Mas nada concreto o suficiente para encontrá-la antes de ela voltar para casa.

Radar já estava com seu tablet na mão, pesquisando a frase no Omnictionary:

– A foto é de Woody Guthrie. Um cantor de folk, 1912 a 1967. Cantava sobre a classe trabalhadora. "This Land Is Your Land". Meio comuna. Hum, inspirado em Bob Dylan. – Radar tocou um trechinho de uma música dele, uma voz aguda e rouca cantando sobre sindicatos. – Vou mandar um e-mail para o cara que escreveu o artigo, ver se há alguma conexão óbvia entre Woody Guthrie e Margo – disse Radar.

– Não consigo imaginá-la gostando das músicas dele – comentei.

– Fala sério – disse Ben. – Esse cara parece o sapo Caco alcoólatra com câncer de garganta.

Radar abriu a janela, colocou a cabeça para fora e olhou para os dois lados.

— Embora, Q, sem dúvida ela tenha deixado isso para você. Quer dizer, ela sabe de mais alguém que consiga ver essa janela?

— O modo como ele está olhando para a gente — acrescentou Ben depois de algum tempo —, é como se dissesse: "Preste atenção em mim." E a cabeça dele desse jeito, sabe? Não parece que ele está em um palco; ele está de pé na soleira de uma porta ou algo assim.

— Acho que ele quer que a gente entre — disse eu.

4

Da janela do meu quarto não dava para ver a porta da frente ou a garagem: para isso, precisávamos ir até a sala da tevê. Então, enquanto Ben continuava jogando *Resurrection*, Radar e eu fomos até lá e fingimos que assistíamos à tevê, porém estávamos olhando a casa dos Spiegelman pela janela, esperando que os pais de Margo saíssem. O Crown Victoria preto do investigador Warren ainda estava na entrada da garagem deles.

Ele saiu uns quinze minutos depois, mas nem a porta da garagem nem a porta da frente se abriram de novo durante a hora seguinte. Radar e eu estávamos vendo uma comédia engraçadinha sobre maconheiros na HBO, e eu estava começando a embarcar no enredo quando Radar disse:

— A porta da garagem.

Pulei do sofá e me aproximei da janela, para ver bem quem estava no carro. O Sr. e a Sra. Spiegelman. Ruthie ainda estava em casa.

— Ben! — gritei.

Ele apareceu em um segundo e, assim que os Spiegelman dobraram na Jefferson Way em direção à Jefferson Road, nós saímos de casa correndo naquela manhã abafada.

Atravessamos o gramado da casa dos Spiegelman até a porta da frente. Toquei a campainha e ouvi as patas de Myrna Mountweazel derrapando no piso de madeira de lei, e então ela começou a latir feito louca, olhando para nós através do vitral. Ruthie abriu a porta. Ela era uma graça, devia ter uns onze anos.

— Oi, Ruthie.

— Oi, Quentin.

— Seus pais estão em casa?

— Eles acabaram de sair — disse ela —, foram ao Target. — Seus olhos eram grandes como os de Margo, só que cor de mel. Ela me encarou, os lábios tensos de preocupação. — Você encontrou o policial?

— Encontrei — disse. — Ele parecia legal.

— Mamãe falou que é como se Margo tivesse ido para a faculdade antes da hora.

— É — respondi, pensando que a maneira mais simples de resolver um mistério era decidindo que não havia nenhum mistério a resolver. Mas naquele instante ficou claro para mim que ela havia deixado pistas. — Escute, Ruthie, a gente precisa dar uma olhada no quarto de Margo — falei. — Só que isso é tipo quando sua irmã pede a você para fazer uma coisa ultrassecreta. Estamos na mesma situação aqui.

— Margo não gosta que ninguém entre no quarto dela — disse Ruthie. — Exceto eu. E às vezes a mamãe.

— Mas nós somos amigos dela.

— Ela não deixa nem os amigos entrarem — rebateu Ruthie.

— Por favor, Ruthie — falei, inclinando-me para a frente.

— E você não quer que eu conte para a mamãe nem para o papai?

— Isso.

— Cinco pratas — disse ela. Eu estava prestes a barganhar, mas Radar puxou uma nota de cinco e lhe entregou. — Se eu vir o carro chegando, aviso vocês — disse ela com ar de cúmplice.

Eu me ajoelhei para afagar a envelhecida-porém-animada Myrna Mountweazel, e depois nós subimos correndo a escada até o quarto de Margo. Ao colocar a mão na maçaneta, eu me dei conta de que não entrava no quarto dela desde que tinha dez anos.

Entrei. Muito mais organizado do que se espera de Margo, mas talvez a mãe dela tivesse arrumado tudo. À minha direita, um armário empanturrado de roupas. Na parte de trás da porta, uma sapateira com uma dúzia de pares, de sapatilhas a sandálias de festa. Não dava para faltar muita coisa no armário.

— Vou verificar o computador — disse Radar.

Ben estava mexendo na persiana:

— O pôster foi colado com Durex — disse ele. — Nada muito forte.

A maior surpresa estava na parede ao lado da mesinha do computador: uma estante da minha altura e o dobro dessa medida em largura, cheia de discos de vinil. *Centenas* deles.

— *A Love Supreme*, de John Coltrane, está no toca-discos — disse Ben.

— Caramba, esse disco é demais — disse Radar sem tirar os olhos do computador. — A garota tem bom gosto.

Olhei confuso para Ben, e ele falou:

— Ele era saxofonista.

Assenti.

— Não acredito que Q nunca tenha ouvido falar de Coltrane — falou Radar, ainda digitando. — A música dele é literalmente a prova mais convincente da existência de Deus com a qual eu já me deparei.

Comecei a examinar os discos. Estavam organizados em ordem alfabética pelo nome do artista, então fui até a letra G. Dizzy Gillespie, Jimmie Dale Gilmore, Green Day, Guided by Voices, George Harrison.

— Ela tem todos os músicos do mundo *menos* Woody Guthrie — falei.

E então voltei para o início e recomecei da letra *A*.

— Todos os livros da escola ainda estão aqui. — Ouvi Ben dizer. — E mais alguns outros na mesinha de cabeceira. Nenhum diário.

Mas eu estava distraído com a coleção de discos de Margo. Ela gostava de *tudo*. Jamais poderia imaginá-la ouvindo todas aquelas músicas antigas. Eu já a tinha visto ouvir música enquanto corria, mas jamais suspeitara do tamanho de seu vício. Eu sequer tinha ouvido falar da maioria daquelas bandas e estava surpreso que as mais recentes ainda gravassem discos de vinil.

Continuei olhando os da letra *A*, depois os da letra *B* — passando por Beatles, Blind Boys of Alabama e Blondie —, e então comecei a percorrer os discos mais depressa, tanto que nem vi o verso do *Mermaid Avenue*, de Billy Bragg, e já estava olhando para o álbum do Buzzcocks. Parei, voltei e puxei o disco do Billy Bragg. A capa era a foto de uma fileira de casas no subúrbio. Mas na parte de trás Woody Guthrie me encarava, um cigarro pendendo dos lábios, segurando uma guitarra com a frase ESTA MÁQUINA MATA FASCISTAS.

— Ei — chamei.

Ben me olhou.

— Putz — disse ele. — Boa, garoto.

Radar girou na cadeira e disse:

— Impressionante. O que será que tem dentro?

Infelizmente, só havia um disco. E o disco não parecia ter nada de especial. Coloquei-o no toca-discos de Margo e depois de um tempo descobri como ligá-lo e baixar a agulha. Era um cara cantando as músicas de Woody Guthrie. E ele cantava melhor do que Woody Guthrie.

— O que é isso? Só uma coincidência louca? — perguntei.

Ben estava segurando a capa.

— Olhem — disse ele, apontando para a lista de músicas: a faixa "Walt Whitman's Niece" fora circulada com caneta preta.

— Interessante — comentei.

A mãe de Margo dissera que as pistas dela nunca levavam a lugar algum, mas agora eu sabia que Margo havia deixado uma série de pistas — e aparentemente ela as criara para mim. Na mesma hora me lembrei dela no prédio do SunTrust, dizendo que eu era melhor quando demonstrava segurança. Virei o disco e coloquei para tocar. "Walt Whitman's Niece" era a primeira música do lado B. E não era ruim, na verdade.

Vi Ruthie parada à porta. Ela me encarava.

— Tem alguma pista para a gente, Ruthie?

Ela balançou a cabeça e disse, desanimada:

— Já procurei.

Radar olhou para mim e apontou com a cabeça para Ruthie.

— Você pode ficar de olho em sua mãe para nós? — perguntei. Ela fez que sim com a cabeça e eu fechei a porta. — E aí? — virei-me para Radar.

Ele nos mostrou o computador.

— Na semana antes de sumir, Margo usou bastante o Omnictionary. Só de ficar alguns minutos logado com o nome dela, vi que as senhas ficaram gravadas no navegador. Mas ela apagou todo o histórico, então não sei o que estava pesquisando.

— Ei, Radar, dê um pesquisada em quem foi Walt Whitman — disse Ben.

— Era um poeta — respondi. — Século XIX.

— Ótimo — disse Ben, revirando os olhos. — Poesia.

— Qual o problema? — perguntei.

— Poesia é coisa de emo — disse ele. — Ah, o sofrimento. A dor. Está sempre nublado. Em minha alma.

— É, acho que isso é Shakespeare — falei com desdém. — Whitman tinha sobrinhas?— perguntei a Radar.

Ele já estava na página do Omnictionary sobre Whitman. Um cara robusto, com uma barba enorme. Eu nunca tinha lido nada dele, mas ele *parecia* um bom poeta.

— Hum, nenhuma sobrinha famosa. Diz aqui que ele tinha dois irmãos, mas não menciona se eles tinham filhos. Mas eu posso descobrir, se você quiser.

Fiz que não com a cabeça. Não parecia ser o caminho certo. Voltei a examinar o quarto. Na última prateleira da estante havia alguns livros — anuários do ensino fundamental, um exemplar surrado de *Vidas sem rumo* — e alguns exemplares velhos de revistas de adolescentes. Nada relacionado à sobrinha de Walt Whitman, certamente.

Olhei os livros na cabeceira. Nada de interessante.

— Faria sentido se ela tivesse um livro dele — disse eu. — Mas parece que não tem.

— Tem sim! — disse Ben, animado.

Fui até onde ele estava ajoelhado, junto à estante, e agora consegui ver. Eu tinha passado direto pelo volume fino em meio a dois anuários, na última prateleira. Walt Whitman. *Folhas de relva*. Puxei o livro. Havia uma foto dele na capa, seus olhos claros me encarando.

— Nada mal — disse a Ben.

Ele fez que sim com a cabeça.

— Ok, então agora a gente pode ir embora? Pode me chamar de antiquado, mas eu preferia não estar aqui quando os pais de Margo voltassem.

— Tem alguma coisa que deixamos de ver?

Radar se levantou:

— Parece que ela está traçando uma linha bem reta; deve ter alguma pista nesse livro. Mas é estranho, quer dizer, não me leve a mal, mas, se ela sempre deixa as pistas para os pais, por que dessa vez resolveu deixar para você?

Dei de ombros. Não sabia a resposta, mas é claro que tinha esperanças: talvez Margo precisasse testar minha convicção. Talvez dessa vez ela *quisesse* ser encontrada, e por *mim*. Talvez, da mesma forma como me escolhera na noite mais longa, tivesse me escolhido de novo. E talvez riquezas incontáveis estivessem à espera de quem a encontrasse.

Depois de voltarmos para minha casa e darmos uma olhada no livro sem encontrar nenhuma pista óbvia, Ben e Radar foram embora. Peguei os restos de uma lasanha na geladeira para o almoço e fui para o quarto com Walt. Era uma primeira edição de *Folhas de relva* publicada pela Penguin Classics. Li um pedacinho da introdução e então folheei o livro. Havia uma série de versos grifados em azul, todos do longo poema épico conhecido como "Canção de mim mesmo". E havia dois versos grifados em verde:

Arranquem os trincos das portas!
Arranquem as próprias portas dos batentes!

Passei a maior parte da tarde tentando entender a citação, imaginando que talvez fosse o jeito de Margo me dizer para me tornar um pouco mais marrento ou algo assim. Mas também li e reli tudo que estava grifado em azul:

Nada de pegar coisas de segunda ou de terceira mão... nem de ver através dos olhos dos mortos... nem de se alimentar dos espectros nos livros

Vadio uma jornada perpétua

Tudo segue e segue sem parar... nada se colapsa,
E morrer é diferente do que se imaginava, bem mais afortunado.

Se ninguém mais no mundo está ciente, fico contente,
E se cada um e todos estão cientes, fico contente.

As últimas três estrofes de "Canção de mim mesmo" também estavam grifadas:

Me entrego à terra pra crescer da relva que amo,
Se me quiser de novo me procure sob a sola de suas botas.

Vai ser difícil você saber quem sou ou o que estou querendo dizer,
Mas mesmo assim vou dar saúde,
Vou filtrar e dar fibra a seu sangue.

Não me cruzando na primeira, não desista,
Não me vendo num lugar, procure em outro,
Em algum lugar eu paro e espero você.

Aquilo tomou o restante do meu fim de semana: tentar encontrar Margo nos fragmentos do poema que ela havia deixado para mim. Eu não conseguia chegar a lugar algum com aqueles versos, mas mesmo assim continuava pensando neles, porque não queria decepcioná-la. Ela queria que eu não perdesse o fio da meada, que eu achasse o lugar no qual ela esperava por mim, que eu seguisse a trilha de migalhas de pão até ela.

5

Na segunda-feira de manhã aconteceu algo extraordinário. Eu estava atrasado, o que era normal; e então minha mãe me deixou no colégio, o que era normal; e depois fiquei do lado de fora por um tempo, conversando com as pessoas, o que era normal; e então Ben e eu entramos, o que era normal. Mas, assim que abrimos a porta de aço, o rosto de Ben se tornou uma mistura de empolgação e pânico, como se um mágico tivesse acabado de escolhê-lo para serrá-lo ao meio. Segui os olhos dele ao longo do corredor.

Minissaia jeans. Camiseta branca justa. Decote cavado. Pele extraordinariamente bronzeada. Pernas que faziam você passar a gostar de pernas. Cabelo castanho encaracolado perfeitamente bem penteado. Um bóton que dizia VOTE EM MIM PARA RAINHA DA FORMATURA. Lacey Pemberton. Caminhando em nossa direção. Junto à *sala de ensaios*.

— *Lacey Pemberton* — sussurrou Ben, embora ela estivesse a três passos de nós e pudesse ouvi-lo com nitidez. E, de fato, ela abriu um sorriso falsamente acanhado ao ouvir o próprio nome.

— Quentin — voltou-se ela para mim, e, mais do que qualquer coisa, eu achava impossível que ela soubesse meu nome.

Ela fez um sinal com a cabeça e eu a segui, passando pela sala de ensaios até uma fileira de armários. Ben me seguiu de perto.

— Oi, Lacey — cumprimentei assim que ela parou.

Dava para sentir seu perfume, e eu me lembrei do cheiro dentro da picape e do bagre sendo esmagado quando Margo e eu o esprememos com o banco do carro.

— Ouvi dizer que você estava com Margo.

Fiquei olhando para ela.

— Naquela noite, com o peixe. Em meu carro. E no armário de Becca. E pela janela de Jase.

Continuei olhando. Não sabia bem o que dizer. Um sujeito pode ter uma vida longa e venturosa sem nunca ter ouvido uma palavra de Lacey Pemberton, e quando essa rara oportunidade acontece ninguém gostaria de falar besteira. Então Ben falou por mim:

— É, eles estavam juntos — disse ele, como se Margo e eu fôssemos próximos.

— Ela estava com raiva de mim? — perguntou Lacey depois de um tempo. Estava olhando para baixo, e pude notar a sombra em seus olhos castanhos.

— O quê?

E então ela falou bem baixinho, a voz falhando um pouco, e de uma hora para outra Lacey Pemberton não era mais Lacey Pemberton. Era só... uma pessoa.

— Ela estava, sei lá, brava comigo por algum motivo?

Fiquei um tempo pensando em que resposta dar.

— Hum, ela estava um pouco chateada porque você não contou sobre Jase e Becca, mas você sabe como Margo é. Ela vai superar.

Lacey começou a andar pelo corredor. Ben e eu a deixamos ir embora, mas ela desacelerou o passo. Queria que a gente a acompanhasse. Ben me cutucou, e nós caminhamos juntos.

— Eu sequer sabia de Jase e Becca. Esse é o problema. Cara, tomara que eu consiga explicar isso a ela logo. Por um instante, fiquei com medo de que ela talvez tivesse ido embora de vez, mas aí dei uma olhada no armário dela, porque sei o código que ela usa, e todas as fotos ainda estão lá, os livros, tudo.

— Que bom — falei.

— Pois é, mas já faz quatro dias. É praticamente um recorde para ela. E, sabe como é, a coisa está feia porque Craig sabia de tudo, e eu fiquei com tanta raiva dele por não ter me contado que terminei com ele, e agora não tenho mais par para o baile de formatura, e minha melhor amiga fugiu sei lá para onde, para Nova York, sei lá, achando que fiz uma coisa que eu NUNCA teria feito.

Lancei um olhar para Ben, que me fitou de volta.

— Preciso correr para minha aula — falei. — Mas por que você acha que ela fugiu para Nova York?

— Acho que uns dois dias antes de sumir ela falou para Jase que Nova York era o único lugar nos Estados Unidos onde uma pessoa poderia viver uma vida no mínimo mais ou menos. Pode ter sido da boca para fora. Não sei.

— Ok, tenho que ir — falei.

Eu sabia que Ben nunca conseguiria convencer Lacey a ir ao baile de formatura com ele, mas achei que ele merecia ao menos tentar. Corri pelos corredores em direção ao meu armário e esfreguei a cabeça de Radar. Ele estava conversando com Angela e uma aluna do primeiro ano que era da banda.

— Ah, não agradeça a mim. Agradeça ao Q. — Eu o ouvi dizer à menina, e então ela gritou:

— Obrigada pelas duzentas pratas!

— Não agradeça a mim. Agradeça a Margo Roth Spiegelman! — gritei sem olhar para trás, porque é claro que ela fora a responsável por me dar as ferramentas de que eu precisava.

Cheguei ao armário e peguei meu caderno de cálculo, mas permaneci ali, mesmo depois de o segundo sinal ter tocado, parado no meio do corredor enquanto as pessoas corriam por mim nos dois sentidos, como se eu fosse o canteiro central na rodovia delas. Mais um garoto me agradeceu pelas duzentas pratas. Sorri para ele. A escola parecia mais *minha* do que em todos os quatro anos que passei nela. A gente conseguiu compensar os geeks sem bicicleta da banda. Lacey Pemberton falou comigo. Chuck Parson pediu desculpas.

Eu conhecia aqueles corredores tão bem — e finalmente era como se eles também me conhecessem. Fiquei ali até o terceiro sinal tocar e a multidão minguar. Só então segui para a aula de cálculo e me sentei logo depois de o Sr. Jiminez dar início a mais uma aula interminável.

Eu tinha trazido o exemplar de *Folhas de relva* de Margo e recomecei a ler os trechos marcados de "Canção de mim mesmo" por baixo da mesa enquanto o Sr. Jiminez deixava seus garranchos no quadro-negro. Não identifiquei nenhuma referência direta a Nova York. Depois de um tempo, passei o livro para Radar, e ele deu uma olhada antes de escrever em seu caderno, na margem do meu lado: *Esse pedaço marcado de verde tem que significar alguma coisa. Quem sabe ela não quer que você abra as portas da mente?* Dei de ombros e escrevi de volta: *Ou talvez ela tenha apenas lido o poema em dois dias diferentes, com dois marca-textos diferentes.*

Alguns minutos depois, enquanto olhava de relance para o relógio pela trigésima sétima vez, vi Ben Starling de pé junto à porta, segurando um bilhete de dispensa e dançando feito um louco.

Quando o sinal do almoço tocou, corri para o meu armário, mas de alguma forma Ben tinha chegado a ele primeiro e sabe-se lá como estava conversando com Lacey Pemberton. Estava quase grudado a ela, com uma corcunda de leve para que os dois ficassem cara a cara. Conversar com Ben às vezes me dava uma sensação um tanto claustrofóbica, e olha que eu não estava nem perto de ser uma garota bonita.

— Oi, gente — falei assim que me aproximei deles.

— Oi — respondeu Lacey, nitidamente afastando-se de Ben. — Ben estava só me pondo em dia sobre Margo. Ninguém nunca tinha entrado no quarto dela, sabia? Ela dizia que os pais não a deixavam levar amigos para casa.

— Sério? — Lacey fez que sim com a cabeça. — Você sabia que ela tem uns mil discos?

— Não. Era isso que Ben estava me contando! — exclamou Lacey, erguendo as mãos. — Ela nunca falava de música. Tipo, ela teria dito se gostasse de alguma coisa que ouvia no rádio ou sei lá. Mas... não. Ela era tão *esquisita*.

Dei de ombros. Talvez ela fosse esquisita, ou talvez o restante de nós é que éramos esquisitos. Lacey continuou falando:

— Mas a gente estava dizendo que Walt Whitman era de Nova York.

— E, de acordo com o Omnictionary, Woody Guthrie morou muito tempo lá também — disse Ben.

Assenti.

— Dá para imaginar Margo em Nova York. Só acho que a gente precisa descobrir a próxima pista. Não pode ser só o livro. Deve haver algum código nos trechos marcados ou algo assim.

— Pois é, posso dar uma olhada na hora do almoço?

— Claro — respondi. — Ou a gente pode tirar uma cópia na biblioteca, se você quiser.

— Não, acho que posso só dar uma olhada. Não entendo porcaria nenhuma de poesia mesmo. Ah, mas, de qualquer modo, uma prima minha estuda na Universidade de Nova York e eu mandei um folheto para ela imprimir. Então vou avisar a ela para distribuir em lojas de discos também. Sei que existe uma porção de lojas de discos, mas mesmo assim...

— Boa ideia — falei.

Eles começaram a caminhar para a cantina e eu os segui.

— Ah, qual é a cor do seu vestido? — perguntou Ben a Lacey.

— É meio safira, por quê?

— Só para ter certeza de que meu smoking vai combinar — disse Ben.

Eu nunca o vira com um sorriso tão abobalhado, e olha que Ben é um sujeito para lá de bobo.

Lacey assentiu com a cabeça.

— Bem, a gente também não precisa ficar *tão* combinadinho. Talvez se você usasse uma coisa mais tradicional, smoking e colete pretos, quem sabe?

— Então você acha que é melhor não usar faixa?

— Ah, pode usar, mas é melhor não escolher uma muito cheia de pregas, entendeu?

Eles continuaram conversando — aparentemente, a quantidade ideal de pregas em uma faixa é um tópico digno de horas de conversa —, mas parei de ouvir e entrei na fila do Pizza Hut. Ben tinha arrumado alguém com quem ir à formatura, e Lacey tinha encontrado um cara capaz de conversar animadamente sobre a festa durante horas. Agora todo mundo tinha um par — menos eu, e eu não ia à festa. A única menina que eu gostaria de levar estava por aí em uma viagem sem volta ou algo assim.

Nós nos sentamos. Lacey começou a ler "Canção de mim mesmo" e concordou que nada daquilo tinha muito a cara de Margo. Ainda não tínhamos ideia do que Margo estava tentando dizer, se é que estava tentando dizer alguma coisa. Ela me devolveu o livro e eles voltaram a falar da formatura.

Durante toda a tarde, fiquei com a sensação de que olhar aqueles versos marcados não iria dar em nada, mas aí eu ficava entediado, abria a mochila, colocava o livro no colo e voltava a ler. O último tempo era aula de inglês, e a gente tinha começado a estudar *Moby Dick*, então a Dra. Holden estava falando um monte de coisas sobre pesca no século XIX. Mantive o *Moby Dick* na mesa e o Whitman no colo, mas nem o fato de estar na aula de inglês me impediu. Pela primeira vez passei alguns minutos inteiros sem olhar para o relógio, então me espantei quando o sinal tocou e levei mais tempo do que os outros para fechar a mochila. Ao jogar a mochila por cima do ombro e me dirigir à saída, a Dra. Holden sorriu para mim e disse:

— Walt Whitman, é?

Assenti, meio encabulado.

— Bom livro — elogiou ela. — Tão bom que eu quase não ligo de você ficar lendo no meio da aula. Quase.

Murmurei um *desculpe* e segui para o estacionamento dos alunos.

Enquanto Ben e Radar ensaiavam, fiquei sentado no PNC, as portas abertas, uma brisa leve atravessando o carro. Tentei ler *O Federalista* para me preparar para a prova de ciências políticas no dia seguinte, mas minha cabeça voltava para o ciclo contínuo: Guthrie, Whitman, Nova York, Margo. Será que ela fora para Nova York a fim de fazer uma imersão na música folk? Será que existia uma Margo secreta amante de folk que eu não conhecia? Será que ela estava na casa em que um dos dois tinha morado? E por que ela queria que *eu* soubesse disso?

Pelo retrovisor lateral, vi Ben e Radar se aproximando. Radar vinha sacolejando a caixa do sax enquanto andava apressadamente em direção ao PNC. Eles entraram pelas portas já abertas, Ben girou a chave, e o carro engasgou; a gente torceu, mas ele falhou de novo, a gente torceu mais um pouco e ele, enfim, ganhou vida. Ben acelerou para fora do estacionamento, fez a curva e então exclamou:

— DÁ PARA ACREDITAR NESSA MERDA!?

Ele mal conseguia se conter de tanta felicidade.

E começou a apertar a buzina, mas é claro que ela não funcionava, então a cada batida ele simplesmente gritava:

— BI-BI! BI-BI! BI-BI! BUZINE AÍ QUEM VAI PARA A FORMATURA COM A GATINHA DA LACEY PEMBERTON! BUZINE, BABY, BUZINE!

Ele mal calou a boca durante todo o caminho para casa.

— Sabe o que foi? Além do desespero? Acho que ela e Becca estão meio brigadas porque Becca, vocês sabem, é uma traidora, e acho que ela começou a se sentir mal por causa da história do Mija-sangue. Ela não chegou a *admitir*, mas meio que *agiu* como se sentisse assim. Então, no final das contas, o Mija-sangue vai me tirar da secura.

Eu estava feliz pelo cara e tudo o mais, mas queria me concentrar no desafio de descobrir onde Margo estava.

— Vocês têm alguma ideia?

Eles ficaram em silêncio por um instante, então Radar olhou para mim pelo retrovisor e disse:

— Aquele trecho das portas é o único que está marcado com uma caneta diferente, além de ser o mais aleatório. Eu realmente acho que a pista está nele. Como é mesmo?

— "Arranquem os trincos das portas! / Arranquem as próprias portas dos batentes!" — respondi.

— Vamos combinar, Jefferson Park não é o melhor lugar para arrancar as portas dos batentes de gente bitolada — ponderou Radar. — Talvez seja isso que ela esteja dizendo. Assim como o negócio de cidade de papel que ela falou sobre Orlando... Talvez ela esteja explicando por que foi embora.

Ben reduziu por causa do sinal, então se virou para Radar e disse:

— Cara, acho que vocês estão dando muita bola para essa gatinha da Margo.

— Como assim? — perguntei.

— Arrancar os trincos das portas — disse ele. — Arrancar as próprias portas dos batentes.

— Isso — falei.

O sinal abriu e Ben pisou fundo. O PNC tremeu como se fosse se desfazer, mas aí começou a andar.

— Não é *poesia*. Não é *metáfora*. São instruções. O que a gente tem que fazer é ir até o quarto de Margo e arrancar o trinco da porta dela, arrancar a própria porta do batente.

Radar me fitou pelo retrovisor e eu o encarei de volta.

— Às vezes ele é tão retardado que chega a ser genial — disse ele.

6

Depois de estacionar na entrada de carros lá de casa, atravessamos o gramado que separava a casa de Margo da minha, exatamente como tínhamos feito no sábado. Ruthie atendeu à porta e disse que os pais ficariam fora até as seis. Myrna Mountweazel correu a nosso redor, agitada; nós subimos a escada. Ruthie trouxe uma caixa de ferramentas da garagem, e então encaramos a porta do quarto de Margo por um tempo. Ninguém ali era muito bom com ferramentas.

— E aí, que diabos a gente faz agora? — perguntou Ben.

— Não fale assim na frente de Ruthie — repreendi.

— Ruthie, você se importa que eu diga "diabos"?

— A gente não acredita no diabo — foi a resposta dela.

— Gente — interrompeu Radar —, a porta.

Ele tirou uma chave Phillips da bagunça na caixa de ferramentas e se ajoelhou para desaparafusar a maçaneta. Peguei uma chave maior e pensei em soltar as dobradiças, mas elas não pareciam estar presas por parafusos. Encarei a porta um pouco mais. Por fim, Ruthie ficou entediada e desceu para assistir à teve.

Radar arrancou a maçaneta e, um de cada vez, fitamos o buraco na madeira mal arrematada e sem pintura. Nenhuma mensagem. Nenhum bilhete. Nada. Irritado, eu me voltei para as dobradiças, me perguntando como soltá-las. Abri e fechei a porta, tentando entender como o mecanismo funcionava.

— O poema é tão comprido... — falei. — E o bom e velho Walt nem para incluir uma linha ou duas sobre *como* arrancar a própria porta do batente.

Só quando Radar falou foi que me dei conta de que ele estava no computador de Margo:

— De acordo com o Omnictionary — disse ele —, isso aí é uma dobradiça macho-fêmea. Para tirar o pino, é necessário usar a chave de fendas feito uma alavanca. Aliás, algum vândalo acrescentou que a dobradiça macho-fêmea funciona melhor se for lubrificada com KY. Ah, Omnictionary. Algum dia estarás livre de erro?

Uma vez que o Omnictionary nos ensinou o que fazer, a tarefa pareceu surpreendentemente fácil. Tirei os pinos das três dobradiças e Ben removeu a porta. Examinei as dobradiças e a madeira exposta do batente. Nada.

— Nada na porta — disse Ben.

Recolocamos a porta no lugar e Radar martelou os pinos com o cabo da chave de fenda.

Radar e eu fomos jogar *Arctic Fury* na casa de Ben, que tinha a mesma planta baixa que a minha. A gente estava em uma fase na qual os jogadores em uma geleira têm que atirar com armas de paintball. Quem acerta o saco do adversário ganha pontos extras. Coisa bem sofisticada.

— Cara, com certeza ela está em Nova York — disse Ben.

Eu vi o cano do rifle dele atrás de um muro, mas, antes que eu pudesse me mexer, ele me acertou bem no meio das pernas.

— Merda — murmurei.

— Em todas as outras vezes ela deixou pistas que apontavam para um lugar específico — disse Radar. — Primeiro ela fala com Jase sobre Nova York; e então deixa pistas envolvendo duas pessoas que moraram lá durante a maior parte da vida delas. Realmente faz sentido.

— Cara, é isso que ela quer. — Quando consegui cercar Ben, ele pausou o jogo e acrescentou: — Ela quer que você *vá* para Nova York. E se ela tiver feito tudo de forma que esse seja o único de jeito de você encontrá-la? *Indo* até Nova York?

— Ficou maluco? É uma cidade com doze milhões de habitantes.

— Talvez ela tenha um cúmplice aqui — disse Radar. — Alguém para avisar se você for.

— Lacey! — exclamou Ben. — É ela, com certeza! Você tem que pegar um avião para Nova York agora. E, quando Lacey souber, Margo vai buscar você no aeroporto. É isso. Cara, vou levar você para casa e você vai arrumar a mala, aí eu levo você até o aeroporto e você compra uma passagem com seu cartão de crédito para emergências, e aí, quando a Margo descobrir como você é foda, o tipo de foda que Jase Worthington nem *sonha* ser, nós *três* vamos para a formatura com as meninas mais gostosas do colégio.

Eu não duvidava de que a todo instante houvesse um voo para Nova York. Em Orlando, tem voo saindo para *qualquer lugar do mundo* a todo instante. Mas eu tinha dúvidas a respeito de todo o resto do plano.

— Se você ligar para Lacey... — comecei.

— Ela nunca vai admitir! — disse Ben. — É só ver todas as pistas falsas que elas plantaram. Elas provavelmente fingiram que estavam brigadas só para você não suspeitar que Lacey é a cúmplice.

— Não sei, não — disse Radar. — Não faz muito sentido.

E ele continuou falando, mas eu não estava prestando atenção. Encarando a tela pausada do jogo, pensei na história toda. Se Margo e Lacey estavam brigadas de mentira, então será que Lacey tinha terminado com o namorado só de mentira também? A preocupação dela... era tudo fingimento? Lacey estava recebendo dúzias de e-mails — nenhum deles com informação relevante — em resposta aos panfletos que a prima havia colocado nas lojas de discos de Nova York. Ela não era cúmplice, e o plano de Ben era ridículo. Ainda assim, a simples ideia de ter um plano me agradava. Só que as aulas acabariam dali a duas semanas e meia, e eu teria que faltar pelo menos dois dias caso fosse mesmo para Nova York. Sem contar que meus pais me matariam se eu usasse o cartão de crédito para comprar uma passagem de avião. Quanto mais eu pensava no plano, mais idiota ele parecia. Ainda assim, se eu pudesse vê-la no dia seguinte... Mas não.

— Não posso matar aula — disse, afinal. E retomei o jogo. — Tenho prova de francês amanhã.

— Quer saber — disse Ben —, seu romantismo é realmente inspirador.

Joguei por mais alguns minutos e depois caminhei de volta para casa, cortando caminho pelo Jefferson Park.

Uma vez minha mãe me contou uma história sobre um garoto maluco com quem ela havia trabalhado. Ele era uma criança completamente normal até fazer nove anos, e então o pai dele morreu. E, embora com certeza exista um monte de garotos de nove anos que perderam o pai e não enlouqueceram, acho que ele era uma exceção.

Então um dia esse garoto pegou um lápis e um daqueles compassos de metal e começou a desenhar círculos em um papel. Todos com exatamente cinco centímetros de diâmetro. E ficava desenhando círculos até a folha ficar completamente preta, aí pegava outra folha e desenhava mais círculos, todos os dias, o dia inteiro, e não prestava atenção às aulas, desenhando círculos nas provas, e por aí vai. Minha mãe disse que o garoto havia criado uma rotina para superar a perda, só que era uma rotina destrutiva. Bom, então minha mãe o incitou a chorar a morte do pai ou algo assim, e o garoto parou de desenhar círculos e supostamente viveu feliz para sempre. Mas de vez em quando eu penso no garoto dos círculos, porque meio que o entendo. Sempre gostei da rotina. Acho que o tédio nunca me entediou. Duvido que eu fosse capaz de explicar uma coisa dessas para alguém como Margo, mas levar a vida desenhando círculos me parecia um tipo de insanidade razoável.

Sendo assim, a decisão de não ir para Nova York deveria ter sido tranquila para mim — afinal, era um plano idiota. Mas, à medida que fui seguindo minha rotina naquela noite, e no dia seguinte no colégio, aquilo ia me devorando, como se a própria rotina estivesse me impedindo de reencontrá-la.

7

Na terça-feira à noite, quando havia seis dias que Margo tinha desaparecido, eu conversei com meus pais. Não foi uma decisão *importante* nem nada assim; eu só falei com eles. Eu estava sentado à bancada da cozinha enquanto meu pai picava alguns legumes e minha mãe fritava um bife. Meu pai implicava comigo, brincando que eu estava levando muito tempo para ler um livro tão fininho, e eu respondi:

— Na verdade, não é para o colégio. Acho que Margo deixou esse livro para mim como uma pista.

Os dois ficaram em silêncio, e então contei sobre Woody Guthrie e Whitman.

— Sem dúvida ela gosta desse jogo de deixar pistas incompletas — disse meu pai.

— Essa necessidade de atenção não é culpa dela — justificou minha mãe, e então acrescentou para mim: — Mas o bem-estar de Margo não é sua responsabilidade.

— É, verdade. — Meu pai jogou as cenouras e cebolas picadas na frigideira. — É claro que não é possível dar um diagnóstico sem conversar com ela, mas sinto que Margo vai voltar para casa logo.

— É melhor não fazer especulações — disse minha mãe a ele em voz baixa, como se eu não pudesse ouvi-la. Ele estava prestes a responder quando interrompi:

— E o que *eu* devo fazer?

— Se formar — disse minha mãe. — E acreditar que Margo é capaz de cuidar de si mesma, pois ela tem demonstrado bastante talento para isso.

— Concordo — disse meu pai.

No entanto, depois do jantar, quando subi para meu quarto a fim de jogar *Resurrection* com a tevê no mudo, ouvi os dois debatendo baixinho. Não dava para entender as palavras exatas, mas eu podia sentir sua preocupação.

Mais tarde naquela noite, Ben ligou para meu celular.

— E aí? — falei.

— Cara!

— O que foi?

— Estou saindo para comprar sapatos com Lacey.

— Comprar *sapatos*?

— É. Tudo fica com trinta por cento de desconto entre dez e meia-noite. Ela quer que eu a ajude a escolher os sapatos para o baile. Quer dizer, ela já comprou um par, mas ontem eu passei na casa dela e a gente concordou que ele não era... sabe como é, todo mundo quer os sapatos *perfeitos* para a formatura. Então ela vai devolver, e aí a gente vai até a Burdines para esco...

— Ben — interrompi.

— O que foi?

— Cara, eu não estou nem um pouco a fim de falar dos sapatos que Lacey vai usar no baile. E vou explicar o motivo: eu tenho um negócio que me torna absolutamente desinteressado em sapatos de festa. E esse negócio se chama pênis.

— É que eu estou muito nervoso e não consigo parar de pensar que eu meio que gosto mesmo dela, e não é de um jeito "ela é muito gostosa e vai ser meu par na festa", mas de um jeito mais "ela é muito legal e eu gosto de estar com ela". E aí quem sabe a gente vai para o baile e, tipo, começa a se beijar lá no meio da pista de dança, e todo mundo vai ficar assombrado e, sabe como é, tudo o que sempre pensaram ao meu respeito simplesmente vai por água abaixo...

— Ben — falei. — Pare de gaguejar, vai dar tudo certo.

Ele continuou falando, mas depois de um tempo enfim consegui desligar.

Fiquei deitado na cama e comecei a me sentir um tanto deprimido com a formatura. Eu me recusava a sentir qualquer tipo de tristeza por não *ir* ao baile, mas cheguei a imaginar — de um jeito idiota e vergonhoso — em encontrar Margo e convencê-la a voltar para casa bem a tempo de chegar ao baile, sei lá, no final da noite, e então a gente entraria no salão do Hilton usando camisetas e jeans esfarrapados, bem a tempo para a última música, e dançaríamos juntos enquanto todo mundo apontaria para nós, espantados com a volta de Margo, e então a gente iria cair fora dali, dando passos de foxtrote, para tomar sorvete no Friendly's. Então, sim, tanto quanto Ben eu alimentava fantasias ridículas sobre a formatura. Mas pelo menos eu não falava as minhas *em voz alta.*

Às vezes Ben podia ser um idiota tão egocêntrico que eu precisava lembrar por que ainda gostava dele. Em último caso, de vez em quando ele tinha ideias surpreendentemente geniais. O lance da porta havia sido uma delas. Não deu em nada no fim, mas que foi uma boa ideia, isso foi. Obviamente Margo queria que aquilo significasse alguma coisa diferente para mim.

Para mim.

A pista era *minha*. As portas eram minhas!

Para chegar até a garagem, eu precisava atravessar a sala de estar, onde mamãe e papai assistiam à tevê.

— Quer ver com a gente? — perguntou minha mãe. — Estão quase desvendando o caso.

Era um daqueles seriados de investigação de crimes.

— Não, obrigado — agradeci, passando por eles primeiro em direção à cozinha e então até a garagem.

Procurei pela chave de fenda de ponta mais larga, enfiei-a no cós da bermuda cáqui e apertei o cinto. Peguei um biscoito na cozinha e caminhei de volta para a sala de estar, com o andar só um pouco esquisito, e, enquanto eles viam o mistério ser solucionado, soltei os três pinos da porta de meu quarto. Quando cheguei ao último, a porta rangeu e começou a cair, então eu a abri completamente e a apoiei na parede. Durante o movimento, vi um pedacinho minúsculo de papel — mais ou menos do tamanho da unha de meu dedão — cair da dobradiça mais alta. Típico de Margo. Por que esconder algo no próprio quarto quando ela podia esconder no meu? Fiquei me perguntando quando ela havia feito aquilo e como tinha conseguido entrar. Não pude conter um sorriso.

Era um recorte do jornal *Orlando Sentinel*, com duas bordas rasgadas e duas inteiras. Eu sabia que era do *Sentinel* porque em uma das margens dava para ler "... *do Sentinel* 6 de maio página 2...". A data em que ela havia sumido. Obviamente era um bilhete deixado por Margo. Reconheci a letra:

bartlesville Avenue, 8.328

Eu não tinha como colocar a porta de volta no lugar sem martelar os pinos, o que na certa iria chamar a atenção de meus pais, então simplesmente encaixei as dobradiças e deixei a porta aberta. Guardei os pinos no bolso e fui para o computador procurar o número 8.328 na Bartlesville Avenue em um mapa. Nunca tinha ouvido falar dessa rua.

Ela ficava a pouco mais de cinquenta quilômetros além da cidade, atravessando a Colonial Drive até quase chegar ao povoado de Christmas, na Flórida. Quando aproximei a imagem de satélite para ver o prédio, ele parecia um retângulo preto com fachada prateada fosca e um gramado nos fundos. Um trailer, talvez? Era difícil ter noção do tamanho porque a construção estava cercada por uma vasta área verde.

Liguei para Ben e contei a ele.

— Então eu estava certo! — disse ele. — Mal posso esperar para contar a Lacey, porque ela também achava minha sacação muito boa!

Ignorei o comentário e falei:

— Acho que vou até lá.

— Ué, é claro que você tem que ir. Eu vou também. A gente pode ir no domingo de manhã. Eu vou estar meio exausto por causa do baile, mas não tem problema.

— Não. Estou falando de ir hoje à noite.

— Cara, já está *escuro*. Você não pode ir até um prédio estranho em um endereço misterioso no *escuro*. Você nunca viu filme de terror?

— Ela pode estar lá — argumentei.

— É, ela e um demônio que se alimenta apenas de pâncreas de adolescentes — respondeu ele. — Meu Deus, pelo menos espere até amanhã. Só que depois do ensaio tenho que encomendar o buquê para enfeitar o vestido de Lacey. E quero estar em casa para o caso de ela me mandar um recado pelo chat, porque a gente tem trocado mensagens pela internet direto...

— Não, hoje. Eu quero encontrá-la — interrompi. Sentia que as coisas estavam se encaixando. Em uma hora, se eu corresse, poderia estar diante dela.

— Cara, não vou deixar você sair de casa no meio da noite para ir a um endereço que você encontrou rabiscado em um pedaço de papel. Se for preciso, vou até aí amarrar você.

— Amanhã de manhã — falei, mais para mim do que para ele. — Vou amanhã de manhã.

Eu já estava cansado de nunca faltar no colégio. Ben ficou quieto. Pude ouvi-lo soltando o ar por entre os dentes.

— Estou com uma sensação esquisita – disse ele. – Febre. Tosse. Dor no corpo.

Sorri. Depois de desligar, telefonei para Radar:

— Estou com Ben na outra linha. Já ligo para você.

Um minuto depois ele me ligou. Antes que eu pudesse ao menos dizer "oi", Radar falou:

— Q, estou com uma enxaqueca terrível. De jeito nenhum vou poder ir ao colégio amanhã.

Soltei uma gargalhada.

Depois de desligar, tirei a camiseta e a cueca, esvaziei a lata de lixo em uma gaveta e a deixei junto da cama. Programei o despertador para a ingrata hora de seis da manhã e passei o restante da noite tentando dormir, em vão.

8

Na manhã seguinte, minha mãe entrou no meu quarto:

— Você não fechou a porta ontem à noite, dorminhoco.

Abri os olhos e respondi:

— Acho que peguei alguma virose.

E apontei para a lata de lixo, cheia de vômito.

— Quentin! Meu Deus. Quando foi isso?

— Lá pelas seis — respondi, o que era verdade.

— Por que você não chamou a gente?

— Eu estava exausto. — O que também era verdade.

— Você já acordou se sentindo mal? — perguntou ela.

— Foi — respondi, o que era mentira.

Eu tinha acordado porque meu alarme tocou às seis da manhã, então fui até a cozinha e comi uma barrinha de granola e bebi suco de laranja. Dez minutos depois, enfiei dois dedos na garganta. Só não fiz isso na noite anterior porque não queria sentir cheiro de vômito no quarto a noite toda. Vomitar foi uma droga, mas o desconforto passou rápido.

Minha mãe pegou a lata, e eu fiquei ouvindo enquanto ela a limpava na cozinha. Ela retornou com a lata limpa, os lábios trêmulos de preocupação.

— Bem, talvez seja melhor eu ficar em... — começou ela, mas eu a interrompi.

— Estou bem — falei. — Só meio enjoado. Deve ter sido alguma coisa que eu comi.

— Tem certeza?

— Eu ligo se piorar.

Ela me deu um beijo na testa. Senti seu batom grudando em minha pele. Eu não estava doente de verdade, mas mesmo assim aquilo fez com que eu me sentisse melhor.

— Quer que eu feche a porta? — perguntou ela já com a mão na maçaneta.

A porta balançou levemente nas dobradiças.

— Não, não, não — falei, talvez um pouco nervoso demais.

— Certo — disse ela. — Vou ligar para a escola a caminho do trabalho. E você trate de me avisar se precisar de alguma coisa. Qualquer coisa. Ou se quiser que eu venha para casa. E pode ligar para seu pai também. De tarde eu ligo, tudo bem?

Fiz que sim com a cabeça e puxei as cobertas até o queixo. Apesar de a lata estar limpa, ainda podia sentir o cheiro de vômito emanando dali, o que fazia eu me lembrar de quando vomitei, e isso, por algum motivo, me deu ânsia de vômito. Então respirei lenta e controladamente pela boca até ouvir o Chrysler saindo da garagem. Eram 7h32. Pela primeira vez eu chegaria a tempo, pensei. Não na escola, é verdade. Mas ainda assim...

Tomei um banho, escovei os dentes, vesti minha calça jeans escura e uma camiseta preta. Enfiei o bilhete de Margo no bolso. Martelei os pinos de volta nas dobradiças e arrumei a mochila. Não sabia bem o que levar, mas incluí a chave de fenda, uma impressão do mapa de satélite, as indicações de como chegar, uma garrafa d'água e, para o caso de ela estar lá, o livro de Whitman. Eu queria perguntar a ela a respeito dele.

Ben e Radar chegaram às oito em ponto. Sentei-me no banco de trás. Eles estavam cantando uma música do Mountain Goats.

Ben virou-se e me ofereceu a mão fechada. Dei um soquinho de leve, embora detestasse aquele cumprimento.

— Q! — gritou ele mais alto que o barulho da música. — Qual é a sensação?

E eu sabia exatamente o que ele queria saber: qual era a sensação de estar ouvindo Mountain Goats com os amigos no carro, na manhã de uma quarta-feira de maio, a caminho de encontrar Margo e qualquer que fosse o prêmio Margozístico por encontrá-la.

— É melhor do que cálculo — respondi.

A música estava alta demais para a gente conversar. Assim que saímos do Jefferson Park, baixamos a única janela que funcionava para que o mundo soubesse que tínhamos bom gosto musical.

Dirigimos por toda a Colonial Drive e passamos pelos cinemas e pelas livrarias que eu vira pela janela do carro durante toda a minha vida. Mas daquela vez era diferente, e melhor, porque era no meio da aula de cálculo, porque era com Ben e Radar, e porque estávamos no caminho que, conforme eu acreditava, me levaria a Margo. E então, depois de trinta quilômetros, Orlando deu lugar às últimas laranjeiras e a pequenas fazendas — a terra infinitamente plana, o mato espesso, o musgo grudado aos carvalhos, tudo quieto e um calor sem brisa. Aquela era a Flórida onde eu passava meus dias de escoteiro sendo picado por mosquitos e caçando tatus. Atualmente a estrada estava tomada por picapes, e a cada dois quilômetros mais ou menos eu via um loteamento imobiliário junto à rodovia: pequenas ruas por nenhum motivo contornando casas construídas no meio do nada, feito um vulcão com revestimento de vinil.

Mais adiante passamos por uma placa podre de madeira que indicava a entrada de GROVEPOINT ACRES. Uma estrada de asfalto esburacado se estendia por uns sessenta metros até terminar em uma imensidão de terra cinzenta, sinalizando que Grovepoint Acres era o que minha mãe chamava de bairro fantasma: um bairro abandonado antes da conclusão da obra. Eu já tinha visto alguns semelhantes em viagens com meus pais, mas nunca um tão desolado.

Uns oito quilômetros depois de Grovepoint Acres, Radar baixou o volume e disse:

— Deve faltar menos de dois quilômetros.

Respirei fundo. A empolgação de estar fora do colégio tinha começado a esmorecer. Aquele não parecia um lugar que Margo escolheria para se esconder, nem mesmo para visitar. Estava bem longe de ser Nova York. Era aquele pedaço da Flórida pelo qual se passa batido, perguntando-se por que alguém teria escolhido viver naquela península. Encarei o asfalto vazio, o calor distorcendo a visão. Diante de nós, a distância, vi um pequeno conjunto de lojas abandonado.

— É aquilo ali? — perguntei, inclinando-me para a frente e apontando.

— Tem que ser — disse Radar.

Ben desligou o som e ficamos em silêncio enquanto ele entrava com o carro em um estacionamento que muito antes tinha sido tomado pela grama e pela terra. Um dia chegou a existir um letreiro para as quatro fachadas de lojas. Junto da estrada, havia um poste enferrujado de dois metros e meio de altura. Mas a placa já não existia mais, arrancada por um furacão ou destruída pelo tempo. As lojas também não tinham se saído muito melhor: era um prédio de apenas um andar com o telhado plano, e em alguns lugares os tijolos de concreto estavam aparentes. Havia faixas de tinta nas paredes, enrugadas feito insetos se agarrando a um ninho. Manchas de infiltração formavam desenhos abstratos em marrom entre as vitrines, cobertas por folhas de compensado. Fui tomado por um pensamento terrível, daqueles que não conseguimos abandonar quando são lançados em nossa consciência: aquele não me parecia um lugar ao qual se ia para viver. Era um lugar ao qual se ia para morrer.

Assim que o carro parou, meu nariz e minha boca foram inundados pelo cheiro rançoso da morte. Tive que engolir o vômito que me subiu arranhando a garganta. Só então, depois de ter perdido tanto tempo, é que me dei conta de como eu estava enganado tanto a respeito do jogo dela quanto do prêmio pela vitória.

Saio do carro, Ben fica a meu lado, e Radar ao lado de Ben. E de repente sei que isso não é engraçado, que não é simplesmente um teste para eu provar que sou bom o suficiente para ser amigo dela. Posso ouvir Margo na noite em que dirigimos pelas ruas de Orlando. Posso ouvi-la dizendo para mim: "Não quero que umas crianças me encontrem em Jefferson Park em uma manhã de sábado, cheia de moscas." Não querer ser encontrada por crianças quaisquer em Jefferson Park não é o mesmo que não querer morrer.

Não existe nenhuma indicação de que alguém esteve ali há pouco tempo, exceto pelo cheiro, o fedor azedo e nauseante que separava os vivos dos mortos. Tento me convencer de que ela não pode ter esse cheiro, mas é claro que pode. Todos nós podemos. Passo um braço em volta do nariz para sentir o cheiro de suor e pele, qualquer coisa que não seja morte.

— MARGO? — grita Radar. Um tordo empoleirado em uma calha enferrujada do prédio grasna duas sílabas em resposta. — MARGO! — grita ele de novo. Nada. Ele traça uma parábola com o pé na areia e solta um suspiro. — Merda.

De pé diante do prédio, faço uma descoberta sobre o medo. Descubro que não são as fantasias despreocupadas de alguém que talvez queira que coisas importantes aconteçam a si, ainda que a coisa importante seja algo terrível. Não é a aflição de ver um estranho morto, ou o susto de ouvir um tiro vindo da casa de Becca Arrington. Não é algo que se resolve controlando a respiração. Esse medo não pode ser comparado a nenhum medo que um dia conheci. É a emoção mais básica de todas, uma sensação que já estava conosco antes de existirmos, antes de este prédio existir, antes de a Terra existir. Foi este medo que fez os peixes rastejarem para a terra e desenvolverem pulmões, o medo que nos ensina a correr, o medo que nos faz enterrar nossos mortos.

O cheiro faz um pânico desesperado tomar conta de mim – não é um pânico como se meus pulmões estivessem sem ar, mas sim como se não houvesse ar na atmosfera. Penso que talvez eu tenha passado a maior parte da vida com medo como forma de me preparar, treinar o corpo para o medo de verdade quando ele chegasse. Mas não estou preparado.

– Cara, é melhor a gente ir embora – diz Ben. – A gente devia chamar a polícia ou algo assim.

Ainda não tínhamos olhado um para o outro. Continuamos fitando o prédio, este prédio abandonado há muito tempo e que não tem como servir de lar para nada além de cadáveres.

– Não – diz Radar. – Nada disso. A gente chama se tiver alguma coisa que justifique. Ela deixou o endereço para Q, e não para a polícia. A gente tem que descobrir um jeito de entrar aí.

– *Entrar* aí? – pergunta Ben meio em dúvida.

Bato nas costas de Ben e, pela primeira vez em todo o dia, nós três não estamos olhando para a frente, mas um para o outro. O que torna a situação mais suportável. Vê-los ali me faz pensar que Margo não está morta até que a gente a encontre.

– É, aí dentro – digo.

Não sei mais quem ela é, ou quem era, mas preciso encontrá-la.

9

Vamos para os fundos do prédio e encontramos quatro portas de ferro trancadas e mais capinzal, com algumas pequenas palmeiras pontilhando o enorme gramado seco. O fedor é ainda pior aqui, e tenho medo de continuar caminhando. Ben e Radar estão logo atrás de mim, me flanqueando. Juntos, formamos um triângulo, andando devagar, os olhos vasculhando a área.

— É um texugo! — grita Ben. — Ah, graças a Deus! É um texugo. Caramba.

Radar e eu nos afastamos do prédio para nos juntar a Ben diante de uma vala rasa. Um texugo enorme, inchado e emaranhado jaz morto, sem nenhum trauma visível, com tufos de pelo soltos e uma das costelas exposta. Radar se afasta com ânsia de vômito, mas consegue segurar. Eu me agacho ao lado dele e coloco um braço em suas costas.

— Nunca fiquei tão feliz em ver a porra de um texugo morto — diz ele assim que recupera o fôlego.

Mas, de qualquer modo, não consigo imaginar Margo viva neste lugar. E então percebo que talvez o livro de Whitman tenha sido um bilhete suicida. Penso nas palavras que ela grifou: "Morrer é diferente do que se imaginava, bem mais afortunado." "Me entrego à terra pra crescer da relva que amo, / Se me quiser de novo me procure sob a sola de suas botas." Por um instante sinto um espasmo de alívio ao lembrar do último verso do poema: "Em algum lugar eu paro e espero você." Mas aí penso que quem "espera" não precisa estar necessariamente vivo. Pode ser um corpo.

Radar se afastou do texugo morto e está forçando a maçaneta de uma das quatro portas de ferro. Tenho vontade de rezar pelo bicho — de recitar o *kadish* em sua homenagem —, mas nem sei como fazer isso. Tenho muita pena dele, tenho pena pela felicidade que senti ao vê-lo morto.

— Está cedendo — grita Radar para nós. — Ajudem aqui.

Ben e eu o seguramos pela cintura e o puxamos. Radar apoia um pé na parede para dar impulso e de repente os dois estão em cima de mim, a camiseta suada de Radar bem na minha cara. Por um momento, fico animado, pensando que conseguimos. Mas então vejo Radar segurando a maçaneta. Fico de pé e olho a porta. Ainda está trancada.

— Que merda de maçaneta velha do inferno — diz Radar.

Eu nunca o tinha visto xingar assim.

— Tudo bem — falei. — Tem um jeito. Tem que ter.

Voltamos para a frente do prédio. Nenhuma porta, nenhum buraco, nenhuma passagem visível. Mas preciso entrar. Ben e Radar tentam arrancar as folhas de compensado das vitrines, mas estão todas pregadas. Radar chuta uma delas, mas não cede. Ben olha para mim.

— Uma dessas folhas não tem vidro atrás — diz ele, correndo para longe do prédio, os tênis levantando areia a cada passada. Lanço um olhar confuso para ele, que me explica: — Vou me atirar contra o compensado.

— Você não pode fazer isso.

Ele é o menor de nós três. E, se alguém tiver que se jogar nas vitrines, esse alguém deve ser eu.

Ben cerra as mãos e em seguida estica os dedos. À medida que caminho em direção a ele, ele começa a falar comigo:

— Quando minha mãe quis evitar que eu apanhasse no terceiro ano do fundamental, ela me matriculou no tae kwon do. Só fui a três aulas, e só aprendi uma coisa, mas até que veio a calhar: a gente assistiu ao mestre socando um bloco grosso de madeira até ele quebrar, e todo mundo ficou embasbacado, se perguntando como ele conseguia fazer aquilo, e ele falou que, se você agir como se sua mão fosse atravessar o bloco, se você acreditar que sua mão vai atravessar o bloco, então você consegue.

Estou prestes a refutar essa lógica idiota quando ele desata a correr, passando por mim em um borrão. E continua a acelerar à medida que vai se aproximando da folha de madeira, e então, sem nem um pingo de medo, dá um salto no último instante, vira o corpo de lado — golpeando com o ombro para aumentar o impacto — e acerta a madeira. Eu meio que espero que ele atravesse o compensado, deixando um buraco com seu formato como em um desenho animado. Em vez disso, ele quica de volta e cai de bunda em um pedaço de grama resplandecente em meio a um mar de areia. Então se contorce no chão, esfregando o ombro.

— Quebrou — anuncia ele.

Achando que ele está falando do ombro, corro em sua direção, mas Ben se levanta e vejo uma rachadura do tamanho dele no compensado. Começo a chutar a madeira, e a rachadura aumenta. Radar e eu enfiamos os dedos na fenda e começamos a puxar. Estreito os olhos, para evitar que o suor caia neles, e sacudo o compensado com todas as minhas forças, até que a rachadura começa a se expandir, cheia de farpas. Prosseguimos em silêncio até que Radar se cansa e é substituído por Ben. Enfim conseguimos abrir um buraco grande no compensado. Passo os pés para dentro e caio às cegas no que parece ser uma pilha de papéis.

O buraco deixa um pouco de luz passar, mas não consigo descobrir o tamanho do cômodo ou se existe um teto. O ar está tão parado e quente que inspirar e expirar parecem a mesma coisa.

Viro o corpo e meu queixo bate na testa de Ben. Eu me flagro sussurrando, embora não haja motivos para tal:

— Você tem uma...

— Não — sussurra ele de volta antes de eu terminar a pergunta. — Radar, você trouxe uma lanterna?

Ouço Radar passando pelo buraco.

— Tem uma em meu chaveiro. Mas não é grande coisa.

Ele acende a luz e, mesmo sem dar para ver nada direito ainda, percebo que estamos em uma sala grande que é praticamente um labirinto de estantes de metal. As folhas no chão são de um velho calendário, os dias estão espalhados pelo cômodo, amarelados e mordiscados por ratos. Pergunto-me se um dia este lugar foi uma pequena livraria, embora há décadas as prateleiras não guardem nada além de poeira.

Seguimos em fila, Radar na frente. Ouço um rangido acima de nós e paramos de nos mexer. Tento conter o pânico. Ouço tanto a respiração de Radar quanto a de Ben, além do barulho dos pés deles sobre os papéis. Quero sair dali, mas até onde sei o rangido pode vir de Margo. Ou de viciados em crack.

— É só o prédio se assentando — sussurra Radar, soando menos convicto do que de costume.

Fico ali, incapaz de me mexer. Depois de um instante, ouço a voz de Ben:

— Na última vez que senti tanto medo, mijei nas calças.

— Na última vez que senti tanto medo — diz Radar —, foi porque tive que enfrentar o Lorde das Trevas para tornar o mundo um local seguro para os bruxos.

Fiz uma tentativa meio caída:

— Na última vez que senti tanto medo, tive que dormir no quarto de minha mãe.

Ben solta uma risada.

— Q, se eu fosse você, ficaria com medo assim Todas. As. Noites.

Não estou no clima para rir, mas a gargalhada deles acaba tornando aquele lugar mais seguro, e assim iniciamos a exploração. Caminhamos entre todas as fileiras de estantes e não encontramos nada além de algumas edições da *Reader's Digest* da década de 1970 jogadas no chão. Depois de um tempo, meus olhos se habituam à escuridão e, sob a luz parda, começamos a caminhar em direções e velocidades diferentes.

— Ninguém sai até todo mundo sair — sussurro, e eles sussurram "beleza" como resposta.

Eu me aproximo de uma parede lateral e encontro a primeira prova de que alguém esteve ali depois que o lugar foi abandonado. Um túnel em semicírculo foi recortado na parede, mais ou menos na altura de minha cintura. As palavras CAVERNA DO TROLL estavam pichadas com spray laranja bem acima do buraco, com uma setinha prestativa apontando para o centro.

— Gente — diz Radar, tão alto que chega a quebrar o clima por um instante.

Sigo a voz dele e o vejo de pé diante da parede oposta, a lanterna iluminando mais uma Caverna do Troll. A pichação não tem muito a cara de Margo, mas é difícil dizer ao certo. Só a vi usar tinta spray para pichar uma única letra.

Radar ilumina o buraco enquanto eu me abaixo e o atravesso antes de todo mundo. A sala seguinte está completamente vazia, exceto por um carpete enrolado em um canto. À medida que a luz da lanterna vai varrendo o chão, vejo no concreto as marcas de cola de onde o carpete ficava. Percebo que, do outro lado da sala, há outro buraco na parede, dessa vez sem pichação.

Atravesso mais essa Caverna do Troll e chego a uma sala cheia de cabides de roupa, os postes de aço ainda presos às paredes manchadas pela infiltração. Este cômodo é mais iluminado do que os anteriores, e levo um tempo para perceber que isto se deve aos inúmeros buracos no telhado: o papel de alcatrão pende lá do alto e eu noto os pontos nos quais dá para ver o teto vergando contra as vigas de aço.

— Uma loja de suvenires — sussurra Ben na minha frente, e de cara eu sei que ele está certo.

No centro da loja, cinco mostruários formam um pentágono. O vidro que um dia separou os turistas das porcarias que eles compram está quase todo estilhaçado e jaz em cacos pelo chão. A tinta cinzenta está descascando da parede em padrões estranhos e bonitos, cada polígono de tinta rachada como se fosse um floco de neve da deterioração.

No entanto, estranhamente, ainda existem alguns produtos: um telefone do Mickey que reconheço de algum recôndito da infância. Camisetas SUNNY ORLANDO comidas por traças, mas ainda dobradas e dispostas na vitrine, cobertas de cacos de vidro. Sob os mostruários, Radar encontra uma caixa repleta de mapas e panfletos turísticos antigos com propagandas do Gator World, do Crystal Gardens e de outros parques que não existem mais. Ben acena para mim e, em silêncio, aponta um brinquedinho de jacaré feito de vidro verde, sozinho no mostruário, quase totalmente coberto de poeira. Este é o valor dos nossos suvenires: não se pode dar essa porcaria de presente.

Voltamos à sala vazia e à sala das estantes e rastejamos até a última Caverna do Troll. O lugar se assemelha a um escritório, só que sem os computadores, e parece ter sido abandonado às pressas, como se os funcionários tivessem sido abduzidos ou algo assim. Vinte mesas dispostas em quatro fileiras. Ainda há canetas em algumas, e todas têm folhas de calendário imensas repousando sobre o tampo. Em todos os calendários o tempo está parado para sempre em fevereiro de 1986. Ben empurra uma cadeira forrada de tecido e ela gira, rangendo de forma rítmica. Há milhares de post-its com a logo da Martin-Gale Mortgage Corp. amontoados em uma pirâmide instável. Caixas abertas contêm pilhas de papel de velhas impressoras matriciais, detalhando as despesas e o lucro da Martin-Gale Mortgage Corp. Em uma das mesas, alguém montou um castelo de cartas de um único andar com panfletos de empreendimentos imobiliários. Espalho os panfletos, imaginando que talvez haja ali alguma pista, mas não.

Radar dá uma olhada nos papéis e sussurra:

– Nada após 1986.

Começo a revirar as gavetas e encontro cotonetes e broches. Canetas e lápis embrulhados em dúzias em caixinhas vagabundas de papelão com letras e design retrô. Guardanapos. Um par de luvas de golfe.

– Alguma coisa que indique que alguém esteve aqui nos últimos, digamos, vinte anos? – pergunto.

– Nada além das Cavernas de Troll – responde Ben.

O lugar parece uma tumba, tudo coberto de poeira.

– Então por que ela fez a gente vir até aqui? – pergunta Radar. Voltamos a falar em nosso tom de voz normal.

– Sei lá – digo.

Obviamente Margo não está aqui.

– Alguns pontos estão menos empoeirados – diz Radar. – A sala vazia tem um retângulo inteiro sem poeira, como se algo tivesse sido mudado de lugar. Mas não sei.

– E tem aquela parte pintada – diz Ben.

Ele está apontando, e a lanterna de Radar mostra um pedaço da parede no outro extremo do escritório com uma demão de tinta branca, como se alguém tivesse pensado em reformar o lugar, mas tivesse mudado de ideia meia hora depois. Caminho até a parede e, de perto, vejo que a tinta está cobrindo uma pichação vermelha. Mas só dá para ver uns filetes escapando por baixo da tinta branca – não o suficiente para entender o que é. No chão, junto à parede, há uma lata de tinta aberta. Eu me ajoelho e enfio o dedo nela. A superfície está endurecida, porém se rompe facilmente, e meu dedo volta coberto de branco. Deixo a tinta escorrer pelo dedo em silêncio, pois todos nós chegamos à mesma conclusão: alguém esteve ali há pouco tempo; e então o prédio range de novo e Radar deixa a lanterna cair no chão e resmunga:

– Que sinistro.

– Gente – diz Ben.

A lanterna ainda está no chão, e eu dou um passo para trás a fim de pegá-la, mas então vejo Ben apontando. Apontando para a parede. De algum modo, a luz indireta fez a pichação aflorar sob a camada de tinta branca, revelando letras bastão sombreadas que reconheço imediatamente como as de Margo.

VOCÊ VAI PARA AS CIDADES DE PAPEL E NUNCA MAIS VOLTARÁ

Pego a lanterna e direciono o foco de luz para a faixa de tinta; a mensagem desaparece. Mas, quando ilumino outro pedaço da parede, ela aparece de novo.

– Merda – sussurra Radar.

– Cara, a gente pode ir embora agora? – pergunta Ben. – Porque na última vez que senti tanto medo... foda-se. Estou pirando aqui. Não tem nada de engraçado nesta merda.

Não tem nada de engraçado nesta merda deve ser o mais perto que Ben é capaz de chegar do terror que estou sentindo. E, para mim, é perto o suficiente. Caminho depressa em direção à Caverna do Troll. Parece que as paredes estão se fechando sobre nós.

10

Ben e Radar me deixaram em casa – apesar de terem matado aula, não podiam se dar ao luxo de faltar ao ensaio. Permaneci sentado diante do "Canção de mim mesmo" por muito tempo e, pela décima vez, tentei ler o poema inteiro desde o início, mas o problema é que ele tem pelo menos umas oitenta páginas, além de ser confuso e repetitivo, e, embora eu entendesse cada palavra, não conseguia compreendê-lo por inteiro. Mesmo sabendo que as partes grifadas eram provavelmente as mais importantes, eu queria descobrir se aquele poema era um bilhete suicida. Mas não conseguia entender nada.

Já estava na décima página daquela maluquice quando fiquei tão nervoso que resolvi ligar para o investigador. Catei o cartão dele no bolso de uma bermuda na pilha de roupa suja. Ele atendeu ao segundo toque.

— Warren.

— Oi, bem, aqui é Quentin Jacobsen. Sou amigo de Margo Roth Spiegelman.

— Claro, filho, eu me lembro. E aí?

Contei a ele a respeito das pistas, do centro comercial abandonado e das cidades de papel, de que ela havia chamado Orlando de cidade de papel, no singular, quando estava lá no alto do SunTrust, de que ela dissera não querer ser encontrada, sobre encontrá-la sob a sola das botas. Ele nem chegou a me dizer para não invadir prédios abandonados ou a me perguntar o que eu estava fazendo em um prédio abandonado às dez da manhã, quando deveria estar na escola. Apenas esperou que eu terminasse de falar e disse:

— Deus do céu, meu filho, você é praticamente um investigador. Só precisa de uma arma, instinto e três ex-mulheres. E aí, qual é a sua teoria?

— Estou com medo de que ela tenha, hum... se matado.

— Nunca me passou pela cabeça que ela pudesse ter feito algo além de fugir, filho. Entendo seu ponto de vista, mas você tem que se lembrar de que ela já fez isso antes. Estou falando das pistas. Elas dão um toque dramático a toda essa empreitada. Falando sério, filho, se ela quisesse que você a encontrasse, viva ou morta, você já a teria encontrado.

— Mas você não...

— Filho, o pior de tudo é que ela é maior de idade, tem livre-arbítrio, entendeu? Deixe-me dar um conselho: espere-a voltar para casa. Digo, em algum momento você precisa parar de olhar para o céu, ou um belo dia, quando olhar para baixo novamente, vai se dar conta de que também saiu flutuando por aí.

Desliguei o telefone sentindo um gosto ruim na boca — percebi que a poesia de Warren não me levaria até Margo. Continuei pensando nas linhas que ela havia grifado ao final do poema: "Me entrego à terra pra crescer da relva que amo, / Se me quiser de novo me procure sob a sola de suas botas." A relva, descreve Whitman logo nas primeiras páginas, é "a cabeleira comprida e bonita dos túmulos". Mas onde estavam os túmulos? Onde estavam as cidades de papel?

Entrei no Omnictionary para ver se ele sabia mais do que eu sobre "cidades de papel". Havia um artigo extremamente ponderado e útil criado por um usuário chamado rabodegambá: "Uma Cidade de Papel é uma cidade que possui uma fábrica de papel." Esse era o problema do Omnictionary: os artigos que Radar escrevia eram completos e muito úteis; já o material não editado de rabodegambá deixava muito a desejar. No entanto, quando resolvi pesquisar na internet, encontrei algo interessante escondido por volta do quadragésimo link, em um fórum sobre empreendimentos imobiliários no Kansas:

> Ao que parece, o Madison Estates não vai ser construído; meu marido e eu compramos uma propriedade lá, mas alguém nos ligou esta semana para dizer que vão reembolsar nosso depósito porque não venderam unidades suficientes para financiar o projeto. Mais uma cidade de papel no Kansas! – Marge, de Cawker, KS

Um bairro fantasma! Você vai para os bairros fantasmas e nunca mais voltará. Respirei fundo e encarei o monitor por um tempo.

Minha conclusão parecia inevitável. Mesmo com tudo arrebentado e decidido dentro de si, Margo não era capaz de desaparecer de vez. E tinha resolvido deixar seu corpo – deixá-lo para mim – em uma cópia de *nosso* bairro planejado, onde os primeiros fios dela se arrebentaram. Ela dissera que não iria querer que seu corpo fosse encontrado por umas crianças quaisquer – e fazia todo sentido que, dentre todas as pessoas conhecidas, ela me escolhesse para encontrá-la. Ela não estaria me ferindo de um jeito novo. Eu já vivera aquilo. Tinha passado pela experiência no parque.

Vi que Radar estava on-line e logo antes de clicar em seu nome recebi sua mensagem:

OMNICTIONARIAN96: E aí?
QRESURRECTION: Cidade de papel = bairro fantasma. Acho que ela quer que eu encontre o corpo dela. Porque ela acha que sou capaz de lidar com a situação. Porque a gente encontrou aquele cara morto quando era criança.

Mandei o link para ele.

OMNICTIONARIAN96: Peraí. Vou ver o link.
QRESURRECTION: Ok.
OMNICTIONARIAN96: Certo, não precisa ser tão mórbido. Você não tem certeza de nada. Acho que ela está bem.
QRESURRECTION: Não, você não acha.
OMNICTIONARIAN96: Tá legal, não acho. Mas concluir que alguém está vivo ou morto apenas com essas provas já é ir longe demais.
QRESURRECTION: É, tem razão. Vou me deitar agora. Meus pais vão chegar daqui a pouco.

Mas eu não conseguia me acalmar, então liguei para Ben, já na cama, e contei minha teoria.

— Que pesado, cara. Mas ela está bem. Tudo isso faz parte do jogo que ela criou.

— Você só está querendo ser gentil.

— Tanto faz — disse ele, suspirando. — É meio vacilo da parte dela zoar as três últimas semanas de aula, sabe? Ela deixou você todo nervoso, e deixou Lacey toda nervosa, e a formatura é daqui a três dias, sabe? Será que não dá para a gente ter uma formatura divertida?

— Você está falando sério? Ela pode estar *morta*, Ben.

— Ela não morreu. Ela é uma diva. Só quer chamar atenção. Quer dizer, eu sei que os pais dela são uns babacas, mas eles conhecem Margo melhor do que a gente, não é? E eles também acham isso.

— Às vezes você é tão idiota — falei.

— Ah, tanto faz, cara. Nós dois tivemos um dia cheio. Estresse demais. Tô vazando.

Minha vontade era ridicularizá-lo por usar uma gíria tão antiga, mas eu estava sem forças.

Depois de desligar o telefone, voltei para o computador e comecei a procurar por uma lista de bairros fantasmas na Flórida. Não tive sorte, mas, depois de um tempo procurando por "empreendimentos imobiliários abandonados" e "Grovepoint Acres" e coisas do tipo, elaborei uma lista de cinco lugares a três horas de distância do Jefferson Park. Imprimi um mapa da Flórida Central, o prendi na parede, acima do computador, e coloquei uma tachinha em cada um dos cinco locais. Olhando o mapa, não consegui identificar um padrão entre eles. Estavam distribuídos aleatoriamente entre os subúrbios longínquos da Flórida, e eu levaria no mínimo uma semana para vasculhar todos eles. Por que ela não me deixou um lugar específico? Todas aquelas pistas assustadoras pra diabo. Toda aquela insinuação de tragédia. Mas nenhum *lugar*. Nada a que se agarrar. Era como tentar escalar uma montanha de cascalho.

No dia seguinte, Ben me emprestou o PNC, já que ia passar o dia dirigindo a picape de Lacey e fazendo compras para a formatura. Então pela primeira vez não precisei ficar esperando à porta da sala de ensaios — o sinal do sétimo tempo tocou e corri para o carro dele. Eu não tinha a mesma habilidade de Ben para fazer o PNC funcionar, então fui um dos primeiros a chegar ao estacionamento do último ano e um dos últimos a sair, mas enfim o motor pegou, e eu estava a caminho de Grovepoint Acres.

Saí da cidade pela Colonial Drive, dirigindo devagar, procurando por qualquer bairro fantasma que eu não tivesse achado na internet. Uma longa fila de carros se formou atrás de mim, e fiquei nervoso por prendê-los. Me senti maravilhado com minha capacidade de ainda me preocupar com coisas tão triviais e ridículas, como, por exemplo, se o cara na picape atrás de mim me considerava um motorista cauteloso demais. Eu queria que o desaparecimento de Margo tivesse causado alguma mudança em mim, mas na verdade eu não mudei nada.

À medida que a linha de carros serpenteava atrás de mim feito uma procissão funerária indesejada, eu me flagrei conversando com ela em voz alta. *Não vou perder o fio da meada. Vou encontrar você.*

Estranhamente, falar com ela daquele jeito me acalmou. Fez com que eu não ficasse perdido em conjecturas. Cheguei mais uma vez à placa de madeira caída que indicava a entrada de Grovepoint Acres. Quase pude ouvir os suspiros de alívio dos motoristas no engarrafamento atrás de mim quando virei à esquerda na rua sem saída asfaltada. Ela parecia uma entrada de garagem sem a casa. Deixei o PNC ligado e desci. De perto, dava para ver que Grovepoint Acres estava mais concluído do que parecera inicialmente. Duas ruas de terra terminando em uma rua em gota haviam sido escavadas no solo poeirento, embora estivessem tão erodidas que mal dava para perceber o contorno. Enquanto caminhava ao longo das duas ruas, eu sentia o calor em meu nariz a cada respiração. O sol escaldante dificultava meu progresso, mas eu conhecia a bela, se não mórbida, verdade: o calor faz a morte feder, e Grovepoint Acres cheirava a nada além de ar cozido e escape de carro — o acúmulo de tudo aquilo que exalamos mantido pela umidade junto à superfície.

Procurei por indícios de que ela tivesse passado por ali: pegadas, algo escrito na terra ou alguma lembrança. Mas, ao que parecia, eu era a primeira pessoa em anos a pisar naquelas ruas de terra e sem nome. O chão estava plano, e a vegetação ainda não havia crescido muito, então eu conseguia enxergar bem longe em todas as direções. Nada de barraca. Nada de fogueira. Nada de Margo.

Voltei para o PNC e dirigi pela I-4, e então segui para a região nordeste da cidade, para um local chamado Holly Meadows. Passei pelo lugar três vezes antes de finalmente encontrá-lo: a área era toda coberta por carvalhos e ranchos, e, como não havia placa indicando a entrada, Holly Meadows não se sobressaía. No entanto, assim que avancei alguns metros por uma rua de terra atrás da fileira de carvalhos e pinheiros junto à estrada, vi que era tão desolado quanto Grovepoint Acres. A rua principal simplesmente evaporava lentamente em um campo de terra. Não consegui distinguir mais nenhuma rua, mas, enquanto caminhava pelo lugar, vi jogadas pelo chão umas estacas de madeira pintadas com tinta spray. Provavelmente algum dia tinham servido para a marcação dos lotes. Não senti nenhum cheiro suspeito nem enxerguei nada de mais, mas mesmo assim um medo crescia em meu peito. A princípio, não soube bem por quê, mas depois percebi: quando eles limparam a área para construção, deixaram um único carvalho vivo no fundo do terreno. E a árvore retorcida com seus galhos espessos se assemelhava tanto àquela onde havíamos encontrado Robert Joyner em Jefferson Park que cheguei a ter certeza de que ela estaria ali, atrás do tronco.

E, pela primeira vez, tive que imaginar a cena: Margo Roth Spiegelman jogada em uma árvore, os olhos silenciosos, o sangue escuro escorrendo da boca, toda inchada e destruída porque eu tinha demorado demais para encontrá-la. Ela havia confiado em mim para encontrá-la antes. Ela havia confiado sua última noite a mim. E eu tinha falhado. E, muito embora o ar cheirasse a nada mais do que promessa de chuva, eu estava certo de que a havia encontrado.

Mas não. Era só uma árvore, sozinha no meio da poeira cinzenta. Sentei-me recostado nela e tentei recuperar o fôlego. Odiava o fato de estar sozinho. Odiava aquilo. Se ela achava que Robert Joyner havia me preparado, estava enganada. Eu não conhecia Robert Joyner. Eu não amava Robert Joyner.

Soquei a terra com os punhos e fiquei ali, batendo e esmurrando sem parar, a areia se espalhando pelas mãos até que eu cheguei às raízes da árvore, e ainda assim continuei, a dor vibrando por minhas palmas e pulsos. Até então eu não havia chorado por Margo, mas enfim chorei, golpeando o chão e gritando porque não havia ninguém para me ouvir: eu sentia saudades dela, eu sentia saudades dela, eu sentia saudades dela, eu sinto saudades dela.

Continuei ali, mesmo depois de meus braços se cansarem e os olhos secarem, sentado, pensando nela até a luz do dia ficar cinza.

11

Na manhã seguinte, encontrei Ben de pé diante da sala de ensaios conversando com Lacey, Radar e Angela, à sombra de uma árvore de galhos baixos. Para mim, era muito difícil ficar ouvindo todos falarem do baile de formatura, e que Lacey estava brigada com Becca ou o que quer que fosse. Eu estava esperando uma chance de dizer a eles o que tinha visto, mas quando tive a oportunidade finalmente disse:

— Dei uma boa olhada em dois bairros fantasmas, mas não achei nada de mais.

E percebi que, na verdade, não havia nada de novo a dizer.

As pessoas sequer pareciam estar preocupadas, exceto Lacey. Ela balançava a cabeça enquanto eu falava dos bairros fantasmas, e então comentou:

— Eu li na internet ontem à noite que as pessoas que decidem se suicidar rompem com aquelas de quem sentem raiva. E se livram de seus pertences. Na semana passada, Margo me deu cinco calças jeans dizendo que ficariam melhor em mim, o que nem é verdade, já que ela tem, tipo, muito mais curvas.

Eu gostava de Lacey, mas entendi o que Margo quis dizer sobre os comentários depreciativos.

Algo no fato de contar aquela história para nós a fez começar a chorar. Ben a abraçou, e ela mergulhou a cabeça no ombro dele, o que foi bem difícil, pois, com os saltos que estava usando, ela ficava mais alta do que ele.

— Lacey, a gente só tem que descobrir um lugar. Quer dizer, fale com seus amigos. Ela chegou a mencionar as cidades de papel alguma vez? Chegou a falar sobre algum lugar em especial? Tinha algum bairro por aí que significava alguma coisa para ela?

Ela deu de ombros, ainda encostada a Ben.

— Cara, pegue leve — disse Ben.

Suspirei, mas fiquei quieto.

— Eu tenho ficado de olho na internet — disse Radar. — Mas ela não logou no Omnictionary desde que foi embora.

E então, de uma hora para a outra, eles estavam de novo falando da formatura. Lacey ergueu o rosto do ombro de Ben, ainda parecendo triste e distraída, mas tentou sorrir quando Radar e Ben trocaram histórias sobre a compra do buquê.

O dia prosseguiu como de hábito — em câmera lenta, com milhares de conferidas lamuriosas no relógio. Mas agora a situação estava ainda mais insuportável, porque cada minuto que eu desperdiçava na escola era um minuto a menos para encontrá-la.

A única aula vagamente interessante naquele dia foi a de inglês, quando a Dra. Holden estragou *Moby Dick* para mim, ao presumir erroneamente que todos na sala tinham lido o livro e falar sobre o Capitão Ahab e sua obsessão em encontrar e matar a tal baleia branca. Mas foi divertido vê-la ficar cada vez mais empolgada enquanto falava.

— Ahab é um louco correndo contra o destino. Você nunca o vê desejando outra coisa no romance inteiro, não é? Ele tem uma única obsessão. E como é o capitão do navio, ninguém pode impedi-lo. É possível argumentar, principalmente quem decidir escrever a respeito deste livro no trabalho final, que Ahab é um tolo por perseguir sua obsessão. Mas também podemos dizer que existe algo de tragicamente heroico em lutar uma batalha na qual se está fadado a perder. A esperança de Ahab é um tipo de loucura ou é a exata definição de humanidade?

Anotei o máximo que consegui das palavras dela, me dando conta de que talvez fosse capaz de fazer todo o trabalho sem sequer ler o livro. Enquanto ela falava, lembrei que a Dra. Holden era ótima em interpretação de texto. E que ela dissera que gostava de Whitman. Então, quando o sinal tocou, tirei o *Folhas de relva* da mochila e a fechei lentamente enquanto todo mundo corria para casa ou para suas atividades extracurriculares. Aguardei atrás de um cara que estava pedindo para estender o prazo de um trabalho já atrasado, e então ele deixou a sala.

— Eis meu leitor favorito de Whitman — disse ela.

Forcei um sorriso.

— Você conhece Margo Roth Spiegelman? — perguntei.

Ela se sentou à mesa e fez sinal para que eu me sentasse diante dela.

— Nunca fui professora dela, mas certamente já ouvi falar. Soube que ela fugiu.

— Ela meio que deixou esse livro de poesia para trás, antes de, hum, desaparecer. — Entreguei-lhe o livro, e ela começou a folhear as páginas lentamente. — Tenho pensado muito sobre os trechos grifados. No final da "Canção de mim mesmo" ela destacou umas coisas sobre a morte. Tipo: "Se me quiser de novo me procure sob a sola de suas botas."

— E ela deixou o livro para você — disse a Dra. Holden calmamente.

— Deixou.

Ela voltou algumas páginas e bateu a pontinha da unha no trecho marcado em verde.

— E as dobradiças? Este é um trecho maravilhoso do poema no qual Whitman... Quer dizer, praticamente dá para *sentir*

Whitman berrando com você: "Abram as portas! Na verdade, arranquem as portas!"

— Ela deixou de fato uma coisa para mim junto ao batente de minha porta.

— Uau. Que espirituoso. — A Dra. Holden riu. — Mas é um poema tão bonito... Odeio vê-lo reduzido a uma leitura tão literal. E ela parece ter respondido muito negativamente a um poema que é, no final das contas, bastante otimista. É uma poesia sobre nossa interconectividade, sobre como cada um de nós compartilha o mesmo sistema radicular, assim como as folhas da relva ou de um gramado.

— Mas, tipo, pelos trechos que ela marcou, parece um bilhete suicida — argumentei.

— É um grande erro destilar este poema em algo tão irremediável. Espero que não seja o caso, Quentin. Se você ler o poema todo, vai ver que não é possível chegar a nenhuma outra conclusão que não seja o quanto a vida é sagrada e valiosa. Mas... quem sabe. Talvez ela tenha feito apenas uma leitura rápida, à procura do que queria. Muitas vezes lemos poesia desse jeito. Mas, se for o caso, ela não entendeu nada do que Whitman estava pedindo a ela.

— E o que ele estava pedindo a ela?

Ela fechou o livro e me fitou de um jeito que praticamente me obrigou a desviar o olhar.

— O que você acha que é?

— Não sei — respondi, encarando a pilha de trabalhos na mesa. — Tentei ler o poema inteiro várias vezes, mas não consegui ir muito longe. Na maioria, só li os trechos que ela marcou. Eu fico lendo e tentando compreender Margo, em vez de tentar compreender Whitman.

Ela pegou um lápis e começou a escrever no verso de um envelope.

— Espere aí. Estou escrevendo isso.

— Escrevendo o quê?

— O que você acabou de dizer — explicou ela.

— Por quê?

— Porque acho que é exatamente o que Whitman queria. Que você visse "Canção de mim mesmo" não apenas como um poema, mas como um modo de compreender o outro. Mas fico pensando que talvez você devesse lê-lo como uma poesia, em vez de apenas buscar por citações e pistas nesses fragmentos. Acho que existem conexões interessantes entre Margo Spiegelman e o poeta de "Canção de mim mesmo". Todo aquele carisma indômito e a sede de conhecer o mundo. Mas um poema não consegue exercer sua magia se você ler apenas pequenos trechos dele.

— Certo, obrigado — falei.

Peguei o livro e me levantei. Não me sentia muito melhor do que antes.

Naquela tarde, peguei uma carona com Ben e fiquei na casa dele até ele sair para buscar Radar para uma espécie de festa de pré-formatura que iria acontecer na casa de Jake, um amigo nosso cujos pais estavam viajando. Ben me chamou para ir com eles, mas eu não estava a fim.

Voltei para casa a pé, atravessando o parque no qual Margo e eu tínhamos encontrado o cara morto. Lembrei-me daquela manhã, e isso me embrulhou o estômago — não por causa do morto, mas porque recordei que *ela* vira o cara primeiro. Eu não tinha sido capaz de encontrar um corpo sem ajuda de ninguém, nem mesmo no parquinho do bairro — como é que conseguiria isso agora?

À noite, já em casa, tentei ler "Canção de mim mesmo" outra vez, mas, apesar do conselho da Dra. Holden, o poema ainda era um emaranhado de palavras sem sentido.

* * *

Acordei cedo no dia seguinte, pouco depois das oito, e fui para o computador. Ben estava on-line, então mandei uma mensagem:

QRESURRECTION: Como foi a festa?
FOIUMAINFECÇÃORENAL: Caída, é claro. Toda festa que eu vou é caída.
QRESURRECTION: Foi mal por eu não ter ido. Você acordou cedo. Quer passar aqui, jogar *Resurrection*?
FOIUMAINFECÇÃORENAL: Tá brincando, né?
QRESURRECTION: Hum... não?
FOIUMAINFECÇÃORENAL: Você sabe que dia é hoje?
QRESURRECTION: Sábado, 15 de maio?
FOIUMAINFECÇÃORENAL: Cara, a formatura começa em 11 horas e 14 minutos. Preciso buscar Lacey em menos de 9 horas. Nem lavei e encerei o PNC ainda. Aliás, bom trabalho em sujar o carro todo. E depois tenho que tomar banho, fazer a barba, cortar os pelinhos do nariz, me lavar e me depilar. Deus do céu, nem me fale. Tenho mais o que fazer. Mais tarde, se der, eu ligo.

Radar também estava on-line, então mandei uma mensagem para ele:

QRESURRECTION: Qual o problema do Ben?
OMNICTIONARIAN96: Ei, pegue leve, cara.
QRESURRECTION: Foi mal, eu só fico irritado por ele achar a formatura ai-tão-importante.
OMNICTIONARIAN96: Então você vai ficar mais irritado ainda quando souber que o único motivo para eu estar acordado tão cedo é porque tenho que ir buscar meu smoking, né?

QRESURRECTION: Deus do céu. Sério?
OMNICTIONARIAN96: Q, amanhã e depois de amanhã e no dia depois de amanhã e em todos os dias pelo restante de nossa vida, vou ficar muito feliz de participar de sua investigação. Mas eu tenho uma namorada. E ela quer ter uma formatura legal. Eu quero ter uma formatura legal. Não é minha culpa que Margo Roth Spiegelman não queira que a gente tenha uma formatura legal.

Eu não sabia o que dizer. Talvez ele estivesse certo. Talvez ela merecesse ser esquecida. Porém, de qualquer modo, *eu* não podia esquecê-la.

Meus pais ainda estavam na cama, assistindo a filmes antigos na tevê.

— Posso pegar o carro? — perguntei.

— Claro, por quê?

— Resolvi ir à formatura — respondi apressadamente. A mentira me veio à cabeça enquanto eu falava. — Tenho que escolher um smoking e ir até a casa de Ben. A gente vai sem par.

Minha mãe se sentou na cama, sorrindo.

— Que legal, filho. Vai ser muito bom para você. Você vai voltar em casa para tirarmos umas fotos?

— Mãe, você realmente precisa de fotos minhas indo para a formatura com outro cara? Minha vida já não tem sido humilhante o suficiente?

Ela riu.

— Ligue antes do toque de recolher — disse meu pai, referindo-se ao meu horário de chegar em casa: meia-noite.

— Claro — respondi.

Era tão fácil mentir para eles que eu me perguntei por que nunca tinha feito isso antes daquela noite com Margo.

* * *

Peguei a I-4 no sentido oeste, em direção a Kissimmee e aos parques temáticos, então passei pela International Drive, no ponto onde Margo e eu havíamos invadido o SeaWorld, e depois peguei a Highway 27 em direção a Haines City. A região tem muitos lagos, e onde há um lago na Flórida há ricos agregados ao redor dele, o que torna o local pouco propício para ser um bairro fantasma. Mas o site que eu tinha achado havia sido bem específico a respeito de um enorme terreno, perdido em uma execução hipotecária, no qual ninguém fora capaz de construir. Reconheci o lugar imediatamente, pois todos os outros loteamentos ao longo da estrada eram murados, enquanto Quail Hollow tinha apenas uma placa de plástico cravada no chão. Quanto entrei no lugar, vi os pequenos cartazes de plástico anunciando: VENDE-SE, LOCAL PRIVILEGIADO e GRANDES OPORTUNIDADES DE NEGÓCIO$!

Diferentemente dos bairros anteriores, Quail Hollow estava sendo mantido por alguém. Não havia nenhuma casa construída, mas os lotes estavam marcados com estacas e a grama fora aparada havia pouco tempo. Todas as ruas eram asfaltadas e placas indicavam seus nomes. No centro do loteamento havia um lago artificial que era um círculo perfeito e que por algum motivo qualquer estava drenado. De dentro do carro era possível ver que ele tinha uns três metros de profundidade e centenas de metros de diâmetro. Uma mangueira jazia no fundo da cratera, estendendo-se até o centro, onde uma fonte de metal se elevava do chão até mais ou menos a altura dos olhos. De repente me flagrei agradecendo o fato de o lago estar vazio, pois eu não teria que encarar a água e me questionar se ela estava em algum lugar lá no fundo, esperando que eu vestisse um equipamento de mergulho para encontrá-la.

Tive certeza de que Margo não estaria em Quail Hollow. O lugar fazia fronteira com loteamentos demais para ser um bom esconderijo, tanto para uma pessoa quanto para um corpo. Mas procurei assim mesmo e, enquanto vagava de carro pelas ruas, senti um desespero muito grande. Queria estar feliz por aquele não ser o lugar. Mas, se ela não estava em Quail Hollow, então estaria no lugar seguinte, ou no próximo, ou no outro. Ou talvez eu nunca fosse encontrá-la. Seria esse o melhor destino?

Concluí a ronda sem encontrar nada e voltei para a rodovia. Comprei algo para almoçar no *drive-thru* e comi enquanto dirigia no sentido oeste, em direção ao centro comercial abandonado.

12

Quando entrei de carro no estacionamento, reparei que alguém tinha tapado o buraco que havíamos feito no compensado com fita crepe. Quem será que esteve ali depois de nós?

Dirigi até os fundos e parei ao lado de uma caçamba de lixo enferrujada que havia décadas não via um caminhão de coleta. Imaginei que poderia arrancar a fita caso precisasse entrar de novo na área das lojas e comecei a andar até a frente do prédio até que reparei que nenhuma dobradiça das portas de ferro dos fundos estava visível.

Graças a Margo, aprendi uma coisinha ou outra a respeito de dobradiças e me dei conta do motivo pelo qual a gente não tinha conseguido abrir aquelas portas: elas abriam para dentro. Caminhei até a entrada da empresa de financiamento imobiliário e empurrei. A porta abriu sem qualquer resistência. Meu Deus, como somos burros! Na certa, quem tomava conta do prédio sabia que as portas não estavam trancadas, o que tornava aquela fita tampando o buraco mais estranha ainda.

Vasculhei a mochila que havia arrumado pela manhã, peguei a lanterna superpotente de meu pai e iluminei o cômodo. Algo de tamanho considerável fugiu correndo pelas vigas.

Senti um arrepio. Pequenas lagartixas percorriam o caminho iluminado.

Um único feixe de luz vindo do teto iluminava a parte da frente, e, embora a folha de compensado deixasse entrar um pouco da luz do sol, eu basicamente dependia da lanterna. Caminhei por entre as mesas, examinando os objetos que havíamos encontrado nas gavetas e deixado para trás. Era muito bizarro ver uma mesa depois da outra com o mesmo calendário sem nenhuma anotação: Fevereiro de 1986. Fevereiro de 1986. Fevereiro de 1986. Junho de 1986. Fevereiro de 1986. Voltei e iluminei a mesa no centro da sala. O calendário havia sido alterado para junho. Eu me aproximei e analisei o papel, esperando ver a borda serrilhada dos meses arrancados ou alguma indicação de que a força de uma caneta pudesse ter marcado as páginas, mas não havia nada diferente dos outros calendários, exceto a data.

Com a lanterna encaixada entre o pescoço e o ombro, voltei a examinar as gavetas, olhando com cuidado especial as da mesa junho de 1986: guardanapos, lápis bem apontados, documentos sobre financiamentos endereçados a Dennis McMahon, um maço vazio de Marlboro Gold e um vidro de esmalte vermelho quase cheio.

Com a lanterna em uma das mãos e o esmalte na outra, examinei o vidro bem de perto. Era tão vermelho que chegava a ser quase preto. Já tinha visto aquela cor. No painel do carro de minha mãe, naquela noite. De repente, os barulhos de movimento nas vigas e os rangidos do prédio se tornaram irrelevantes – fui dominado por uma euforia louca. Claro que eu não tinha como saber se era o mesmo vidrinho de esmalte, mas definitivamente era a mesma cor.

Girei o vidro e vi em seu exterior, sem sombra de dúvida, uma manchinha azul. Dos dedos dela, sujos de tinta spray azul. E então tive certeza. Ela esteve ali *depois* de nos despedirmos naquela manhã. Talvez ainda estivesse ali. Talvez só fosse aparecer tarde da noite. Talvez tivesse sido *ela* quem tapara o buraco com fita para manter a privacidade.

Naquele instante, resolvi ficar ali até o dia seguinte. Se Margo tinha dormido ali, eu também podia. E assim começou um curto diálogo de mim comigo mesmo:

Eu: Mas e os ratos?

Eu: É, mas parece que eles ficam lá no teto.

Eu: E as lagartixas?

Eu: Ah, fala sério. Você costumava arrancar o rabo delas quando era criança. Você não tem medo de lagartixa.

Eu: Mas e os *ratos*?

Eu: Ratos não machucam ninguém. Eles têm mais medo de você do que você deles.

Eu: Ok, mas e os ratos?

Eu: Cale a boca.

No final das contas, os ratos não importavam, porque eu estava em um lugar onde Margo estivera ainda em vida. Eu estava em um lugar que a vira depois de mim, e o calor desse pensamento tornava aquele centro comercial quase confortável. Quer dizer, eu não me sentia como uma criancinha abraçada pela mãe nem nada assim, mas minha respiração cessava a cada ruído. E, ao me sentir à vontade, achei mais fácil vasculhar o ambiente. Eu sabia que havia mais a encontrar, e naquele instante eu me sentia pronto para isso.

Deixei o escritório e me enfiei por uma Caverna do Troll até a sala com as estantes labirínticas. Percorri os corredores por um tempo. No final do cômodo, atravessei a Caverna do Troll seguinte até a sala vazia. Sentei-me no carpete enrolado, que estava encostado na parede mais distante. A tinta branca esmigalhou em minhas costas. Permaneci ali por um instante, o suficiente para o facho de luz que entrava pelo buraco no teto se arrastar uns dois centímetros ao longo do chão, enquanto eu me habituava aos barulhos.

Depois de um tempo, fiquei entediado e rastejei pela última Caverna do Troll, entrando na loja de suvenires. Dei uma olhada nas camisetas. Tirei do mostruário a caixa com os panfletos turísticos e avaliei cada um deles, à procura de alguma mensagem rabiscada com a letra de Margo, mas não encontrei nada.

Voltei para a sala que agora eu chamava de biblioteca. Repassei os exemplares das *Reader's Digest* e achei uma pilha de revistas *National Geographic* da década de 1960; a caixa, no entanto, estava coberta por tanta poeira que eu sabia que Margo não estivera ali.

Só encontrei provas de que uma pessoa havia morado ali quando voltei para a sala vazia. Na mesma parede que servia de apoio para o carpete enrolado, descobri nove buracos de tachinha em meio à tinta descascada. Quatro deles formavam mais ou menos um quadrado, dentro do qual estavam os outros cinco. Pensei que talvez Margo tivesse passado tempo suficiente ali para pendurar pôsteres, muito embora não faltasse nada tão óbvio no quarto dela quando investigamos ali.

Desenrolei um pouco o carpete e imediatamente descobri mais: uma caixa vazia e achatada que um dia contivera vinte e quatro barrinhas de cereal. E fiquei imaginando Margo recostada na parede, usando o carpete bolorento como assento, comendo uma barrinha de cereal. Está completamente sozinha, e isso é tudo que tem para comer. Talvez dirija uma vez por dia até uma loja de conveniência para comprar um sanduíche ou um Mountain Dew, mas ela passa a maior parte do dia ali, em cima ou perto do carpete. É uma imagem triste demais para ser verdade: tudo isso me parece tão solitário e *tão* diferente dela. Mas todos os indícios dos últimos dez dias levavam a uma conclusão surpreendente: Margo era – pelo menos parte do tempo – muito pouco como ela própria.

Desenrolei um pouco mais o carpete e encontrei uma manta azul de tricô, quase tão fina quanto uma folha de jornal. Segurei e a levei até o rosto, e, meu Deus. O cheiro dela. O xampu de lilás e o hidratante de amêndoas dela, e por trás daquilo tudo o leve toque adocicado da pele em si.

E consegui imaginá-la uma vez mais: todas as noites ela desenrola metade do carpete para que o osso do quadril não bata no concreto duro quando ela deita de lado. Ela engatinha para debaixo da coberta, usa o restante do carpete como travesseiro e dorme. Mas por que ali? Como isso pode ser melhor do que a casa dela? E, se é tão legal assim, por que ir embora? São essas coisas que eu não consigo entender, e me dou conta de que é porque eu não conhecia Margo. Eu conhecia o cheiro dela, e sabia como ela se comportava diante de mim, e diante dos outros, e eu sabia que ela gostava de Mountain Dew e de aventuras e de gestos teatrais, que era engraçada e inteligente e simplesmente *mais* do que o restante de nós, em geral. Mas eu não sabia o que a havia trazido até aquele lugar, ou o que a havia mantido nele, ou o que a levara a ir embora. Eu não sabia por que ela possuía milhares de vinis mas nunca sequer falou para ninguém que ao menos gostava de música. Eu não sabia o que ela fazia à noite, com as persianas fechadas, a porta trancada, na privacidade selada de seu quarto.

E talvez fosse isso que eu precisasse fazer, acima de qualquer coisa. Eu precisava descobrir como Margo era quando não estava sendo Margo.

Fiquei deitado ali por um tempo, sentindo o cheiro suave da manta, olhando para o teto. Através do buraco eu via uma faixa de céu no fim de tarde, como uma tela azul rasgada nas beiradas. Era o lugar perfeito para dormir: dava para ver as estrelas sem se molhar, caso chovesse.

Liguei para meus pais, só para dar notícias. Meu pai atendeu e eu disse que estávamos no carro, indo encontrar Radar e

Angela, e que eu ia passar a noite na casa de Ben. Ele me disse para não beber, e eu respondi que não beberia; ele falou que estava orgulhoso de mim por eu estar indo à formatura, e me perguntei se ele ficaria orgulhoso de mim por eu estar fazendo o que de fato estava fazendo.

O lugar era um tédio. Tipo, se fosse possível superar os roedores e os rangidos estranhos do prédio caindo aos pedaços, não havia mais nada a se *fazer*. Nada de internet, tevê, música. *Eu* estava entediado, então mais uma vez fiquei meio confuso com o fato de Margo ter escolhido aquele lugar, afinal, ela sempre me pareceu uma pessoa com tolerância muito limitada para o tédio. Talvez ela gostasse da ideia de pobreza? Improvável. Margo usava calça de marca para invadir o SeaWorld.

Foi a falta de estímulos alternativos que me levou de volta à "Canção de mim mesmo", o único presente óbvio que ela me deixara. Caminhei até uma parte do piso manchada pela água e que ficava bem embaixo do buraco no teto, sentei de pernas cruzadas e inclinei o corpo para que o feixe de luz iluminasse o livro. E, por alguma razão, finalmente consegui ler o poema.

O problema é que o início é muito lento: é só uma espécie de introdução gigante, e só lá pelo nonagésimo verso Whitman enfim começa a contar uma história, e foi então que consegui engrenar na leitura. Whitman está sentado por aí (o que ele chama de "vadiar") na relva, e então:

> *Uma criança disse, O que é a relva? trazendo um tufo em suas mãos;*
> *O que dizer a ela?... sei tanto quanto ela o que é a relva.*
>
> *Vai ver é a bandeira do meu estado de espírito, tecida de uma substância de esperança verde.*

Lá estava a esperança sobre a qual a Dra. Holden havia falado: a relva como metáfora para a esperança dele. Mas não é só isso. Ele continua:

Vai ver é o lenço do Senhor,
Um presente perfumado e o lembrete derrubado por querer

A relva é uma metáfora para a grandiosidade de Deus ou algo assim...

Vai ver a relva é a própria criança...

E então logo depois:

Vai ver é um hieróglifo uniforme,
E quer dizer, Germino tanto em zonas amplas quanto estreitas,
Grassando em meio a gente negra e branca

Então talvez a relva fosse uma metáfora para nossa igualdade e nossa interconectividade fundamental, como falara a Dra. Holden. E enfim ele conclui a respeito da relva:

E agora a relva parece a cabeleira comprida e bonita dos túmulos.

Então a relva também é a morte: ela germina de nossos corpos enterrados. A relva era tantas coisas ao mesmo tempo que chegava a ser desconcertante. Então a relva é uma metáfora para a vida, para a morte, para a igualdade, para a conectividade, para as crianças, para Deus e para a esperança.

Eu não conseguia concluir qual dessas ideias era o cerne do poema, se é que alguma delas era. Mas pensar sobre a relva e sobre todas as diferentes maneiras de enxergá-la me fez pensar em todas as maneiras com que eu enxergava e deixava de enxergar Margo. E não eram poucas. Até então eu vinha me concentrando no que ela havia se tornado, mas agora, com a cabeça tentando entender a multiplicidade contida na relva e com o cheiro dela na manta ainda em minha garganta, eu percebia que a questão mais importante era *quem* eu estava procurando. Se "O que é a relva?" era uma pergunta tão complicada, pensei, então "Quem é Margo Roth Spiegelman?" devia ser tão complicada quanto. Como uma metáfora que é fonte de incompreensão por sua onipresença, em tudo o que ela deixara para mim havia espaço suficiente para criar cenários infinitos em potencial, para suscitar configurações incalculáveis de Margos.

Eu precisava estreitar as possibilidades, e desconfiava de que havia detalhes ali que eu estava visualizando da forma errada, ou que simplesmente não estava enxergando. Eu queria arrancar o telhado e iluminar o lugar todo, para assim ver tudo por inteiro, em vez de apenas um facho de luz por vez. Joguei o cobertor de Margo e gritei, alto o suficiente para todos os ratos me escutarem:

— EU VOU ENCONTRAR ALGUMA COISA AQUI!

Vasculhei cada uma das mesas de novo, mas estava cada vez mais óbvio que Margo só tinha usado a mesa que tinha o esmalte na gaveta e o calendário com a página no mês de junho.

Passei de novo pela Caverna do Troll e retornei à biblioteca, caminhando mais uma vez por entre as estantes de metal abandonadas. Em cada uma, eu procurava por trechos sem poeira que me indicassem que Margo tinha usado aquele espaço para alguma coisa, porém não encontrei nada. Mas aí minha lanterna iluminou algo no alto da prateleira no canto da sala, bem perto da vitrine coberta de compensado. Era a lombada de um livro.

Chamava-se *Estradas americanas: seu guia de viagens* e tinha sido publicado em 1998, *depois* de aquele local ter sido abandonado. Folheei as páginas com a lanterna encaixada entre o pescoço e o ombro. O livro listava centenas de atrações a visitar, desde a maior bola de barbante do mundo, em Darwin, Minnesota, até a maior bola de selos do mundo, em Omaha, Nebraska. Alguém havia feito orelhas em diversas páginas aparentemente aleatórias. O guia não estava muito empoeirado. Talvez o SeaWorld fosse apenas a primeira parada de algum tipo de aventura turbulenta. Sim. Isso fazia mais sentido. Isso era a cara de Margo. De algum modo, ela encontrou este lugar, veio até aqui para juntar alguns utensílios, passou uma noite ou duas e pegou a estrada. Consigo imaginá-la vasculhando as bugigangas de turista.

À medida que a luz foi diminuindo através dos buracos no teto, encontrei mais livros no topo de outras prateleiras: *Guia do aventureiro para o Nepal*; *Grandes atrações do Canadá*; *Estados Unidos de carro*; *Guia Fodor das Bahamas*; *Vamos para o Butão*. Não parecia haver qualquer conexão entre eles, exceto o fato de serem todos guias de viagem e de terem sido publicados depois de o centro comercial ter sido abandonado. Encaixei a lanterna no queixo, arrumei os livros em uma pilha que ia da minha barriga até o peito, e os carreguei para a sala vazia que eu agora visualizava como quarto.

E assim, no final das contas, acabei passando a noite de formatura com Margo, só que não exatamente do jeito como eu havia sonhado. Em vez de invadirmos a festa juntos, eu me sentei no carpete com a manta esfarrapada dela sobre os joelhos, lendo um a um os guias de viagem sob a luz da lanterna e sentado no escuro enquanto as cigarras cantarolavam acima e ao redor.

Talvez ela tivesse se sentado ali na escuridão cacofônica e sentido uma espécie de desespero tomar conta de si, e talvez tenha achado impossível *des*pensar o pensamento sobre a morte. Pelo menos era o que eu imaginava, é claro.

Mas também imagino outra coisa: Margo pegando os livros em vários bazares de fundo de quintal, comprando todos os guias de viagem que conseguisse encontrar por vinte e cinco centavos ou menos. E então vindo até aqui – antes mesmo de desaparecer – para ler os livros longe de olhares bisbilhoteiros. Lendo os guias, tentando escolher um destino. *Isso.* Ela cairia na estrada, fugindo, um balão voando pelo céu, percorrendo centenas de quilômetros por dia com a ajuda perpétua do vento em popa. E nesse cenário ela estava viva. Será que ela havia me levado até ali para me dar as pistas que me indicariam seu roteiro? Talvez. É claro que eu não estava nem um pouco perto desse roteiro. A julgar pelos livros, ela poderia estar na Jamaica ou na Namíbia, em Topeka ou Pequim. Mas eu estava apenas começando a procurar.

13

Em meu sonho, ela estava com a cabeça apoiada em meu ombro, e eu, deitado de barriga para cima, só a ponta do carpete nos separando do chão de concreto. O braço dela ao redor de meu peito. E estávamos apenas deitados ali, dormindo. Deus, dai-me forças! Sou o único adolescente nos Estados Unidos que sonha em dormir com as garotas, e *só* dormir. E então meu telefone tocou. Foram necessários mais dois toques até que minhas mãos desajeitadas encontrassem o aparelho sobre o carpete. Eram 3h18 da manhã. Ben estava me ligando.

— Bom dia, Ben.

— SIMMM!!!!! — respondeu ele, gritando, e de cara eu percebi que aquele não era o momento de explicar tudo o que eu tinha descoberto e imaginado a respeito de Margo. Eu praticamente conseguia sentir o cheiro de álcool no hálito dele. Aquela única palavra, do jeito que fora berrada, continha mais pontos de exclamação do que qualquer coisa que Ben já dissera para mim em toda a sua vida.

— Imagino que a festa esteja boa.

— SIMMMM! Quentin Jacobsen! Q! O maior Quentin dos Estados Unidos! Sim! — A voz dele ficou distante, mas eu ainda o ouvia. — Ei, galera, ei, calem a boca, peraí, calem a boca. É O QUENTIN! QUENTIN JACOBSEN! ELE TÁ DENTRO DO MEU TELEFONE! — Ouvi um grito de comemoração, e então a voz de Ben retornou. — Sim, Quentin! Sim! Cara, você tem que vir para cá.

— Para cá, onde? — perguntei.

— Para a casa de Becca! Você sabe onde é?

Por coincidência, eu sabia exatamente onde era. Já estivera no porão dela.

— Sei, mas é madrugada, Ben. E eu estou...

— SIMMM!!! Você tem que vir para cá agora. Agora!

— Ben, tem coisas mais importantes acontecendo.

— MOTORISTA DA VEZ!

— O quê?

— Você é o motorista da vez! Sim! Você é tão da vez! Que bom que você atendeu! Isso é tão demais! Eu tenho que voltar para casa às seis! E escolhi você para me levar até lá! SIMMMMMMM!

— Você não pode dormir aí? — perguntei.

— NÃÃÃÃO! Buuuuu. Buuu para o Quentin. Ei, galera! Buuuu para o Quentin! — E todo mundo me vaiou. — Tá todo mundo bêbado. Ben, bêbado. Lacey, bêbada. Radar, bêbado. Ninguém pode dirigir. Casa às seis. Prometi para minha mãe. Buuu, seu dorminhoco! Uhull, Motorista da Vez! SIMMMM!

Respirei fundo. Se Margo fosse aparecer, teria sido antes das três.

— Chego aí em meia hora.

— SIM SIM SIM SIM SIM SIM SIM SIM SIM SIM SIM SIMMMMMM!!!! SIM! SIM!

Ben ainda estava comemorando quando desliguei. Fiquei deitado por mais algum tempo, me obrigando a me levantar, e então levantei. Ainda sonolento, me arrastei pela Caverna do

Troll até a biblioteca e então para o escritório, depois abri a porta dos fundos e entrei no carro.

Cheguei ao bairro de Becca Arrington um pouco antes das quatro. Havia dezenas de carros parados dos dois lados da rua, e eu sabia que haveria mais gente lá dentro, pois muitos tinham ido de limusine. Achei uma vaga uns dois carros depois do PNC.

Nunca tinha visto Ben bêbado. Uma vez, no primeiro ano, bebi uma garrafa de "vinho" rosé em uma festa da banda do colégio. O gosto descendo foi tão ruim quanto subindo. E foi Ben quem ficou ao meu lado no banheiro decorado com o tema do ursinho Pooh na casa de Cassie Hiney enquanto eu projetava vômito cor-de-rosa em uma ilustração do Bisonho. Acho que a experiência azedou qualquer atividade alcoólica para nós dois. Até aquela noite, pelo menos.

Eu sabia que Ben estaria bêbado. Tinha ouvido pelo telefone. Ninguém sóbrio diria tantos "sim" por minuto. No entanto, quando me espremi por entre algumas pessoas que fumavam no jardim da casa de Becca e abri a porta da frente, não esperava ver Jase Worthington e dois outros jogadores de beisebol segurando Ben, de smoking e cabeça para baixo, acima de um barril de cerveja. A mangueira do barril estava na boca dele, e a atenção de toda a sala estava concentrada nele. Todos gritavam em uníssono:

— Dezoito, dezenove, vinte.

Por um instante, achei que Ben estivesse, tipo, levando um trote ou algo assim. Mas não, enquanto ele sugava aquela torneira como se fosse leite materno, a cerveja lhe escorria pelos cantos da boca porque ele estava sorrindo.

— Vinte e três, vinte e quatro, vinte e cinto — gritavam as pessoas, e dava para sentir o entusiasmo delas. Aparentemente algo extraordinário estava acontecendo.

Tudo parecia tão trivial, tão constrangedor. Eram como crianças de papel vivendo sua diversão de papel. Abri caminho por entre a multidão para tentar chegar até Ben e fiquei surpreso quando esbarrei em Radar e Angela.

— Que diabos está acontecendo? — perguntei.

Radar parou de contar e olhou para mim.

— Sim! — disse ele. — O Motorista da Vez chegou! Sim!

— Por que tá todo mundo falando "sim" o tempo todo?

— Boa pergunta — gritou Angela para mim.

Ela inflou as bochechas e bufou. Parecia tão aborrecida quanto eu.

— Cara, é verdade, é uma boa pergunta! — disse Radar, um copo de plástico vermelho cheio de cerveja em cada mão.

— Os dois são dele — explicou Angela com calma.

— E por que *você* não é a motorista da vez? — perguntei.

— Eles queriam você — disse ela. — Era um jeito de fazer você vir até aqui.

Revirei os olhos. Ela espelhou o gesto em solidariedade.

— Você deve gostar muito dele — falei, apontando para Radar, que estava erguendo os dois copos acima da cabeça e se juntando à contagem.

Todos pareciam muito orgulhosos por saber contar.

— Mesmo desse jeito ele é meio que bonitinho — retrucou ela.

— Eca — comentei.

Radar me cutucou com um dos copos de cerveja.

— Olhe para nosso pequeno Ben! Ele é uma espécie de autista superdotado no *keg stand*. Aparentemente está quebrando um recorde mundial ou algo assim.

— O que é *keg stand*? — perguntei.

— Aquilo ali — respondeu Angela, apontando para Ben.

— Ah — eu disse. — Bem, é... Quer dizer, quão difícil é ficar pendurado de cabeça para baixo?

— Aparentemente, o *keg stand* mais longo da história de Winter Park é de sessenta e dois segundos — explicou ela. — E o recorde é de Tony Yorrick.

Tony Yorrick era um cara gigante que se formara quando a gente estava no primeiro ano e que agora jogava no time de futebol americano da Universidade da Flórida.

Eu era totalmente a favor de Ben estabelecer novos recordes, mas não era capaz de me juntar aos outros na contagem.

— Cinquenta e oito, cinquenta e nove, sessenta, sessenta e um, sessenta e dois, sessenta e três!

E então Ben tirou a mangueira da boca e gritou:

— SIMMM! EU SOU O MAIORAL! DEIXEI TODO MUNDO BOLADÃO!

Jase e os outros jogadores de beisebol o colocaram de cabeça para cima e o carregaram nos ombros pela sala. E então Ben me viu, apontou para mim e soltou o mais alto e emocionado "SIMMMM!!!!!!" que já ouvi. Quer dizer, nem jogadores de futebol ficam tão empolgados ao ganhar a Copa do Mundo.

Ben pulou dos ombros dos jogadores, caiu meio agachado no chão e então cambaleou um pouco até conseguir ficar de pé. Ele passou um braço pelos meus ombros e disse:

— SIM! Quentin chegou! O cara! Uma salva de palmas para Quentin, o melhor amigo do maior recordista mundial de *keg stand*!

— Você é o cara, Q! — disse Jase, esfregando o topo de minha cabeça.

— A propósito, nós somos uma espécie de herói para esses caras — falou Radar ao pé de meu ouvido. — Angela e eu saímos da outra festa porque Ben me falou que eu seria recebido como um rei aqui. Cara, eles estavam entoando meu nome. Aparentemente todo mundo acha Ben engraçado pra cacete ou sei lá o que é, então eles gostam da gente por tabela.

— Uau — falei para Radar e também para todos os outros.

Ben se afastou de nós, e eu o vi agarrar Cassie Hiney. Ele estava com as mãos nos ombros dela, que também pôs as mãos nos ombros dele, e então ele disse:

– Meu par quase foi a rainha do baile. – Cassie disse:

– Eu sei. Legal. – Ele disse:

– Eu quis beijar você todos os dias durante os últimos três anos. – Ela disse:

– E eu acho que você deveria. – Ele disse:

– SIM! Que *irado*! – Mas não beijou Cassie. Ele simplesmente se virou para mim e disse: – Cassie quer me beijar! – E eu disse:

– É – E ele disse:

– Que *irado*!

E então pareceu se esquecer de Cassie e de mim, como se a ideia de beijar Cassie Hiney fosse melhor do que o beijo em si.

Cassie virou-se para mim e disse:

– Maneira a festa, né? – Eu disse:

– É. – Ela disse:

– É meio que o oposto das festas da banda, né? – Eu disse:

– É. – Ela disse:

– Ben é um lesado, mas eu gosto dele. – Eu disse:

– É. – Ela disse:

– E ele tem olhos bem verdes. – Eu disse:

– Ahã. – Ela disse:

– Todo mundo diz que você é mais bonitinho, mas eu gosto do Ben. – Eu disse:

– Ok. – Ela disse:

– Maneira a festa, né? – Eu disse:

– É.

Conversar com um bêbado era o mesmo que conversar com uma criança de três anos extremamente feliz e com dano cerebral.

Chuck Parson se aproximou de mim no mesmo instante que Cassie foi embora.

— Jacobsen — disse ele, com naturalidade.

— Parson — respondi.

— Foi você quem raspou a porra da minha sobrancelha, não foi?

— Na verdade, eu não raspei. Usei creme depilatório.

Ele enfiou o indicador com bastante força no meu peito.

— Você é um babaca — disse ele, mas estava rindo. — Precisou ter colhões para fazer isso, cara. E agora você tá aí, dando uma de mandachuva e tal. Sei lá, vai ver é a bebida falando, mas eu meio que tô curtindo essa sua babaquice.

— Valeu — respondi.

Eu me sentia tão distante de toda aquela merda, daquela palhaçada de "agora que o colégio está acabando nós temos que amar uns aos outros". E fiquei imaginando Margo naquela festa ou em milhares de outras como aquela. Os olhos sem vida. Imaginei-a ouvindo as baboseiras de Chuck Parson e pensando em maneiras de escapar, escapar para a vida, escapar para a morte. Eu conseguia visualizar os dois caminhos com a mesma clareza.

— Vai uma cerveja, seu chupa-pau? — perguntou Chuck.

Eu tinha quase me esquecido de que ele estava ali, mas o cheiro de álcool em seu hálito tornava difícil ignorar sua presença. Apenas balancei a cabeça e ele se afastou.

Eu queria ir para casa, mas sabia que não podia apressar Ben. Aquela provavelmente era a melhor noite da vida dele. Ele merecia viver aquilo.

Então, em vez disso, vi uma escada e desci para o porão. Tinha passado tanto tempo na escuridão que estava sentindo falta dela, eu só queria deitar em algum lugar que estivesse um pouco quieto e escuro para voltar a pensar em Margo. Mas, assim que passei pelo quarto de Becca, ouvi uns sons abafados – mais especificamente gemidos abafados –, então parei diante da porta, que estava com uma frestinha aberta.

Vi a parte superior do corpo de Jase, sem camisa, em cima de Becca, e as pernas dela envolvendo a cintura dele. Eles não estavam pelados, mas estavam chegando lá. Talvez uma pessoa melhor do que eu tivesse ido embora, mas gente como eu não tinha muita oportunidade de ver gente como Becca Arrington nua, então fiquei ali, junto à porta, espiando dentro do quarto. Eles rolaram na cama, de modo que Becca ficou por cima de Jason. Ela suspirava enquanto o beijava, e segurou a blusa para tirá-la.

– Você me acha gostosa? – perguntou.

– Caramba, você é muito gostosa, Margo – respondeu Jase.

– O quê?! – disse Becca, furiosa, e ficou bem claro para mim que eu não iria vê-la nua.

Ela começou a berrar; eu me afastei da porta; Jase me viu e gritou:

– Qual é o seu problema?

– Dane-se ele! – exclamou Becca. – Quem liga para ele? E eu?! Por que você está pensando nela e não em mim?!

Aquela me pareceu uma ótima oportunidade para ir embora, então fechei a porta e fui para o banheiro. Eu queria mesmo mijar, mas minha maior necessidade era encontrar um lugar silencioso.

Eu sempre levo alguns segundos para começar a mijar depois de preparar todo o equipamento. Então fiquei de pé ali durante um tempo, esperando, e aí comecei. Eu tinha acabado de chegar à sensação de alívio que um belo de um jato pode transmitir quando ouvi a voz de uma menina vindo da banheira.

– Quem está aí?

– Lacey, é você?

— Quentin? Que diabos você está fazendo aqui?

Eu queria interromper o xixi, mas é claro que não consegui. Mijar é como ler um livro bom: é muito, muito difícil parar depois que você começa.

— Hum... mijando — respondi.

— E como você está se saindo? — perguntou ela através da cortina.

— Hum... bem?

Sacudi o restinho, fechei o zíper e dei descarga.

— Quer ficar comigo na banheira? — perguntou ela. — Não é uma cantada.

— Beleza — respondi depois de um tempo.

Abri a cortina do chuveiro. Lacey sorriu para mim e dobrou os joelhos junto ao peito. Me sentei do outro lado da banheira, descansando as costas na porcelana fria e curva. Nossos pés ficaram intercalados. Ela estava usando short, camiseta e um chinelo bonitinho. A maquiagem parecia um tanto borrada ao redor dos olhos. O cabelo ainda estava arrumado para a festa, e as pernas eram bem bronzeadas. É preciso dizer que Lacey Pemberton era muito bonita. Não chegava a ser o tipo de menina que faria alguém esquecer Margo Roth Spiegelman, mas era o tipo de menina que poderia fazer um garoto se esquecer de um monte de outras coisas.

— Como foi o baile? — perguntei.

— Ben é um doce — respondeu ela. — Eu me diverti. Mas aí Becca e eu brigamos feio, ela me chamou de vagabunda, então subiu no sofá, fez todo mundo calar a boca e disse bem alto que eu tenho uma doença venérea.

Fiz uma careta.

— Vixe!

— Pois é. Minha vida acabou. É tão... é uma merda, sério, porque... é tão humilhante, e ela sabia que seria humilhante, e... é uma merda. Então eu vim para a banheira, e aí Ben veio atrás de mim, mas eu pedi para ele me deixar sozinha. Nada contra Ben, mas ele não estava na pilha de ouvir, sabe? Ele está meio bêbado. E eu nem tenho doença nenhuma. Já *tive*. Mas agora já passou. Ah, deixe para lá. O lance é que não sou uma vagabunda. Foi um cara. Um babaca. Caramba, nem acredito que contei a ela. Eu devia ter falado só para Margo, quando Becca estivesse bem longe.

— Sinto muito — falei. — Becca só está com inveja.

— Inveja de quê? Ela é a rainha do baile. Ela namora o Jase. Ela é a nova Margo.

Minha bunda estava começando a ficar dolorida, então tentei me ajeitar. Meus joelhos estavam tocando os dela.

— Ninguém nunca vai ser a nova Margo — disse. — Mas, mesmo assim, você tem o que Becca realmente quer. As pessoas gostam de você. As pessoas acham você mais bonita.

Lacey deu de ombros, meio tímida.

— Você me acha superficial?

— Bem, acho. — Então pensei em mim mesmo de pé diante do quarto de Becca, esperando que ela tirasse a blusa. — Mas eu também sou. Todo mundo é.

Eu costumava pensar: *Se ao menos eu tivesse o corpo de Jase Worthington. Andasse como se soubesse o jeito certo de andar. Beijasse como se soubesse como beijar.*

— Mas não do mesmo jeito. Ben e eu somos superficiais de um mesmo jeito. Você não dá a mínima se as pessoas gostam de você.

O que era, ao mesmo tempo, verdade e mentira.

— Eu ligo mais do que gostaria — falei.

— Tudo ficou uma merda sem Margo — disse ela.

Lacey também estava bêbada, mas eu não me importava com o tipo de bebedeira dela.

— É — concordei.

— Eu quero que você me leve até aquele lugar — pediu ela. — Até o centro comercial abandonado. Ben me contou tudo.

— A gente pode ir quando você quiser.

E contei a ela que havia passado a noite inteira lá, que tinha achado o esmalte e o cobertor de Margo.

Lacey ficou quieta por um tempo, respirando pela boca. E, quando falou, foi quase um sussurro. E soou mais como uma afirmação do que como uma pergunta:

— Ela morreu, não é?

— Eu não sei, Lacey. Até hoje à noite eu achava que sim, mas agora não sei.

— Ela morreu, e a gente tá aqui... fazendo isso.

Lembrei-me do trecho grifado no poema de Whitman: "Se ninguém mais no mundo está ciente, fico contente, / E se cada um e todos estão cientes, fico contente."

— Talvez fosse isso que ela quisesse, que a gente seguisse nossa vida — disse.

— Isso não é muito a cara da Margo que eu conheço — retrucou ela.

Pensei na minha Margo, na Margo de Lacey, na Margo da Sra. Spiegelman, e em todos nós olhando para o reflexo dela nos vários espelhos de um labirinto de espelhos de um parque de diversões. Eu ia dizer alguma coisa, mas a boca aberta de Lacey foi ficando realmente escancarada, e ela encostou a cabeça no azulejo frio e cinza do banheiro e dormiu.

Só depois de duas pessoas entrarem no banheiro para mijar foi que eu resolvi acordá-la. Eram quase cinco da manhã e eu precisava levar Ben para casa.

— Lace, acorde — falei, cutucando o chinelo dela com meu sapato.

Ela balançou a cabeça.

— Gosto quando me chamam assim. Você sabia que é, tipo, o meu melhor amigo atualmente?

— Que honra — falei, muito embora ela estivesse bêbada, exausta e mentindo. — Então preste atenção, a gente vai lá para cima e, se alguém disser alguma coisa a seu respeito, eu vou defender você.

— Ok — disse ela.

E aí a gente subiu. A festa tinha esvaziado um pouco, mas ainda havia alguns jogadores de beisebol, incluindo Jase, junto ao barril. A maioria das pessoas dormia em sacos de dormir espalhados pelo chão; alguns espremidos no sofá-cama. Angela e Radar estavam deitados juntos em um sofá de dois lugares, Radar com as pernas penduradas no braço do sofá. Eles iam passar a noite ali.

Na hora em que eu ia perguntar aos caras junto ao barril se eles tinham visto Ben, ele entrou com tudo na sala de estar. Estava usando um *bonnet* azul-claro e empunhando uma espada feita com oito latas vazias de cerveja Milwaukee's Best Light, que, presumi, tinham sido coladas uma na outra.

— ESTOU VENDO VOCÊ! — gritou Ben, apontando a espada para mim. — ESTOU DE OLHO EM VOCÊ, QUENTIN JACOBSEN! SIMMM! Venha cá! De joelhos!

— O quê? Ben, calma.

— DE JOELHOS!

Obediente, me ajoelhei e olhei para ele.

Ele baixou a espada de cerveja e deu um toque em cada um dos meus ombros.

— Pelo poder da espada superbonder de cerveja, eu o declaro o motorista da vez!

— Valeu — falei. — Só não vomite no carro da minha mãe.

— SIM! — gritou ele. E então, quando tentei me levantar, ele me segurou no chão com a mão livre e deu dois toques de novo com a espada, dizendo: — Pelo poder da espada superbonder de cerveja, eu declaro que você não vai usar nada debaixo da beca na colação de grau.

— O quê?

Eu me levantei.

— SIM! Eu, você e Radar! Pelados debaixo da beca! Na colação de grau! Vai ser o máximo!

— Bem — falei —, vai ser um dia bem *quente*.

— SIM! — disse ele. — Prometa que você vai fazer isso! Eu já fiz o Radar prometer. RADAR, VOCÊ NÃO PROMETEU?

Radar virou a cabeça muito levemente, entreabriu os olhos e balbuciou:

— Prometi.

— Então eu também prometo — falei.

— SIM! — E então Ben se virou para Lacey. — Eu amo você.

— Também amo você, Ben.

— Não, *eu amo você*. Não aquele amor entre irmãos ou amigos. Eu amo você como o cara mais bêbado ama a garota mais legal do mundo.

Ela sorriu.

Dei um passo adiante, tentando salvá-lo de se constranger ainda mais, e coloquei a mão no ombro dele.

— Se quisermos chegar à sua casa às seis, precisamos ir embora — falei.

— Beleza — respondeu ele. — Só tenho que agradecer a Becca pela festa irada.

Então Lacey e eu seguimos Ben até o porão, onde ele abriu a porta do quarto de Becca e disse:

— Sua festa foi animal! É uma pena que você seja tão babaca! É como se, em vez de sangue, seu coração bombeasse babaquice líquida! Mas valeu pela cerveja!

Becca estava sozinha, deitada sobre as cobertas e encarando o teto. Ela nem olhou para a cara dele. Só balbuciou:

— Ah, vá para o inferno, seu imbecil. Espero que você pegue chato da Lacey.

— Muito bom conversar com você! — respondeu Ben sem nem um pingo de ironia na voz.

E então fechou a porta. Acho que não fazia a menor ideia de que tinha acabado de ser insultado.

E então estávamos de volta ao andar de cima, nos preparando para sair.

— Ben — falei. — Você vai ter que deixar a espada de cerveja aqui.

— Beleza — disse ele.

Peguei a ponta da espada e puxei, mas Ben se recusava a soltar. Eu estava prestes a começar a gritar com aquele bêbado idiota quando me dei conta de que ele não *conseguia* soltar a espada.

Lacey riu.

— Ben, você passou cola na mão?

— Não — respondeu ele. — Passei *Super Bonder*! Assim ninguém pode roubar a espada de mim!

— Bem pensado — retrucou Lacey com seriedade.

Juntos, eu e Lacey conseguimos soltar todas as latinhas, exceto a que estava colada na mão de Ben. Por mais forte que eu puxasse, a mão dele simplesmente vinha junto, como se a lata fosse o fio e a mão dele, a marionete. Por fim, Lacey falou:

— A gente tem que ir embora.

Então fomos. Prendemos Ben com o cinto no banco traseiro do carro. Lacey se sentou ao lado dele para "garantir que ele não vomite ou se bata até a morte com a mão de cerveja ou coisa parecida".

Mas Ben já havia apagado muito tempo antes, a ponto de Lacey se sentir à vontade para conversar a respeito dele. Enquanto atravessávamos a rodovia, ela disse:

— Tem uma coisa que dizem a respeito de pessoas esforçadas, sabe? Quer dizer, eu sei que ele se esforça muito para ser aceito, mas por que isso tem que ser considerado uma coisa ruim? E ele é um doce, não é?

— Acho que sim — falei.

A cabeça de Ben ficava oscilando de um lado para o outro, parecendo desconectada da coluna. Ele não me parecia tão doce assim, mas tanto faz.

Deixei Lacey em casa primeiro, do outro lado de Jefferson Park. Quando ela se debruçou e deu um selinho nele, Ben esticou o pescoço o suficiente para balbuciar:

— Sim.

Antes de seguir para o condomínio, ela passou pela minha janela e disse:

— Obrigada.

Eu apenas assenti.

Dirigi pelo bairro. Não era mais noite, mas também ainda não era de manhã. Ben roncava baixinho no banco de trás. Encostei o carro em frente à casa dele, desci, abri a porta de correr e soltei o cinto de segurança dele.

— Hora de ir para casa, Benners.

Ele fungou e balançou a cabeça, então acordou. Ergueu a mão para coçar os olhos e pareceu surpreso ao ver uma lata vazia de Milwaukee's Best Light presa a ela. Tentou fechar a mão, chegando a amassar um pouco a lata, mas não conseguiu soltá-la. Ficou olhando para ela por um tempo e então balançou a cabeça:

— Esse treco tá preso em mim — concluiu.

Ben saltou do carro e cambaleou até a calçada de casa. Quando chegou à porta da frente, se virou, sorrindo. Acenei para ele. A cerveja acenou de volta.

14

Dormi por algumas horas e passei a manhã lendo os guias de viagem que tinha encontrado no dia anterior. Esperei até dar meio-dia para telefonar para Ben e Radar. Liguei para Ben primeiro.

— Bom dia, flor do dia — falei.

— Ah, Deus — respondeu Ben, a voz carregada de um sofrimento abjeto. — Ah, meu Jesus Cristinho, venha até aqui cuidar de seu camarada Ben. Ah, Deus do céu! Derrame sobre mim sua misericórdia.

— Tenho várias novidades sobre o caso Margo — falei, animado —, então você tem que vir para cá. Vou ligar para Radar também.

Ben parecia não me ouvir.

— Ei, por que quando minha mãe entrou em meu quarto às nove da manhã e eu levei a mão à boca para bocejar, tanto ela quanto eu descobrimos uma lata de cerveja grudada nela?

— Você colou um monte de latinhas com superbonder para fazer uma espada de cerveja, e aí colou a espada na mão.

— Ah, é. A espada de cerveja. Tenho uma vaga lembrança.

— Ben, venha para cá.

— Cara, estou me sentindo um lixo.

— Então eu vou para sua casa. Que horas?

— Cara, você não pode vir aqui. Eu preciso dormir mais umas dez mil horas, beber uns dez mil litros d'água e tomar uns dez mil analgésicos. Vejo você amanhã na escola.

Respirei fundo e tentei não soar irritado:

— Eu atravessei a Flórida Central de carro no meio da noite para ser o único cara sóbrio na festa mais bêbada do mundo e levar essa sua bunda encachaçada para casa, e é isso que...

Eu teria continuado, mas percebi que Ben tinha desligado. Ele desligou na minha cara. Babaca.

À medida que o tempo ia passando, eu só sentia mais raiva. Uma coisa era não dar a mínima para Margo. Mas, sério, Ben também não dava a mínima para mim. Talvez nossa amizade sempre tivesse sido uma questão de conveniência: ele não conhecia ninguém mais interessante com quem jogar *video game*. E agora não precisava mais ser legal comigo ou se importar com as coisas com as quais eu me importava, afinal ele tinha Jase Worthington. Ele era o recordista do *keg stand*. Ele tinha sido o par de uma menina gostosa no baile de formatura. Ele agarrara a primeira oportunidade que teve para se juntar à fraternidade dos filhos da mãe sem cérebro.

Cinco minutos depois de Ben desligar na minha cara, liguei para o celular dele de novo. Ele não atendeu, então deixei um recado: "Você quer ser legal como o Chuck, Ben Mija-sangue? É isso que você sempre desejou? Então, parabéns! Você conseguiu. E vocês se merecem, porque você é um babaca igual a ele. Nem precisa me ligar de volta."

E então telefonei para Radar.

— Oi — falei.

— Oi — respondeu ele. — Acabei de vomitar no chuveiro. Posso ligar para você daqui a pouco?

— Ahã — respondi, tentando não soar irritado.

Eu só queria que *alguém* me ajudasse a pensar como Margo. Mas Radar não era Ben; ele me ligou de volta uns dois minutos depois.

— Foi tão nojento que eu vomitei de novo enquanto tentava limpar, e depois de novo, tentando limpar o *segundo* vômito. É praticamente um círculo vicioso. Se continuarem me alimentando, acho que nunca mais vou parar de vomitar.

— Você pode dar um pulo aqui? Ou eu aí em sua casa?

— Claro. O que foi?

— Margo ainda estava viva e ficou no centro comercial por pelo menos uma noite depois de desaparecer.

— Estou indo até aí. Chego em quatro minutos.

Precisamente quatro minutos depois, Radar surgiu à minha janela.

— Fique sabendo que eu e Ben tivemos uma briga feia — falei enquanto ele pulava para dentro do quarto.

— Estou com uma ressaca muito braba para intermediar — respondeu ele baixinho. Deitou em minha cama, os olhos semicerrados, e esfregou o cabelo raspado curto. — Parece que fui atingido por um raio — disse e fungou. — Certo, conte o que aconteceu.

Eu me sentei na cadeira da escrivaninha e contei a Radar sobre minha noite na casa de veraneio de Margo, tentando não me esquecer de nenhum detalhe importante. Eu sabia que Radar era melhor do que eu com enigmas, e estava torcendo para que ele fosse capaz de desvendar aquele.

Ele esperou em silêncio até eu dizer:

— E aí Ben me ligou, e eu fui embora para aquela festa.

— Você tem o livro aí, o que está cheio de orelhas? — perguntou ele.

Eu me levantei e, depois de algum esforço para alcançá-lo, peguei o livro debaixo da cama. Radar o ergueu acima da cabeça, espremendo os olhos para enxergar em meio à dor de cabeça, e folheou as páginas.

— Anote aí — disse ele. — Omaha, Nebraska. Sac City, Iowa. Alexandria, Indiana. Darwin, Minnesota. Hollywood, Califórnia. Alliance, Nebraska. Certo. Esses são os lugares que ela, ou quem quer que tenha lido este livro, achou interessantes. — Ele se levantou, fez um sinal para que eu saísse da cadeira e então deslizou nela até o computador. Radar tinha o talento incrível de continuar conversando enquanto digitava. — Existe um site que gera um monte de itinerários dependendo da quantidade de destinos que você insere. Não que ela conhecesse o programa. Mas, ainda assim, quero dar uma olhada.

— Como você sabe essas coisas? — perguntei.

— Hum, nunca se esqueça: Eu. Passo. Minha. Vida. Toda. No. Omnictionary. Desde que entrei em casa nesta manhã até o momento em que fui vomitar no chuveiro, reescrevi completamente a página sobre o tamboril-pintado. Eu tenho um *problema*. Ok, olhe aqui — disse ele.

Eu me inclinei e vi um monte de rotas em zigue-zague no mapa dos Estados Unidos. Todas começavam em Orlando e terminavam em Hollywood, na Califórnia.

— Talvez ela esteja indo para Los Angeles? — sugeriu Radar.

— Talvez — respondi. — Mas não dá para saber qual rota ela está seguindo.

— Verdade. Além disso, não existe mais nenhuma pista de que ela esteja indo mesmo para Los Angeles. O que ela disse a Jase sugere Nova York. A pichação "você vai para as cidades de papel e nunca mais voltará" parece indicar um bairro fantasma próximo daqui. E quem sabe o esmalte não seja uma pista de que ela ainda está na cidade? Só estou dizendo que agora a gente pode acrescentar a cidade que possui a maior bola de pipoca do mundo à nossa lista de possíveis localizações de Margo.

— Uma viagem se encaixaria em uma das citações de Whitman: "Vadio uma jornada perpétua."

Radar permaneceu diante do computador. Eu me sentei na cama.

— Ah, será que você pode imprimir um mapa dos Estados Unidos para eu marcar os pontos? — perguntei.

— Posso fazer isso on-line.

— É, mas eu quero dar uma olhada no papel.

Poucos segundos depois a impressora cuspiu uma folha, e eu coloquei o mapa na parede, ao lado do mapa dos bairros fantasmas. Pus uma tachinha em cada um dos seis locais que ela (ou alguém) havia marcado no livro. Tentei visualizá-los como uma constelação, procurando por alguma forma ou letra, mas não consegui enxergar nada. Era uma distribuição absolutamente aleatória, como se ela tivesse tapado os olhos e atirado dardos no mapa.

Suspirei.

— Sabe o que seria legal? — perguntou Radar. — Se a gente conseguisse alguma prova de que ela está verificando os e-mails ou fazendo qualquer outra coisa na internet. Todos os dias eu faço uma busca com o nome dela; e criei um *web bot* que vai me avisar se for feito login no Omnictionary com o nome de usuário dela. Eu fico rastreando o endereço de IP das pessoas que buscam por "cidades de papel". É tão frustrante.

— Eu não sabia que você estava fazendo tudo isso — falei.

— É, pois é. Estou apenas fazendo o que gostaria que os outros fizessem. Sei que eu não era amigo dela, mas ela merece ser encontrada, né?

— A menos que ela não queira.

— É, essa é uma possibilidade. Tudo é possível. — Eu concordei com a cabeça. — Certo, então... — disse ele, e perguntou em seguida: — A gente pode pensar nisso jogando *video game*?

— Não estou muito no clima.

— Então a gente pode ligar para o Ben?

— Não. Ben é um babaca.

Radar me fitou pelo canto do olho.

— É claro que ele é. Sabe qual é seu problema, Quentin? Você espera que as pessoas não sejam elas mesmas. Quer dizer, eu podia odiar você por ser tão pouco pontual e por nunca se interessar por nada que não seja Margo Roth Spiegelman e por, tipo, nunca me perguntar como estão indo as coisas com minha namorada... Mas eu não ligo, cara, porque você é você. Meus pais têm uma tonelada de porcaria de Papais Noéis pretos, mas tudo bem. São meus pais. Eu sou totalmente obcecado por uma enciclopédia on-line e por isso deixo de atender o telefone quando meus amigos ligam, ou mesmo minha namorada. Tudo bem também. Eu sou assim. Você gosta de mim do jeito que eu sou. E eu de você. Você é engraçado, inteligente e pode até chegar atrasado, mas sempre chega.

— Valeu.

— É, bem, não era para ser um elogio. Eu só estava dizendo para você parar de pensar que Ben deveria ser você, e ele precisa parar de pensar que você deveria ser quem ele é, e vocês dois podiam baixar um pouco a bola.

— Tudo bem... — cedi, afinal, e liguei para Ben.

A notícia de que Radar estava lá em casa querendo jogar *video game* produziu uma cura milagrosa na ressaca de Ben.

— E aí — falei depois de desligar —, como vai Angela?

Radar riu.

— Vai bem, cara. Vai muito bem. Obrigado por perguntar.

— Você continua virgem?

— Eu não gosto de falar dessas coisas. Mas sim, ainda sou. Ah, e a gente teve nossa primeira briga hoje de manhã. Fomos tomar café na Waffle House, e ela estava falando que os Papais Noéis negros são o máximo e que meus pais são pessoas maravilhosas por colecioná-los, que é importante não concluirmos que todas as coisas legais de nossa cultura, tipo Deus e Papai Noel, sejam brancos, e como um Papai Noel negro fortalece toda a comunidade negra dos Estados Unidos.

— Na verdade, acho que meio que concordo com ela — falei.

— É, pois é, é uma ideia legal, pena que é tudo besteira. Eles não estão tentando divulgar o evangelho do Papai Noel negro. Se estivessem, estariam *fabricando* os próprios Papais Noéis. Mas não, o que eles querem é comprar todo o estoque mundial. Tem um velho em Pittsburgh que é dono da segunda maior coleção de Papais Noéis negros, e eles passam o tempo todo tentando comprá-la dele.

E então Ben falou da porta do meu quarto, pois aparentemente ele já estava ali havia um tempo:

— Radar, o fato de você ainda não ter conseguido dobrar aquela gatinha adorável é a maior tragédia humanitária de nossa era.

— E aí, Ben? — perguntei.

— Valeu pela carona ontem à noite, cara.

15

Apesar de faltar só uma semana para as provas finais, passei a tarde de segunda-feira lendo a "Canção de mim mesmo". Eu queria ir aos dois últimos bairros fantasmas, mas Ben precisava do carro. Eu não estava mais à procura de pistas no poema tanto quanto procurava pela própria Margo. Tinha chegado mais ou menos à metade quando me vi lendo e relendo o mesmo trecho.

"Agora só vou ficar ouvindo", escreve Whitman. E então ele fica só ouvindo por duas páginas: o burburinho de um riacho, as vozes das pessoas, uma ópera. Ele se senta na relva e deixa o som atravessá-lo. E acho que era isso que eu estava tentando fazer também: ouvir todos os barulhinhos emitidos por ela, porque, antes de fazer sentido, as coisas precisam ser ouvidas. Por muito tempo eu não *ouvira* a Margo de verdade – eu a vira gritar uma vez e achei que ela estivesse rindo –, então agora esse era meu trabalho. Tentar, mesmo de tão longe, ouvir a ópera dela.

Se eu não conseguia ouvir Margo, ao menos podia ouvir o que ela ouvira um dia, então baixei um álbum com as versões cover de Woody Guthrie. Me sentei diante do computador, os olhos fechados, cotovelos apoiados na mesa, e ouvi uma voz cantando em tom menor. Tentei encontrar, em uma música que eu nunca tinha ouvido, a voz que eu vinha tendo dificuldades de recordar depois de doze dias de ausência.

Ainda estava ouvindo – agora um dos preferidos dela, Bob Dylan – quando minha mãe chegou.

– Seu pai vai se atrasar hoje – disse ela atrás da porta. – Pensei em fazer hambúrguer de peru para o jantar, tudo bem?

– Tudo bem – respondi e fechei os olhos de novo, ouvindo a música.

E não me levantei até meu pai me chamar para jantar, um álbum e meio depois.

Durante o jantar, meus pais ficaram conversando sobre a política do Oriente Médio. E, embora ambos concordassem em absolutamente tudo, ainda assim conseguiram gritar, dizendo que fulano era mentiroso, e que sicrano era mentiroso *e* ladrão, e que todos eles deveriam renunciar. Eu me concentrei no hambúrguer de peru, que estava uma delícia, cheio de catchup e cebolas assadas.

– Ok, já chega – disse minha mãe depois de um tempo. – Quentin, como foi seu dia?

– Tranquilo – respondi. – Estudando para as provas, na verdade.

– Nem acredito que já é sua última semana de aula – disse meu pai. – Realmente parece que foi ontem...

– Pois é – completou minha mãe.

E uma voz em minha cabeça dizia: ALERTA VERMELHO NOSTALGIA À VISTA ALERTA VERMELHO ALERTA VERMELHO. Gente muito bacana os meus pais, mas sempre propensos a ataques agudos de sentimentalismo.

– Estamos muito orgulhosos de você – disse ela. – Mas, meu Deus, vamos sentir sua falta no ano que vem.

– Bem, não conte vantagem antes da hora. Eu ainda posso ser reprovado em inglês.

Minha mãe riu e então disse:

— Ah, adivinhe quem encontramos na ACM ontem? Betty Parson. Ela disse que Chuck vai para a Universidade da Geórgia. Fiquei feliz por ele; sempre teve tanta dificuldade.

— Ele é um babaca.

— É — disse meu pai —, ele praticava *bullying*. E tinha um comportamento deplorável.

Isso era típico dos meus pais: na cabeça deles, ninguém era simplesmente babaca. Sempre tinha algo de errado com as pessoas além do fato de serem escrotas: distúrbios de socialização, transtorno de personalidade limítrofe ou sei lá mais o quê.

— Mas Chuck tem dificuldades de aprendizado — minha mãe continuou o raciocínio. — Ele tem diversos problemas, como todo mundo. Eu sei que é impossível para vocês enxergarem seus colegas assim, mas, quando estiver mais velho, você vai começar a ver todos os garotos apenas como pessoas, sejam eles bons ou ruins. Eles são só pessoas; pessoas que merecem cuidados. Com diferentes graus de doença, diferentes graus de neurose, diferentes graus de autorrealização. Mas sabe, sempre gostei de Betty e sempre acreditei em Chuck. Então é bom que ele esteja indo para a faculdade, você não acha?

— Falando sério, mãe, eu não estou nem aí para ele.

Mas no fundo eu estava pensando que, se todos somos pessoas, por que meus pais odiavam todos os políticos de Israel e da Palestina? Eles não falavam *deles* como se fossem pessoas.

Meu pai terminou de mastigar, largou o garfo e olhou para mim:

— Quanto mais eu trabalho, mais percebo que os seres humanos carecem de bons espelhos. É muito difícil para qualquer um mostrar a nós como somos de fato, e é muito difícil para nós mostrarmos aos outros o que sentimos.

— Que lindo — disse minha mãe. Eu gostava que eles gostassem um do outro. — Mas será que isso não é porque, em algum nível fundamental, achamos difícil entender que o outro também é um ser humano tal como nós? Ou nós os idealizamos como deuses ou os dispensamos como animais.

— Verdade. A consciência não é uma boa janela. Acho que nunca pensei nisso dessa forma.

Eu estava recostado na cadeira. Escutando. E estava ouvindo alguma coisa a respeito dela, janelas e espelhos. Chuck Parson era uma pessoa. Como eu. Margo Roth Spiegelman também era uma pessoa. E eu nunca tinha pensado nela dessa forma, não mesmo; essa era a falha de tudo o que eu havia imaginado antes. O tempo todo — e não apenas depois que ela desapareceu, mas uma década antes disso — eu a imaginava sem escutá-la, sem saber que ela possuía uma janela tão opaca quanto a minha. E por isso eu não conseguia imaginá-la como uma pessoa capaz de sentir medo, de se sentir isolada em uma sala cheia de gente, de sentir vergonha de sua coleção de discos porque era algo pessoal demais para ser compartilhado. Alguém que talvez lesse guias de viagem para fugir de uma cidade para a qual tanta gente fugia. Alguém que — porque ninguém a enxergava como uma pessoa — não tinha ninguém com quem conversar de verdade.

E imediatamente eu soube como Margo Roth Spiegelman se sentia quando não estava sendo Margo Roth Spiegelman: vazia. Ela sentia que uma parede intransponível se fechava em torno de si. E pensei nela dormindo naquele carpete com apenas uma faixa de céu logo acima. Talvez Margo se sentisse à vontade ali porque a pessoa Margo vivesse daquele jeito o tempo todo: em um cômodo abandonado com janelas lacradas e cuja única fonte de luz era um buraco no teto. *Sim*. O erro fundamental que sempre cometi — e ao qual, sejamos justos, ela sempre me conduziu — era este: Margo não era um milagre. Não era uma aventura. Nem uma coisa sofisticada e preciosa. Ela era uma garota.

16

O relógio sempre foi um castigo, mas sentir que eu estava cada vez mais próximo de desvendar o mistério fez com que o tempo parasse por completo na terça-feira. Todos nós resolvemos ir até o centro comercial abandonado logo depois da aula, e a espera foi insuportável. Quando o sinal finalmente soou ao final da aula de inglês, desci correndo as escadas, e já estava quase no estacionamento quando lembrei que a gente não podia ir embora antes de Ben e Radar saírem do ensaio da banda. Fiquei sentado do lado de fora da sala de ensaios e tirei uma fatia de pizza enrolada em um guardanapo da mochila, onde estava guardada desde a hora do almoço. Já tinha comido um quarto da pizza quando Lacey Pemberton se sentou a meu lado. Ofereci uma mordida. Ela recusou.

Conversamos sobre Margo, claro. A única coisa que tínhamos em comum.

— O que eu preciso descobrir — expliquei, limpando as mãos na calça jeans — é um lugar. Mas nem sei se estou na direção certa com essa história dos bairros fantasmas. Às vezes acho que estamos seguindo um caminho completamente furado.

— É, sei lá. Para falar a verdade, o que eu quero mesmo é descobrir coisas a respeito dela. Coisas que eu não sabia. Eu não fazia ideia de quem ela era. Sinceramente, nunca pensei nela como nada mais do que minha amiga linda e meio doida que faz um monte de coisas lindas e meio doidas.

— Pois é, mas ela não inventava as coisas que fazia *do nada* — falei. — Quer dizer, todas as aventuras dela tinham uma certa... Sei lá.

— Elegância — disse Lacey. — Ela é a única pessoa que eu conheço que não é, tipo, adulta e é tão elegante.

— É.

— Então é difícil imaginá-la em um lugar nojento, escuro e cheio de poeira.

— É — concordei. — E cheio de ratos.

Lacey levou os joelhos até o peito e ficou em posição fetal.

— Eca. Isso é tão *diferente* de Margo.

Por algum motivo, Lacey ficou no banco do carona, embora fosse a mais baixa dentre todos nós. Ben estava dirigindo. Suspirei alto quando Radar se sentou ao meu lado, pegou o tablet e começou a trabalhar no Omnictionary.

— Estou só deletando um vandalismo na página do Chuck Norris — disse ele. — Por exemplo, embora eu acredite que Chuck Norris seja especialista em *roundhouse kick*, não acho muito correto dizer que "as lágrimas dele têm o poder de curar o câncer, mas infelizmente ele nunca chorou". Enfim, eliminar vandalismo só utiliza quatro por cento do meu cérebro.

Eu sabia que Radar estava tentando me fazer rir, mas eu só queria falar sobre um assunto naquele momento.

— Não estou convencido de que ela esteja em um bairro fantasma. Talvez não seja nem isso que ela tenha tentado dizer com "cidades de papel", sabia? Existem muitas pistas de lugares, mas nada *específico*.

Radar ergueu os olhos por um segundo e então voltou sua atenção para o aparelho.

— Na verdade acho que ela está bem longe, visitando alguma atração turística ridícula, enganando-se ao pensar que deixou pistas suficientes para mostrar aonde foi. Então acho que ela está, sei lá, em Omaha, no Nebraska, vendo a maior bola de selos do mundo, ou em Minnesota, conferindo a maior bola de barbantes do mundo.

— Então você acha que Margo está em uma viagem pelo país em busca das Maiores Bolas do Mundo? — perguntou Ben, olhando pelo retrovisor.

Radar concordou com a cabeça.

— Ora — continuou Ben —, então alguém devia avisar a ela para voltar para casa, pois as maiores bolas do mundo estão bem aqui em Orlando, na Flórida. E ficam num local especial conhecido como "meu escroto".

Radar riu, e Ben continuou:

— Sério, minhas bolas são tão grandes que quando alguém pede uma porção de batatas fritas no McDonald's pode escolher entre quatro tamanhos: pequeno, médio, grande e bolas do Ben.

— Não. Tem. Graça — disse Lacey para Ben.

— Foi mal — murmurou Ben. — Acho que ela está aqui em Orlando. Vendo a gente procurar por ela. E vendo os pais não fazerem nada.

— Ainda acho que ela foi para Nova York — disse Lacey.

— Tudo é possível — falei.

Uma Margo para cada um de nós. E todas elas eram mais espelho do que janela.

O centro comercial estava do mesmo jeito de dois dias antes. Ben estacionou e eu os levei até a porta dos fundos do escritório. Quando todos entraram, falei com calma:

— Não acendam as lanternas ainda. Deem um tempo para os olhos se acostumarem à falta de luz. — Senti unhas cravando em meu braço e sussurrei: — Está tudo bem, Lace.

— Opa — disse ela. — Braço errado. — E percebi que ela estava procurando pelo braço de Ben.

Lentamente, a sala foi entrando em foco, cinzenta e um tanto nebulosa. Dava para ver as mesas alinhadas ainda aguardando pelos funcionários. Acendi minha lanterna, e cada um acendeu a sua também. Ben e Lacey permaneceram juntos, caminhando em direção à Caverna do Troll para ver as outras salas. Radar foi comigo até a mesa de Margo. Ele se ajoelhou para olhar de perto o calendário de papel congelado no mês de junho.

Eu estava me abaixando ao lado dele quando ouvi passos velozes em nossa direção.

— *Alguém* — sussurrou Ben com urgência.

Ele se enfiou debaixo da mesa de Margo e puxou Lacey consigo.

— O quê? Onde?

— Na sala ao lado! — disse ele. — Usando máscaras. Parecem policiais. Precisamos ir embora.

Radar iluminou a Caverna do Troll com a lanterna, mas Ben a derrubou com força no chão.

— Hora. De. Cair. Fora.

Lacey estava olhando para mim, os olhos arregalados, e provavelmente com um pouco de raiva por eu ter prometido que aquele lugar era seguro.

— Tudo bem — sussurrei. — Tudo bem, todo mundo para fora, pela porta. Com calma e bem rápido.

Eu tinha acabado de dar o primeiro passo quando ouvi uma voz retumbante berrar:

— QUEM ESTÁ AÍ?!

Merda.

— Hum — falei —, só estamos dando uma olhada.

Que coisa mais bizarramente idiota de se dizer! Uma luz branca vinda da Caverna do Troll me cegou. Talvez fosse Deus em pessoa.

— Quais são as suas intenções? — A voz tinha um sotaque britânico meio forçado.

Ben se pôs a meu lado. Era bom não estar sozinho.

— Estamos investigando um desaparecimento — disse ele, confiante. — Não íamos quebrar nada.

A luz se apagou e eu pisquei para me livrar da cegueira até distinguir três pessoas, todas de calça jeans, camiseta e máscara com dois filtros circulares. Um deles puxou a máscara até a testa e nos encarou. Reconheci o cavanhaque e a boca fina e comprida.

— Gus? — perguntou Lacey, colocando-se de pé.

Era o segurança do SunTrust.

— Lacey Pemberton. Meu Deus! O que está fazendo aqui? E sem máscara? Este lugar tem uma tonelada de amianto.

— O que *você* está fazendo aqui?

— Explorando — respondeu ele.

De algum modo, Ben se sentiu confiante o suficiente para caminhar até os outros homens e oferecer um aperto de mão. Eles se apresentaram como Ace e Carpenter. Imaginei que não fossem seus nomes verdadeiros.

Puxamos algumas das cadeiras de rodinhas e nos sentamos em uma espécie de círculo.

— Foram vocês que quebraram o compensado? — perguntou Gus.

— Bem... fui eu — admitiu Ben.

— Tapamos com fita crepe porque não queríamos que mais ninguém entrasse. Se as pessoas vissem uma entrada da rodovia, isso aqui iria ficar cheio de gente que não saca nada de exploração. Mendigos, viciados em crack e tudo o mais.

— Então vocês... hum... sabiam que Margo vinha aqui? — perguntei, me aproximando deles.

Antes que Gus pudesse responder, Ace falou através da máscara. Sua voz soou meio esquisita, mas fácil de compreender:

— Cara, Margo vinha aqui o tempo todo. A gente só vem algumas vezes por ano; está cheio de amianto e, além do mais, nem é tão legal assim. Mas provavelmente vimos Margo, tipo, mais de metade das vezes em que estivemos aqui nos últimos dois anos. Ela era gostosa, não era?

— Era? — perguntou Lacey enfaticamente.

— Ela fugiu, não foi?

— O que você sabe a respeito? — perguntou Lacey.

— Nada, caramba. Eu vi Margo com ele — disse Gus, apontando para mim — há umas duas semanas. E depois ouvi dizer que ela fugiu. Só agora eu me toquei de que talvez ela estivesse aqui, então viemos dar uma olhada.

— Nunca entendi por que ela gostava tanto deste lugar. Não tem nada aqui — disse Carpenter. — Nem é legal de explorar.

— O que você quer dizer com *explorar*? — perguntou Lacey a Gus.

— Exploração urbana. Nós entramos em prédios abandonados, exploramos o lugar e fotografamos tudo. Não pegamos nada; não deixamos nada para trás. Somos apenas observadores.

— É um hobby — disse Ace. — Gus deixava que Margo viesse com a gente quando ainda estávamos no colégio.

— Margo tinha um senso de observação e tanto, embora só tivesse treze anos — disse Gus. — Achava um jeito de entrar em qualquer lugar. Na época era uma coisa eventual, mas agora a gente faz umas três explorações por semana. Existem lugares para explorar em tudo o que é canto. Tem um hospital abandonado em Clearwater que é o máximo. Muito maneiro. Dá para ver onde amarravam os malucos para dar eletrochoque. E tem um presídio velho perto daqui. Mas ela não gostava muito de explorar. Ela gostava de entrar nos lugares, mas aí só queria *ficar* lá dentro.

— Pois é, nossa, como isso era irritante — acrescentou Ace.

— Ela nem sequer tirava fotos — esclareceu Carpenter. — Nem dava uma olhada ao redor para procurar alguma coisa. Margo só queria entrar e, sei lá, ficar lá, sentada. Vocês se lembram do caderninho preto dela? Ela ficava sentada em um canto escrevendo, como se estivesse em casa fazendo o dever da escola ou sei lá o quê.

— Para falar a verdade — disse Gus —, ela nunca entendeu de verdade o espírito da coisa. A aventura. No fundo, parecia deprimida pra cacete.

Eu queria deixar que eles continuassem falando, porque achava que tudo o que dissessem me ajudaria a visualizar Margo. Mas, de repente, Lacey ficou de pé e chutou a cadeira atrás de si.

— E você nunca pensou em perguntar por que no fundo ela parecia deprimida pra cacete? Ou por que ela passava o tempo nesses lugares sinistros? Isso nunca o incomodou?

Ela estava de pé, se curvando sobre ele, gritando, e ele se levantou também, ficando uns quinze centímetros mais alto que ela, e então Carpenter falou:

— Que saco, alguém faz o favor de calar a boca dessa vaca?

— Ah, pode parar! — gritou Ben e, antes mesmo que eu pudesse entender o que estava acontecendo, empurrou Carpenter, que caiu desajeitadamente da cadeira e bateu com o ombro no chão. Ben subiu nele e começou a socá-lo, furioso e meio sem jeito, batendo na máscara e gritando: — ELA NÃO É VACA. A VACA AQUI É VOCÊ!

Fiquei de pé aos tropeços e agarrei um dos braços de Ben, enquanto Radar agarrava o outro. Nós o afastamos, mas ele continuou berrando:

— Eu tô com muita raiva! E eu estava gostando de bater nele! Me deixe bater nele!

— Ben — falei, tentando transmitir calma, tentando soar como minha mãe. — Ben, já chega. Ele já aprendeu a lição.

Gus e Ace levantaram Carpenter, e Gus disse:

— Caramba, a gente já está indo embora, ok? O lugar é todo de vocês.

Ace pegou a máquina fotográfica e eles seguiram apressados para a saída. Lacey começou a explicar de onde conhecia o sujeito:

— Ele estava no último ano quando a gente...

Porém, eu fiz um sinal com a mão para que ela parasse de falar. Nada daquilo importava.

Radar sabia o que era importante. Ele de imediato voltou a observar o calendário, os olhos grudados no papel.

— Acho que ela não escreveu nada no mês de maio — disse ele. — O papel é bem fino e não dá para ver marca alguma. Mas é impossível ter certeza.

Ele continuou procurando por mais pistas, e eu notei as luzes das lanternas de Lacey e Ben sumindo à medida que eles atravessavam a Caverna do Troll. No entanto, fiquei ajoelhado no meio do escritório, apenas pensando nela. E a imaginei seguindo aqueles caras, quatro anos mais velhos que ela, e invadindo prédios abandonados. Aquela era a Margo que eu conhecia. Dentro dos prédios, porém, ela já não era a Margo que eu sempre havia imaginado. Enquanto eles se entregavam à exploração, tiravam fotos e davam umas voltas pelo lugar, Margo se sentava no chão e escrevia.

— Q! Achamos alguma coisa! — gritou Ben da sala ao lado.

Sequei o suor do rosto nas mangas da camisa e me apoiei na mesa de Margo para me levantar. Cruzei a sala, me enfiei pela Caverna do Troll e caminhei em direção às três lanternas que iluminavam a parede acima do carpete enrolado.

— Veja — disse Ben, usando a luz da lanterna para desenhar um quadrado na parede. — Sabe esses buraquinhos de que você falou?

— Sei.

— Com certeza tinha alguma lembrança presa aqui. Cartões-postais ou fotos, talvez, pela distância entre os buracos. Coisas que ela deve ter levado quando foi embora — disse ele.

— É, talvez — falei. — Queria encontrar o tal caderno que Gus mencionou.

— Quando ele falou aquilo, eu me lembrei do caderno — disse Lacey, o feixe de minha lanterna iluminando apenas as pernas dela. — Ela sempre andava com ele. Mas nunca a vi escrevendo ali, então eu achava que fosse uma agenda ou algo assim. Nossa, eu nunca cheguei a perguntar. Fiquei com tanta raiva de Gus, e ele nem mesmo era amigo dela. Mas que perguntas eu mesma já fiz?

— De qualquer forma, ela não teria respondido — falei.

Não era justo agir como se Margo não tivesse contribuído para o próprio obscurecimento.

Caminhamos pelo lugar por mais uma hora e, no momento em que tive certeza de que tudo aquilo era perda de tempo, minha lanterna por acaso passou pelos panfletos de empreendimentos imobiliários, os mesmos que tinham sido usados para montar o castelo de cartas que vimos quando estivemos ali pela primeira vez. Um dos panfletos anunciava o Grovepoint Acres. Fiquei com a respiração presa enquanto espalhei os outros panfletos pela mesa. Corri até minha mochila largada junto à entrada e voltei com uma caneta e um caderno, então anotei os nomes de todos os loteamentos dos anúncios. De cara reconheci um deles: Collier Farms — um dos dois bairros fantasmas que eu ainda não tinha visitado de minha lista. Terminei de copiar os nomes e coloquei o caderno de volta na mochila. Posso ser chamado de egoísta, mas, se eu conseguisse encontrá-la, queria fazer isso sozinho.

17

Assim que mamãe chegou do trabalho na sexta-feira, eu disse a ela que iria a um show com Radar e então dirigi até a área rural de Seminole County para examinar Collier Farms. Todos os outros empreendimentos imobiliários nos panfletos existiam de verdade – a maioria ficava ao norte da cidade, uma região que tinha se desenvolvido havia muito tempo.

Só encontrei a entrada de Collier Farms porque estava me tornando especialista em "estradinhas de terra difíceis de ver da estrada". Mas Collier Farms não era como nenhum dos outros bairros fantasmas que eu tinha visitado, pois estava tomado pela vegetação, como se tivesse sido abandonado cinquenta anos antes. Eu não fazia ideia se aquele loteamento era mais antigo do que os outros, ou se a área pantanosa fazia tudo crescer mais rápido, mas a via de acesso a Collier Farms se tornou intransponível logo que entrei com o carro porque o mato espinhento e cerrado havia se espalhado por todo o chão.

Saltei do carro e caminhei. A grama alta arranhava minhas canelas, e meus tênis afundavam na lama a cada passo. Eu não conseguia deixar de torcer para que ela estivesse em uma barraca em algum lugar a meio metro de altura do restante do terreno, protegida da chuva. Segui bem devagar, porque havia mais para se ver ali do que nos outros loteamentos, mais esconderijos, e porque aquele bairro fantasma tinha uma conexão com o centro comercial abandonado. Havia tanta lama que eu precisava seguir lentamente observando cada cantinho, conferindo todos os lugares que fossem grandes o suficiente para acomodar uma pessoa. Ao final da rua, vi uma caixa de papelão azul e branca na lama, e por um instante me pareceu a mesma embalagem de barrinhas de cereal que eu tinha encontrado no centro comercial. Mas não. Era um engradado apodrecido de cerveja. Voltei para o carro e segui para Logan Pines, ainda mais ao norte.

Levei uma hora para chegar lá e, quando estava quase na Ocala National Forest, fora da região metropolitana de Orlando, e a poucos quilômetros do loteamento, Ben me ligou.

— E aí?

— Você está verificando as cidades de papel? — perguntou ele.

— Sim, já estou quase na última. Nada ainda.

— Cara, o negócio é o seguinte: os pais de Radar tiveram que deixar a cidade às pressas.

— Está tudo bem? — perguntei.

Eu sabia que os avós de Radar eram bem velhinhos e moravam em um asilo em Miami.

— Está, mas saca só: sabe o cara de Pittsburgh com a segunda maior coleção de Papais Noéis negros?

— Sei.

— Bateu as botas.

— Sério?

— Cara, eu não faço piada com o fim dos colecionadores de Papais Noéis negros. O velho teve um aneurisma, e os pais de Radar estão indo para a Pensilvânia, para tentar comprar a coleção inteira. Então a gente está organizando uma festa.

— A gente quem?

— Você, Radar e eu. Nós somos os anfitriões.

— Não sei, não.

Houve uma pausa, e então Ben não usou meu apelido:

— Quentin, eu sei que você quer encontrá-la. Sei que ela é o que há de mais importante para você. E tudo bem. Mas a gente vai se formar daqui a uma semana. Eu não estou pedindo para você abandonar a busca. Só estou pedindo para vir a uma festa com seus dois melhores amigos de anos. Estou pedindo para passar duas ou três horas bebendo *wine cooler* feito a mulherzinha que você é, e então passar outras duas ou três horas vomitando a bebida pelo nariz. E depois você pode continuar a fuçar seus bairros fantasmas.

Eu ficava incomodado porque Ben só queria falar de Margo quando havia uma aventura que interessava a ele, por ele pensar que havia algo de errado comigo por me interessar mais por ela do que por meus amigos, muito embora ela estivesse desaparecida e eles, não. Mas Ben era Ben, como Radar tinha dito. E eu não tinha mais nada para fazer depois de verificar Logan Pines.

— Vou dar uma olhada no último bairro e depois passo na festa.

Como Logan Pines era o último bairro fantasma da Flórida Central — ou pelo menos o último dos que eu conhecia —, acabei depositando muita esperança nele. Mas, ao caminhar ao longo de sua única rua sem saída segurando uma lanterna, não vi barraca alguma. Nada de fogueira. Nada de embalagem de comida. Nada de gente. Nada de Margo. Ao final da rua, encontrei um único buraco para sapata cavado na terra. Mas não tinha nada construído ali — era apenas um buraco no chão, feito a boca escancarada de um morto, com arbustos emaranhados e um matagal na altura de minha cintura crescendo por todos os lados. Se ela queria que eu visse aqueles lugares, eu não conseguia entender o motivo. E se Margo tinha ido até os bairros fantasmas para nunca mais voltar, ela conhecia um lugar que eu não havia encontrado em minhas pesquisas.

Levei uma hora e meia para voltar de carro até Jefferson Park. Estacionei em casa, coloquei uma camisa polo e minha melhor calça jeans e desci a Jefferson Way a pé em direção a Jefferson Court, depois virei à direita na Jefferson Road. Já havia alguns carros estacionados de ambos os lados da Jefferson Place, a rua de Radar. Eram 8h45 da noite.

Abri a porta e fui recebido por Radar, que tinha um monte de Papais Noéis negros de gesso nas mãos.

— Preciso esconder os mais caros — disse ele. — Deus me livre se um desses aqui quebrar!

— Quer ajuda? — perguntei.

Radar apontou com a cabeça para a sala de estar, onde as mesinhas nas laterais do sofá continham três conjuntos de matrioshkas de Papais Noéis negros espalhados. Enquanto eu encaixava todos eles, um Noel dentro do outro, não pude deixar de notar como eram bonitos — pintados à mão com um detalhamento extraordinário. No entanto, optei por não comentar nada disso com Radar, por medo de que ele me espancasse até a morte com o abajur de Papai Noel negro da sala.

Carreguei as matrioshkas para o quarto de visitas, onde Radar estava enfileirando cuidadosamente os Papais Noéis em cima de uma cômoda.

— Sabe, vê-los todos juntos assim realmente nos faz questionar a maneira como imaginamos os mitos.

— É — Radar revirou os olhos —, eu sempre me vejo questionando a maneira como imagino os mitos toda vez que estou comendo cereal de manhã com a maldita colher de Papai Noel negro.

Senti alguém segurando meu ombro e me fazendo virar. Era Ben, se balançando como se precisasse mijar ou coisa parecida.

— A gente se beijou. Tipo, ela me beijou. Há uns dez minutos. Na cama dos pais de Radar.

— Que nojo! — disse Radar. — Você não vai ficar de sacanagem na cama dos meus pais.

— Ué, achei que vocês já tivessem feito isso — questionei. — E toda aquela história de você ser tão machão e tal?

— Cale a boca, cara. Eu vou ter um troço aqui — disse ele me encarando, praticamente vesgo. — Acho que não sou bom nisso.

— Em quê?

— Em beijar. Quer dizer, ela já beijou muito mais na vida do que eu. E eu não quero ser tão ruim a ponto de ela terminar comigo. As garotas gostam de você — disse ele, o que só poderia chegar perto de ser verdade se alguém definisse *garotas* como "as garotas da banda da escola". — Cara, preciso de um conselho.

Minha vontade era perguntar onde estava todo aquele papo de como ele iria enlouquecer diversos corpos de diversas maneiras, mas acabei falando:

— Até onde sei, existem duas regras básicas... Primeira: não morda nada sem permissão, e segunda: a língua humana é como *wasabi*: muito poderosa e deve ser usada com moderação.

De repente, Ben arregalou os olhos, em pânico. Eu estremeci e perguntei:

— Ela está bem atrás de mim, não é?

— "A língua humana é como *wasabi*" — imitou Lacey, fazendo uma voz boba que eu esperava que não tivesse nenhuma semelhança com a minha. Dei meia-volta. — Na verdade, acho que a língua de Ben é mais como protetor solar. Faz bem à saúde e deve ser usada sem moderação.

— Acabei de vomitar na minha boca — disse Radar.

— Lacey, você roubou toda a minha vontade de viver — acrescentei.

— Eu queria ser capaz de parar de imaginar a cena — continuou Radar.

— A simples ideia é tão ofensiva que chega a ser ilegal dizer na televisão as palavras "a língua de Ben Starling" — falei.

— A punição por se quebrar essa regra são dez anos de prisão ou levar um banho de língua de Ben Starling — disse Radar.

— Todo mundo — falei.

— Escolha — disse Radar, sorrindo.

— A prisão — concluímos juntos.

E então Lacey beijou Ben na nossa frente.

— Meu Deus — disse Radar, passando as mãos diante do rosto. — Meu Deus. Estou cego. Estou cego.

— Parem, por favor — falei. — Vocês estão perturbando os Papais Noéis negros.

A festa acabou acontecendo na sala de visitas do segundo andar da casa de Radar, com vinte convidados ao todo. Fiquei encostado em uma parede, minha cabeça a alguns centímetros do quadro de veludo de um Papai Noel negro. Radar tinha um sofá modular enorme, e todo mundo ficou espremido nele. Tinha cerveja em um isopor junto à tevê, mas ninguém bebia. Em vez disso, estavam contando histórias. Eu já tinha ouvido a maioria — histórias sobre viagens para o acampamento, sobre Ben Starling, sobre primeiros beijos —, mas Lacey não conhecia nenhuma, e, de qualquer modo, eram todas bem divertidas. Fiquei de fora a maior parte do tempo, até que Ben disse:

— Q, como a gente vai para a colação de grau?

Abri um sorriso malicioso.

— Completamente pelados debaixo da beca — respondi.

— Sim! — falou Ben e bebericou de uma lata de refrigerante.

— Eu não vou nem *levar* roupa, então nada de amarelar — disse Radar.

— Eu também não! Q, jure que não vai levar roupas.

Sorri.

— Juro solenemente.

— Tô dentro! — disse Frank, um de nossos amigos.

E então vários outros garotos apoiaram a ideia. As meninas, por algum motivo, mostraram resistência.

— Sua recusa em participar me faz questionar toda a base de nosso amor — disse Radar a Angela.

— Vocês não entendem, não é? — perguntou Lacey. — Não é que a gente tenha *medo*. É só que a gente já escolheu o vestido.

Angela apontou para Lacey.

— *Exatamente*. — E então acrescentou: — Melhor vocês rezarem para não ter nenhum ventinho.

— Eu estou torcendo para que tenha *muito* vento — disse Ben. — As maiores bolas do mundo precisam de ar fresco.

Lacey escondeu o rosto com uma das mãos, envergonhada.

— Você é um namorado muito instigante — disse ela. — Vale a pena, mas muito instigante.

E todos nós rimos.

Era disso que eu mais gostava a respeito de meus amigos: ficar de bobeira, contando histórias. Histórias-janela e histórias-espelho. E eu ficava só ouvindo — as histórias em minha cabeça não eram tão divertidas.

Eu não pude deixar de pensar no fim das aulas e de tudo o mais. Gostava de ficar afastado, observando-os — era um tipo de tristeza que não me incomodava, e assim eu só ouvia, deixando toda a felicidade e toda a tristeza daquele redemoinho de términos me dominarem, cada sentimento fazendo o outro ficar mais forte. Por um longo tempo, foi como se meu peito estivesse se abrindo, mas era não exatamente desagradável.

* * *

Fui embora pouco antes de meia-noite. Algumas pessoas iam ficar até mais tarde, mas aquele era meu toque de recolher e, além de tudo, eu não estava mais a fim de ficar. Mamãe estava cochilando no sofá da sala, mas se animou ao me ver.

— Você se divertiu?

— Sim. Foi tranquilo.

— A sua cara — disse ela, sorrindo. A ideia me pareceu hilária, mas eu não respondi. Ela se levantou, me abraçou e me deu um beijo na bochecha. — Adoro ser sua mãe.

— Obrigado.

Fui para a cama com Whitman, pulando as páginas até o trecho do qual eu tinha gostado, quando ele passa um tempo ouvindo ópera e as pessoas.

Depois de tanto ouvir, ele escreve: "Estou exposto... cortado pelo granizo amargo e venenoso." Achei aquilo perfeito: você ouvia as pessoas para enxergá-las, e ouvia todas as coisas horríveis e todas as coisas maravilhosas que elas faziam consigo e com os outros, mas, no final das contas, ouvir faz com que *se* exponha muito mais do que as pessoas a quem se estava tentando escutar.

Perambular em meio a bairros fantasmas tentando ouvi-la não estava me ajudando a desvendar o caso Margo Roth Spiegelman tanto quanto estava desvendando a mim. Páginas depois — ouvindo e se expondo —, Whitman começa a escrever sobre todas as viagens que ele consegue fazer com a imaginação e lista todos os lugares que consegue visitar enquanto vadia na relva. "As palmas de minhas mãos cobrem continentes", escreve ele.

Continuei pensando em mapas, no jeito como, quando eu era criança, às vezes ficava folheando vários atlas, e só de olhar me sentia como se estivesse em outro lugar. Era isso que eu precisava fazer. Eu precisava ouvir e me imaginar no mapa *dela*.

Mas não era isso que eu vinha tentando fazer? Olhei para os mapas acima do meu computador. Eu havia tentado tramar as possíveis viagens dela, mas Margo era exatamente como a relva, que representava tanta coisa. Parecia impossível defini-la com precisão em um mapa. Ela era muito pequena, e o espaço que os mapas cobriam, grande demais. Eles eram mais do que desperdício de tempo – eram a representação física da total inutilidade de tudo aquilo, da minha incapacidade absoluta de desenvolver o tipo de palmas que cobrissem continentes, de ter o tipo de mente que imagina do jeito certo.

Eu me levantei, fui até os mapas e os arranquei da parede, que caíram junto com as tachinhas no chão. Fiz uma bola com o papel e arremessei no cesto de lixo. Quando voltei para a cama, pisei em uma tachinha, feito um idiota, e, embora estivesse irritado e exausto e sem mais nenhum bairro fantasma ou ideia para perseguir, tive que catar todas as tachinhas espalhadas pelo carpete para não pisar nelas mais tarde. Tudo o que eu queria era socar a parede, mas eu precisava catar aquelas malditas tachinhas filhas da mãe. Quando terminei, voltei para a cama e soquei o travesseiro, os dentes cerrados.

Tentei voltar a ler Whitman, mas, entre ler e pensar em Margo, eu já me sentia exposto demais para uma noite. Então finalmente larguei o livro. Não estava com saco para me levantar e apagar a luz. Apenas fiquei ali, encarando a parede, piscando cada vez mais devagar. E toda vez que eu abria os olhos via o local em que cada um dos mapas havia sido pregado – quatro buracos marcando o retângulo, e outros buracos no meio, aparentemente distribuídos de forma aleatória. Eu já havia visto aquele padrão. Na sala vazia, em cima do carpete enrolado.

Um mapa. Com pontos marcados.

18

Fui acordado pela luz do sol pouco antes das sete da manhã de sábado. Por incrível que pareça, Radar estava on-line.

QRESURRECTION: Eu tinha certeza de que você estava dormindo.
OMNICTIONARIAN96: Não, cara. Estou acordado desde as 6, expandindo um artigo sobre um cantor pop da Malásia. Mas Angela ainda está dormindo.
QRESURRECTION: Uuuuh... então ela passou a noite aí?
OMNICTIONARIAN96: Passou, mas minha pureza ainda está intacta. Mas na noite da colação de grau... acho que pode rolar.
QRESURRECTION: Então, tive uma ideia ontem à noite. Os buracos naquela parede do centro comercial abandonado — talvez tivesse um mapa ali, com locais marcados com tachinhas?
OMNICTIONARIAN96: Um roteiro.
QRESURRECTION: Exatamente.

OMNICTIONARIAN96: Quer ir até lá dar uma olhada? Só preciso esperar Angela acordar.
QRESURRECTION: Beleza.

Radar ligou às dez. Fui buscá-lo em casa com a minivan e dirigimos até a casa de Ben, imaginando que um ataque surpresa seria a única maneira de acordá-lo. Mas até quando cantamos "You Are My Sunshine" sob a janela ele não fez nada além de abri-la para cuspir na gente.

— Eu não vou fazer nada antes de meio-dia — disse, autoritário.

Então éramos só Radar e eu. Ele falou um pouco de Angela e de como gostava dela, e de como era esquisito se apaixonar meses antes de eles irem para faculdades diferentes, mas, para mim, foi muito difícil prestar atenção. Eu queria aquele mapa. Queria ver os lugares que ela havia marcado. Queria colocar aquelas tachinhas de volta na parede.

Entramos no escritório, passamos correndo pela biblioteca, paramos por um instante para examinar os buracos na parede do quarto e entramos na loja de suvenires. O lugar já não me amedrontava nem um pouco. Depois de passarmos por cada um dos cômodos e nos certificarmos de que estávamos sozinhos, eu me senti tão seguro quanto se estivesse em casa. Debaixo de um balcão de vidro, achei a caixa cheia de mapas e panfletos de viagem que eu havia folheado no dia do baile de formatura. Equilibrei a caixa nas quinas de uma vitrine que estava com o vidro quebrado. Radar organizou os folhetos, à procura daqueles que tivessem mapas, e então desdobrei um a um e procurei por buracos de tachinha.

Estávamos quase no final da caixa quando Radar puxou um panfleto em preto e branco chamado CINCO MIL CIDADES NORTE-AMERICANAS. Havia sido publicado pela Esso em 1972.

Enquanto eu desdobrava o mapa com cuidado, tentando desamassar o papel, vi um buraco de tachinha em um dos cantos.

— É este — falei, levantando a voz.

Havia um pequeno rasgo em torno do buraco da tachinha, como se o mapa tivesse sido arrancado da parede. Era um mapa velho e amarelado dos Estados Unidos, do tamanho desses que ficam em salas de aula, cheio de informações sobre os principais destinos do país. Os rasgos no mapa me diziam que Margo não tinha deixado aquilo como uma pista — ela era precisa e segura demais com suas pistas para criar algo tão confuso. De um jeito ou de outro, acabamos nos deparando com algo que ela *não* havia planejado e, ao ver o que ela não havia planejado, pensei de novo em quanto ela *havia* planejado. Talvez, pensei, fosse isso que ela ficasse fazendo na quietude daquele lugar. Viajando enquanto vadiava, exatamente como Whitman, enquanto se preparava para a verdadeira aventura.

Corri de volta para o escritório e peguei um punhado de tachinhas na mesa ao lado da de Margo, e depois Radar e eu carregamos com cuidado o mapa desdobrado até o quarto dela. Segurei o papel junto à parede enquanto Radar tentava colocar as tachinhas nos cantos, porém três deles tinham sido rasgados, bem como três das cinco localizações, provavelmente no momento em que o mapa fora tirado da parede.

— Mais para cima e para a esquerda — disse ele. — Não, para baixo. Aí. Não se mexa.

Finalmente conseguimos fixar o mapa, e então começamos a alinhar os buracos do papel aos da parede. Encontramos todos os cinco pontos com facilidade, mas alguns estavam rasgados, então era impossível saber a localização EXATA de cada local. E localizações exatas eram importantes quando se tratava de um mapa inteiramente coberto por cinco mil nomes de lugares. A letra era tão pequena que precisei subir no carpete enrolado e aproximar os olhos a poucos centímetros do papel para, ainda assim, chutar cada uma das localizações. Assim que comecei a falar nomes de cidades, Radar puxou o tablet e pesquisou todas no Omnictionary.

Havia dois buracos intactos: um parecia ser Los Angeles, embora houvesse tantas cidades apinhadas no sul da Califórnia que as letras chegavam a ficar umas por cima das outras. O outro era em Chicago. Havia um buraco rasgado em Nova York que, a julgar pela localização do furo na parede, ficava em um dos cinco distritos da cidade.

— Isso se encaixa com as informações que a gente tem.

— É — concordei. — Mas *onde* em Nova York, meu Deus? Essa é a questão.

— Deve ter alguma coisa que a gente não está vendo — disse ele. — Alguma pista que indique um lugar. E os outros pontos?

— Tem mais um no estado de Nova York, mas não é perto da cidade. Quer dizer, olhe só, as cidades são tão pequenas. Pode ser Poughkeepsie ou Woodstock ou Catskill Park.

— Woodstock — disse Radar. — Isso seria interessante. Ela não chega a ser hippie, mas curte a ideia de espírito livre.

— Sei não — respondi. — O último ponto talvez seja na capital, Washington, ou quem sabe em Annapolis, ou em Chesapeake Bay. Pode ser um monte de coisas, na verdade.

— Seria muito mais fácil se só tivesse um ponto no mapa — disse Radar, taciturno.

— Mas ela provavelmente está indo de um lugar a outro — falei. Vadiando sua jornada perpétua.

Me sentei no carpete enrolado durante algum tempo, enquanto Radar lia mais sobre Nova York, sobre Catskill Mountains, sobre a capital, sobre os concertos de Woodstock em 1969. Nada parecia útil. Senti como se tivéssemos perdido o fio da meada.

* * *

Depois que deixei Radar em casa naquela tarde, fiquei largado pela casa, lendo "Canção de mim mesmo" e estudando sem muito afinco para as provas finais. Eu teria prova de cálculo e de latim na segunda-feira, acho que as matérias em que eu tinha maior dificuldade, e não podia me dar ao luxo de ignorá-las completamente. Estudei durante a maior parte da noite de sábado e ao longo do domingo, mas então uma ideia sobre Margo me ocorreu logo depois do jantar, então fiz em pausa nos exercícios de tradução de Ovídio e entrei na internet. Lacey estava on-line. Ben havia acabado de me passar o nick dela, e imaginei que já tivesse intimidade suficiente com ela para mandar uma mensagem.

QRESURRECTION: Oi, é o Q.
CHORANDOOLEITEDERRAMADO: Oi!
QRESURRECTION: Você já parou pra pensar no tempo que Margo deve ter passado planejando essas coisas?
CHORANDOOLEITEDERRAMADO: Pois é, tipo deixar letrinhas na tigela de sopa de letrinhas antes de ir pro Mississippi e deixar para você o endereço do centro comercial?
QRESURRECTION: É, isso não é o tipo de coisa que se inventa em dez minutos.
CHORANDOOLEITEDERRAMADO: Talvez o caderno de anotações.
QRESURRECTION: *Exatamente.*
CHORANDOOLEITEDERRAMADO: Pois é. Eu estava pensando nisso hoje porque me lembrei de uma vez que saímos para fazer compras e ela ficava enfiando o caderno nas bolsas de que gostava, para ter certeza de que ia caber.
QRESURRECTION: Queria tanto dar uma olhada naquele caderno.

CHORANDOOLEITEDERRAMADO: É, mas deve estar com ela.
QRESURRECTION: Não estava no armário dela no colégio?
CHORANDOOLEITEDERRAMADO: Não, só os livros, arrumadinhos como sempre.

Fiquei estudando em minha mesa, esperando que outras pessoas aparecessem on-line. Ben apareceu depois de um tempo e eu o convidei para um chat comigo e com Lacey. Eles ficaram conversando a maior parte do tempo – eu ainda estava meio que estudando latim –, até que Radar também se juntou a nós. Aí parei de estudar por aquela noite.

OMNICTIONARIAN96: Alguém em Nova York usou o Omnictionary hoje para pesquisar Margo Roth Spiegelman.
FOIUMAINFECÇÃORENAL: Dá pra saber *onde* na cidade de Nova York?
OMNICTIONARIAN96: Infelizmente, não.
CHORANDOOLEITEDERRAMADO: Ainda tem uns cartazes de "desaparecida" espalhados por umas lojas de disco lá. Provavelmente era só alguém tentando descobrir alguma coisa a respeito dela.
OMNICTIONARIAN96: Ah, é. Tinha me esquecido disso. Droga!
QRESURRECTION: Ei, não estou respondendo aqui no chat porque estou usando aquele site que Radar me mostrou, montando rotas entre os lugares que ela marcou no mapa.
FOIUMAINFECÇÃODERENAL: Mande o link.
QRESURRECTION: thelongwayround.com

OMNICTIONARIAN96: Eu tenho uma teoria nova. Ela vai aparecer na colação de grau, no meio da plateia.
FOIUMAINFECÇÃORENAL: Eu tenho uma teoria velha: ela está em algum lugar em Orlando, sacaneando a gente e fazendo de tudo para ser o centro do nosso universo.
CHORANDOOLEITEDERRAMADO: Ben!
FOIUMAINFECÇÃORENAL: Foi mal, mas com certeza eu tenho razão.

Eles continuaram a conversar por mais um tempo, falando da Margo deles, enquanto eu tentava mapear a rota dela. Se ela não tivera intenção de deixar o mapa como uma pista – e os buracos de tachinha rasgados me diziam que esse era o caso –, concluí que já havíamos recolhido todas as pistas que ela deixara e muito mais. Então, na certa, eu tinha o que precisava. Mas ainda me sentia muito longe dela.

19

Na manhã de segunda-feira, depois de três longas horas sozinho com oitocentas palavras de Ovídio, caminhei ao longo dos corredores do colégio me sentindo como se meu cérebro fosse escorrer pelas orelhas. Mas eu havia me saído bem. A gente tinha uma hora e meia de almoço, para dar um tempo a fim de nossas cabeças se firmarem de novo antes de começar o segundo tempo de provas do dia. Radar me esperava junto a meu armário.

— Acabei de bombar em espanhol — disse ele.

— Tenho certeza de que você foi bem.

Ele ia para Dartmouth com uma superbolsa de estudos. Era bastante inteligente.

— Cara, sei não. Eu fiquei cochilando no meio da prova oral. Mas, escute só, fiquei acordado metade da noite escrevendo um programa. É muito maneiro. Ele permite que alguém entre com uma categoria, pode ser uma área geográfica ou uma família do reino animal, e então a pessoa pode ler as primeiras frases de até cem artigos do Omnictionary sobre o assunto em uma única página. Então, digamos que você esteja tentando encontrar um tipo específico de coelho, por exemplo, mas não consegue se lembrar do nome. Você pode ler a introdução sobre todas as vinte e uma espécies de coelho na mesma página em três minutos.

— E você fez isso na noite anterior às provas finais? — perguntei.

— É, eu sei. Eu mando para você por e-mail. É muito ninja.

E então Ben apareceu:

— Juro por Deus, Q, Lacey e eu ficamos conversando pela internet até as duas da madrugada, brincando naquele site, thelongwayround... E depois de montar todas as viagens que Margo poderia ter feito entre Orlando e aqueles cinco pontos do mapa, cheguei à conclusão de que eu estava errado o tempo todo. Ela não está em Orlando. Radar tem razão. Ela vai voltar no dia da colação de grau.

— Por quê?

— É o tempo *certinho*. Dirigir de Orlando até Nova York e depois para as montanhas, Chicago, Los Angeles e voltar para Orlando dá uma viagem de vinte e três dias *exatos*. E mais, é uma piada muito retardada, mas é uma piada no estilo Margo. Você deixa todo mundo pensar que você caiu fora. Envolve tudo numa aura de mistério para chamar a atenção geral. E então, exatamente quando a atenção começa a diminuir, você aparece na colação de grau.

— Não — contestei. — De jeito nenhum.

Eu conhecia Margo melhor agora. Sim, ela queria atenção. Eu concordava com isso. Mas ela não era de brincadeira. Não se contentava com truques bobos.

— Estou dizendo, cara. Procure por ela na colação de grau. Ela vai estar lá.

Apenas sacudi a cabeça. Como todo mundo tinha o mesmo intervalo de almoço, a cantina estava bem lotada, então exercemos nosso direito de alunos do último ano e dirigimos até o Wendy's. Tentei me concentrar na prova de cálculo, mas comecei a achar que talvez a teoria fizesse sentido. Se Ben estivesse certo sobre a viagem de vinte e três dias, aquilo era muito interessante, de verdade. Talvez fosse isso que ela planejasse no caderno preto, uma viagem longa e solitária. Não explicava tudo, mas realmente combinava com o lado planejador de Margo. Não que isso me aproximasse dela. Por mais difícil que seja definir um ponto exato em um pedaço rasgado de mapa, é muito mais difícil quando esse ponto está em movimento.

Depois de um longo dia de provas, voltar para a confortável impenetrabilidade da "Canção de mim mesmo" foi quase um alívio. Eu tinha chegado a um trecho esquisito do poema — depois de todo aquele tempo escutando e ouvindo as pessoas, e então viajando junto a elas, Whitman para de ouvir e de visitar, e começa a *se tornar* outras pessoas. Tipo, habitar mesmo dentro delas. Ele conta a história de um capitão de navio que salvou todo mundo com seu barco, exceto a si. O poeta é capaz de contar a história, ele argumenta, porque se tornou o capitão. E ele escreve: "Eu sou o homem... eu sofri... eu estava lá." Algumas linhas depois, fica ainda mais claro que Whitman não precisa mais escutar para se transformar no outro: "Não pergunto para o ferido como ele se sente... eu viro o ferido."

Apoiei o livro na cama e fiquei deitado de lado, fitando a janela que sempre houve entre nós dois. Não é suficiente vê-la e ouvi-la. Para encontrar Margo Roth Spiegelman, é preciso tornar-se Margo Roth Spiegelman.

E eu tinha feito várias coisas que ela talvez pudesse ter feito: tinha juntado o par mais estranho para o baile de formatura. Tinha acalmado os vilões da luta de classes no colégio. Conseguira me sentir à vontade dentro de uma casa infestada de ratos, o lugar onde ela pensava com mais liberdade. Tinha visto. Tinha escutado. Mas ainda não conseguia me transformar no sujeito ferido.

* * *

No dia seguinte, me arrastei pelas provas de física e de ciências políticas, e então fiquei acordado até as duas da manhã na terça-feira, concluindo minha redação de fim de curso sobre *Moby Dick* para a aula de inglês. Ahab era um herói, concluí. Eu não tinha nenhum motivo especial para chegar a essa conclusão — especialmente considerando-se que não tinha lido o livro —, mas resolvi que ele era um herói e agi de acordo.

A semana curta de provas significava que quarta-feira era nosso último dia de aulas. E durante todo o dia foi difícil não perambular pelo colégio pensando na finitude daquilo tudo: a última vez que eu ficava de pé em um círculo de amigos diante da sala de ensaios sob a sombra de um carvalho que protegera gerações de integrantes geeks da banda. A última vez que eu comia pizza na cantina com Ben. A última vez que me sentava na escola, rabiscando uma redação em um caderno azul e sentindo cãibras na mão. A última vez que eu conferia a hora no relógio. A última vez que via Chuck Parson rondando pelos corredores, um sorrisinho no rosto. Meu Deus. Eu estava me tornando nostálgico a respeito de Chuck Parson. Algo de muito errado estava acontecendo dentro de mim.

Deve ter sido assim para Margo também. Com todo aquele planejamento, ela devia saber que estava indo embora, e nem mesmo ela era capaz de ficar completamente imune a essa sensação. Ela vivera bons momentos ali. E no último dia é difícil recordar os momentos ruins, pois, de um jeito ou de outro, ela havia passado uma vida ali dentro, assim como eu. A cidade era de papel, mas as memórias, não. Todas as coisas que eu tinha feito ali, todo o amor, a pena, a compaixão, a violência e o desprezo estavam aflorando em mim. Aquelas paredes de tijolo de concreto pintado de branco. Minhas paredes brancas. As paredes brancas de Margo. Fomos prisioneiros delas por muito tempo, presos em sua barriga feito Jonas na baleia.

Ao longo do dia, fiquei pensando se talvez não tivesse sido essa sensação o motivo de ela ter planejado tudo de modo tão intricado e preciso: mesmo que se queira ir embora, é muito difícil. É necessário preparar-se, e talvez ficar sentada naquele centro comercial rabiscando seus planos fosse um exercício tanto intelectual quanto emocional – o jeito de Margo de se imaginar abraçando seu destino.

Ben e Radar tinham ainda uma maratona de ensaios com a banda, para terem certeza de que mandariam bem na hora de tocar "Pompa e circunstância" durante a colação de grau. Lacey me ofereceu uma carona, mas eu resolvi limpar meu armário, porque realmente não queria ter que voltar ali e sentir meus pulmões se afogando de novo na nostalgia perversa.

Meu armário estava um chiqueiro legítimo – metade lata de lixo, metade depósito de livros. Eu lembrava que no armário dela todos os livros estavam organizadinhos quando Lacey o abriu, como se ela fosse voltar para o colégio no dia seguinte. Peguei uma lata de lixo, puxei para junto da fileira de armários e abri minha porta. Comecei recolhendo uma foto minha com Radar e Ben fazendo palhaçadas. Guardei na mochila e iniciei o processo desagradável de recordar um ano de porcaria acumulada – chiclete embrulhado em papel, canetas sem tinta, guardanapos engordurados – e jogar tudo no lixo. O tempo todo, pensei: *Nunca mais vou fazer isso de novo, nunca mais vou voltar aqui, este nunca mais vai ser meu armário, Radar e eu nunca mais vamos trocar bilhetes durante a aula de cálculo, nunca mais vou ver Margo neste corredor de novo.* Aquela foi a primeira vez na minha vida em que tantas coisas nunca mais iriam acontecer.

E finalmente aquilo foi demais para mim. Eu não era capaz de afastar aquela sensação, e a sensação estava se tornando insuportável. Enfiei a mão bem fundo no armário e puxei tudo para a lata de lixo – fotos, bilhetes, livros. Deixei o armário aberto e fui embora. Assim que passei diante da sala de ensaios, ouvi o som abafado de "Pompa e circunstância" através da parede. Continuei caminhando. Estava quente lá fora, porém menos que o habitual. Estava suportável. *Tem calçadas em quase todo o caminho até em casa*, pensei. Então continuei caminhando.

E, por mais paralisantes e perturbadores que fossem os "nunca mais", o ato de sair pela última vez do colégio foi perfeito. Puro. A forma mais destilada possível de libertação. Tudo o que mais importava, exceto por uma foto ruim, estava na lata de lixo, mas a sensação era fantástica. Comecei a correr, querendo me distanciar ainda mais do colégio.

É muito difícil ir embora — até você ir embora de fato. E então ir embora se torna simplesmente a coisa mais fácil do mundo.

Enquanto corria, sentia que estava me transformando em Margo pela primeira vez. Eu sabia: *ela não está em Orlando. Não está na Flórida.* Ir embora é muito bom, uma vez que você vai. Se eu estivesse em um carro, e não a pé, talvez também tivesse seguido viagem. Ela havia partido e não iria voltar para a colação de grau ou para coisa nenhuma. Eu tinha certeza disso agora.

Estou indo embora, e o ato de ir embora é tão empolgante que sei que nunca mais vou voltar. Mas e depois? Você continua simplesmente indo embora dos lugares, abandonando-os, vadiando uma jornada perpétua?

Ben e Radar passaram por mim no PNC a uns quatrocentos metros de Jefferson Park. Ben pisou no freio no meio da Lakemont, apesar do trânsito, e eu corri para dentro do carro. Eles queriam jogar *Resurrection* lá em casa, mas tive de negar, porque eu estava mais perto do que nunca.

20

Durante toda a noite de quarta-feira e todo o dia de quinta, tentei usar minha nova compreensão sobre Margo para encontrar algum significado nas pistas que eu possuía – alguma relação entre o mapa e os guias de viagem, ou alguma conexão entre Whitman e o mapa que me permitisse compreender o roteiro dela. No entanto, cada vez mais eu me sentia como se ela tivesse ficado fascinada demais pelo prazer de ir embora para deixar uma trilha de migalhas de pão. E, se fosse esse o caso, o mapa que ela jamais pretendera que víssemos talvez fosse nossa melhor chance de encontrá-la. Mas nenhum dos lugares marcados nele era específico o bastante. Mesmo o ponto em Catskill Park, que me interessava por ser o único que não ficava em uma metrópole, nem estava perto de uma, era grande e populoso demais para se encontrar uma pessoa sozinha. Havia referências a lugares na cidade de Nova York na "Canção de mim mesmo", mas eram lugares demais para rastrear. Como você localiza com precisão um ponto em um mapa quando o ponto parece estar andando de uma metrópole a outra?

* * *

Eu já estava acordado, folheando os guias de viagem, quando meus pais entraram em meu quarto na sexta-feira de manhã. Eles raramente entravam juntos em meu quarto, então senti uma pontada de enjoo – talvez tivessem notícias ruins a respeito de Margo – antes de me lembrar que era o dia da colação de grau.

– Pronto, filho?

– Pronto. Quer dizer, não é nada de mais, mas vai ser legal.

– Você só se forma no colégio uma única vez – disse minha mãe.

– Eu sei – respondi. Eles se sentaram na cama, de frente para mim. Notei uma troca de olhares e uma risada. – O que foi? – perguntei.

– Bem, a gente queria dar seu presente de formatura – disse minha mãe. – Estamos muito orgulhosos de você, Quentin. Você é a maior conquista de nossa vida, e este dia é tão importante para você, e nós... Você é um rapaz e tanto.

Sorri e olhei para baixo. Então me pai me entregou um pacotinho bem pequeno, embrulhado em papel de presente azul.

– Não – falei, pegando o presente da mão dele.

– Vá, abra.

– Não brinquem – falei, olhando para o pacote.

Era do tamanho de uma chave. Tinha o peso de uma chave. Quando sacudi, ouvi um barulho de chave.

– Abra logo, meu amor – incentivou minha mãe.

Rasguei o papel. UMA CHAVE! Olhei bem de perto. A chave de um Ford! Ninguém lá em casa tinha um Ford.

– Vocês compraram um carro para mim?!

– Isso mesmo – disse meu pai. – Não é novo, mas só tem dois anos de uso e apenas trinta e dois mil quilômetros rodados.

Dei um pulo e abracei os dois.

– É meu?

– É! – quase gritou minha mãe.

Eu tinha um carro! Um carro! Todinho meu!

Desenrosquei-me de meus pais e saí gritando *obrigado, obrigado, obrigado, obrigado, obrigado, obrigado* enquanto cruzava a sala de estar e arreganhava a porta da frente só de cueca e camiseta. E ali, parada na entrada de carros de casa, com um laçarote azul enorme, havia uma minivan Ford.

Eles me deram uma minivan. Eles podiam ter escolhido qualquer carro, mas escolheram uma minivan. Uma minivan. Ó, Deus da Justiça Automobilística, por que zombas de mim? Minivan, seu albatroz morto em torno do meu pescoço! Maldita marca de Caim! Seu monstro abominável de teto alto e motor de poucos cavalos!

Eu me virei, tentando manter a pose, e disse:

— Obrigado, obrigado, obrigado! — Embora na certa não soasse mais tão entusiasmado, já que estava fingindo.

— Ah, a gente sabia quanto você gostava de dirigir minha minivan — disse minha mãe.

Os dois estavam radiantes — obviamente convencidos de que tinham me proporcionado o transporte dos meus sonhos.

— É ótimo para levar os amigos! — acrescentou meu pai.

E pensar que aqueles dois são especialistas em analisar e compreender a psique humana.

— Escute — disse meu pai —, a gente tem que sair logo se quiser arrumar lugares bons.

Eu não tinha tomado banho, nem me vestido, nem nada. Bem, não que eu fosse de fato me *vestir*, mas ainda assim...

— Eu só preciso chegar lá por volta de meio-dia e meia — falei. — Preciso me arrumar.

— Bem — Meu pai franziu a testa —, eu queria ficar lá na frente, para poder tirar fo...

— Eu posso ir no MEU CARRO — interrompi. — Eu posso ir SOZINHO, no MEU CARRO. — E abri um sorriso enorme.

— Eu sei! — disse minha mãe, animada.

E peraí... No final das contas, um carro não deixa de ser um carro. Dirigir minha própria minivan certamente era uma evolução em relação a dirigir a minivan alheia.

Voltei para o computador e contei a Radar e Lacey (Ben não estava on-line) sobre a minivan.

OMNICTIONARIAN96: Na verdade, é uma excelente notícia. Posso passar aí e colocar um isopor na mala do carro? Vou ter que levar meus pais para a colação e não quero que eles vejam.
QRESURRECTION: Claro, o carro está destrancado. Isopor para quê?
OMNICTIONARIAN96: Bem, já que ninguém bebeu na minha festa, sobraram 212 garrafas de cerveja, e a gente vai levar tudo para a festa da Lacey amanhã à noite.
QRESURRECTION: 212 garrafas?
OMNICTIONARIAN96: O isopor é grande.

E então Ben apareceu no chat, GRITANDO que ele já tinha tomado banho e estava pelado, e que só precisava colocar a beca e o capelo. Estávamos todos conversando sobre nossa colação de grau nua. Depois que todo mundo desligou para terminar de se arrumar, entrei no chuveiro e fiquei parado para que a ducha batesse diretamente no rosto, e comecei a pensar enquanto a água me acertava. Nova York ou Califórnia? Chicago ou Washington? Agora eu podia ir também, pensei. Tinha um carro, assim como ela. Podia ir para os cinco pontos do mapa e, mesmo que não a encontrasse, seria mais divertido do que passar outro verão escaldante em Orlando. Mas não. É como invadir o SeaWorld. É necessário um plano perfeito, e então você o executa com precisão e depois... nada. É só o Sea-

World, só que mais escuro. Foi o que ela me disse: o prazer não está na execução; o prazer está no planejamento.

E foi nisso que pensei enquanto ficava ali, de pé debaixo do chuveiro: o planejamento. Ela sentada no centro comercial abandonado com seu caderno, planejando. Talvez estivesse planejando uma viagem, usando o mapa para imaginar as rotas. Ela lê o livro de Whitman e ilumina a frase "Vadio uma jornada perpétua" porque esse é o tipo de coisa que gosta de se imaginar fazendo, o tipo de coisa que gosta de planejar.

Mas é esse o tipo de coisa que ela realmente gosta de *fazer*? Não. Porque Margo conhece o segredo de ir embora, o segredo que só agora eu havia descoberto: ir embora é uma sensação boa e pura apenas quando você abandona uma coisa importante, algo que tinha um significado. Arrancando a vida pela raiz. Mas só se pode fazer isso quando sua vida já criou raízes.

E assim, quando ela foi embora, se foi para sempre. Mas eu não conseguia acreditar que ela havia saído para uma jornada perpétua. Eu tinha certeza de que ela havia seguido para algum lugar — um lugar onde pudesse permanecer por tempo suficiente para que ele se tornasse importante, por tempo suficiente para que a próximo partida fosse tão boa quanto a última. *Existe um canto no mundo, um lugar bem longe daqui, onde ninguém sabe o que "Margo Roth Spiegelman" significa. E Margo está nesse canto, escrevendo em seu caderninho preto.*

A água começou a ficar fria. Eu nem tinha tocado no sabonete, mas saí do banho mesmo assim, enrolei uma toalha na cintura e me sentei diante do computador.

Abri o e-mail de Radar sobre seu programa no Omnictionary e baixei o plug-in. Era bem legal. Primeiro digitei um código postal do centro de Chicago e cliquei em "localização", e então estabeleci um raio de trinta quilômetros. O programa gerou cem resultados, desde Navy Pier até Deerfield. A primeira frase de cada artigo apareceu em minha tela, e eu li todas em cinco minutos. Nada me saltou aos olhos. Então tentei um código postal próximo de Catskill Park, no estado de Nova York. Menos resultados dessa vez, oitenta e dois, organizados por cronologia crescente de publicação no Omnictionary. Comecei a ler:

> *Woodstock, Nova York*, é uma cidade no condado de Ulster, em Nova York, talvez mais conhecida pelo festival homônimo [ver *Festival de Woodstock*], de 1969, evento de três dias que incluiu shows de músicos como Jimi Hendrix e Janis Joplin, mas que na verdade aconteceu em uma cidade vizinha.
>
> O *Lago Katrine* é um pequeno lago no condado de Ulster, em Nova York, frequentemente visitado por Henry David Thoreau.
>
> O *Catskill Park* abrange uma área de setecentos mil acres nas montanhas Catskill e é administrado em conjunto pelos governos local e estadual, sendo que a prefeitura de Nova York detém cinco por cento do terreno e obtém a maior parte de seu abastecimento de água dos reservatórios do parque.
>
> *Roscoe, Nova York*, é uma vila no Estado de Nova York que, de acordo com censo recente, contém duzentas e sessenta e uma residências.
>
> *Agloe, Nova York*, é uma cidade fictícia criada pela Esso no início dos anos 1930 e inserida nos mapas turísticos como uma forma de identificar plágios e violações de *copyright*, ou seja, uma cidade de papel.

Cliquei no link e abri o artigo completo, que continuava da seguinte forma:

> Localizada no cruzamento de duas estradas de terra imediatamente ao norte de Roscoe, no estado de Nova York, Agloe foi criada pelos cartógrafos Otto G. Lindberg e Ernest Alpers, que inventaram uma cidade cujo nome era um anagrama de suas iniciais. Armadilhas para identificar violações de *copyright* fazem parte do mundo da cartografia há séculos. Diversos cartógrafos criaram pontos de referência, ruas e cidades fictícios e os inseriram secretamente em seus mapas. Caso o local apareça no mapa de outro cartógrafo, fica comprovado que houve plágio do mapa. Tais armadilhas são também conhecidas como armadilhas-chave, ruas de papel ou cidades de papel [ver também *Entradas fictícias*]. Embora poucas empresas desenvolvedoras de mapas admitam sua existência, armadilhas para a identificação de violação de *copyright* ainda aparecem em mapas atuais. Nos anos 1940, a cidade de Agloe, Nova York, começou a aparecer nos mapas de outras empresas. A Esso suspeitou de plágio e preparou diversos processos legais, mas, na verdade, um morador não identificado havia construído um prédio chamado "The Agloe General Store" exatamente no cruzamento que aparecia no mapa da Esso. O prédio, que ainda existe [*carece de fontes*], é o único em Agloe, e a cidade continua a aparecer em muitos mapas e é tradicionalmente identificada com uma população de nenhum habitante.

Todos os artigos do Omnictionary contêm subpáginas nas quais você pode ver as modificações incorporadas ao texto e quaisquer discussões levantadas por membros do Omnictionary a esse respeito. O artigo sobre Agloe não era modificado por ninguém havia quase um ano, mas existia um comentário recente de um usuário anônimo na página de discussões:

> para sua informação, a quem Quer que edite isto – a População de agloe Vai na verdade ser de Um habitante até o dia 29 de Maio ao Meio-dia.

Reconheci o uso das maiúsculas imediatamente. *As regras de letra maiúscula são tão injustas com as palavras que ficam no meio.* Minha garganta quase fechou, mas me obriguei a manter a calma. O comentário tinha sido publicado quinze dias antes. E tinha ficado lá, à minha espera, aquele tempo todo. Olhei para o relógio no computador. Eu tinha menos de vinte e quatro horas.

Pela primeira vez em semanas, ela parecia completa e inegavelmente viva para mim. Ela estava viva. Por pelo menos mais um dia, ela estava viva. Eu havia me concentrado em seu paradeiro por tanto tempo, na tentativa de evitar imaginar obsessivamente se ela estava viva ou não, que não fiz ideia de quão aterrorizado estivera até aquele momento. Mas, meu Deus do céu! Ela estava viva.

Dei um pulo, deixei a toalha cair e liguei para Radar. Segurei o telefone entre o ombro e o pescoço enquanto colocava uma cueca e então uma bermuda.

– Descobri o que significa cidades de papel! Você está com seu tablet?

– Estou. Mas, cara, você já tinha que estar aqui. Eles estão prestes a arrumar a gente em fila.

E ouvi Ben gritar junto ao telefone:

– E avisa a ele que é melhor que ele esteja pelado!

– Radar – falei, tentando transmitir a importância da situação –, dê uma olhada no artigo sobre Agloe, Nova York. Entendeu?

— Entendi. Estou lendo. Aguenta aí. Uau. Uau. Será que é o ponto do mapa em Catskill?

— Eu acho que é. É muito perto. Veja a página de discussão.

— ...

— Radar?

— Meu Deus!

— Eu sei, eu sei! — gritei.

Não ouvi a resposta dele porque estava vestindo uma camiseta, mas quando coloquei o telefone de volta na orelha o ouvi falando com Ben. Simplesmente desliguei.

Pesquisei na internet como ir de carro de Orlando até Agloe, mas o aplicativo de mapas nunca tinha ouvido falar do lugar, então procurei por Roscoe. De acordo com o aplicativo, se eu dirigisse a uma velocidade média de cem quilômetros por hora, levaria dezenove horas e quatro minutos para chegar lá. Eram duas e quinze da tarde. Eu tinha vinte e uma horas e quarenta e cinco minutos. Imprimi as indicações de trajeto, peguei as chaves da minivan e tranquei a porta de casa.

— São dezenove horas e quatro minutos de viagem — falei ao telefone. Era o celular de Radar, mas foi Ben quem atendeu.

— E o que você vai fazer? — perguntou ele. — Vai pegar um avião?

— Não, não tenho dinheiro suficiente e, de qualquer forma, fica a oito horas de Nova York. Então vou de carro.

De repente, Radar pegou o telefone de volta:

— Quanto tempo de viagem?

— Dezenove horas e quatro minutos.

— Segundo quem?

— Google Maps.

— Droga — disse ele. — Nenhum desses programas de mapa faz o cálculo considerando o trânsito. Já ligo de volta. E ande logo. A gente precisa entrar na fila agora!

— Eu não vou. Não posso perder tempo — protestei, mas já estava falando sozinho.

Radar me ligou um minuto depois:

— Se você mantiver a velocidade média de cem quilômetros por hora, sem parar, e considerando os padrões habituais de tráfego, deve levar vinte e três horas e nove minutos. O que significa que deve chegar lá pouco depois de uma da tarde, então vai ter que tentar ganhar tempo como puder.

— O quê? Mas...

— Eu não quero ser chato — disse Radar —, mas talvez, neste caso especificamente, a pessoa que está sistematicamente atrasada devia ouvir a pessoa que é sempre pontual. Mas você precisa passar aqui por pelo menos um segundo, senão seus pais vão pirar quando seu nome for chamado e você não aparecer, e também, não que isso seja tão importante assim, mas só para registrar, você está com toda a nossa cerveja.

— Eu obviamente não tenho tempo — respondi.

Ben se aproximou do telefone:

— Deixe de ser babaca. Você vai perder cinco minutos.

— Ok, tudo bem.

Virei à direita depois do sinal e acelerei a minivan em direção ao colégio — ela tinha mais arranque que a da minha mãe, mas não muito mais. Cheguei ao ginásio em três minutos. Não estacionei, só larguei o carro no meio do estacionamento e saltei. Enquanto disparava em direção ao ginásio, vi três figuras de beca vindo em minha direção. Dava para ver as pernas compridas de Radar sob a beca esvoaçante ao redor, e Ben ao lado, usando tênis sem meias. Lacey vinha logo atrás deles.

— Peguem a cerveja — falei enquanto passava por eles. — Preciso falar com meus pais.

Os familiares dos formandos estavam nas arquibancadas, e eu corri umas duas vezes de um lado a outro da quadra de basquete até ver minha mãe e meu pai mais ou menos no meio da arquibancada. Estavam acenando para mim. Subi os degraus de dois em dois, então estava um pouquinho sem fôlego quando me ajoelhei ao lado deles e disse:

— Certo, eu não vou [*arf*] participar da colação, porque [*arf*] acho que descobri onde Margo está e [*arf*] eu simplesmente preciso ir, estou com meu celular ligado [*arf*], e, por favor, não fiquem bravos comigo, e obrigado de novo pelo carro.

Minha mãe agarrou meu pulso e disse:

— O quê? Quentin, do que você está falando? Acalme-se.

— Estou indo para Agloe, em Nova York — expliquei de novo —, e preciso ir *agora*. Tem toda uma história. Certo, eu preciso ir. Não tenho mais tempo. Estou com o celular. Amo vocês.

Tive de puxar o braço para me soltar. Antes que eles pudessem dizer qualquer coisa, pulei os degraus e corri em direção à minivan. Entrei no carro, o motor ligado, e eu já estava começando a dirigir quando vi Ben no banco do carona.

— Pegue a cerveja e desça logo do carro! — berrei.

— A gente vai com você — disse ele. — Você ia acabar dormindo se tentasse dirigir essa distância toda.

Olhei para trás e vi Lacey e Radar segurando os celulares junto às orelhas.

— Tenho que avisar meus pais — explicou Lacey, digitando no telefone. — Ande logo, Q. Vá, vá, vá, vá, vá, vá.

PARTE TRÊS
O navio

HORA UM

Demora um tempo para todos explicarem aos pais que 1) Nós vamos perder a colação de grau, e que 2) Vamos a Nova York para 3) Ver uma cidade que pode ou não existir e, com alguma sorte, 4) Interceptar um usuário do Omnictionary que, de acordo com o Uso aleatório de Maiúsculas é 5) Margo Roth Spiegelman.

Radar é o último a desligar e, quando enfim consegue, diz:

— Eu gostaria de fazer um comunicado. Meus pais estão muito bravos por eu não estar na minha formatura. Minha namorada também está muito brava, porque a gente tinha programado algo *muito* especial para daqui a umas oito horas. Não quero entrar em detalhes sobre isso, mas é melhor que esta viagem seja realmente muito divertida.

— Sua habilidade em não perder a virgindade é uma inspiração para todos nós — diz Ben ao meu lado.

Encaro Radar pelo retrovisor interno.

— AÊÊÊ! PÉ NA ESTRADA! — grito para ele.

Apesar de tudo, ele sorri. O prazer de ir embora.

Estamos na rodovia I-4, e o trânsito está tranquilo, o que por si só já é praticamente um milagre. Sigo pela faixa da esquerda, dirigindo a cem quilômetros por hora, dez acima do limite de velocidade da estrada, isso porque ouvi dizer que a polícia não multa o carro se o motorista só ultrapassar o limite em dez quilômetros por hora.

Em um instante, todos nós assumimos nossos papéis.

No último banco, Lacey é nossa gerente de recursos. E ela lista em voz alta tudo o que temos para a viagem: metade de um Snickers que Ben estava comendo quando liguei para falar de Margo; duzentas e doze garrafas de cerveja no porta-malas; o itinerário que imprimi do Google Maps; e os seguintes itens na bolsa dela: oito chicletes, um lápis, lenços de papel, três absorventes internos, óculos escuros, brilho labial, as chaves de casa, um cartão de sócio da ACM, um cartão da biblioteca, algumas notas fiscais, trinta e cinco pratas e um cartão fidelidade dos postos de gasolina da BP.

— Que maneiro! — exclama Lacey. — É como se fôssemos pioneiros sem recursos! Mas gostaria que tivéssemos um pouco mais de dinheiro.

— Pelo menos temos o cartão da BP — digo. — Podemos abastecer e comprar comida.

Olho pelo retrovisor interno e vejo Radar, de beca, vasculhando a bolsa de Lacey. A beca é um tanto decotada, então consigo ver um pouco dos pelos encaracolados do peito dele.

— Você não tem nenhuma cueca aí dentro, tem? — pergunta ele.

— Falando sério, é melhor a gente dar uma parada na Gap — acrescenta Ben.

A função de Radar, que ele começa a executar com a calculadora do tablet, é Pesquisa e Cálculos. Ele está sozinho no banco atrás de mim, com o itinerário e o manual do proprietário do carro aberto ao lado. Está calculando a que velocidade precisamos dirigir para chegar a Agloe ao meio-dia do dia seguinte, quantas vezes vamos ter que parar para que a gasolina não acabe, onde, em nossa rota, existem postos BP e quanto tempo vamos perder a cada parada e a cada vez que desacelerarmos para pegar uma saída.

— A gente vai precisar abastecer quatro vezes. E as paradas têm que ser muito curtas. No máximo seis minutos fora da estrada. Vamos passar por três trechos longos de obras, além do trânsito de Jacksonville, Washington e da Filadélfia, embora as estradas de Washington estejam mais vazias quando passarmos por lá umas três da manhã. De acordo com meus cálculos, nossa velocidade média deve ser de cento e quinze quilômetros por hora. A quanto estamos agora?

— Cem — respondo. — O limite é noventa.

— Então vá a cento e quinze — diz ele.

— Não posso. É perigoso e vou levar uma multa.

— Vá a cento e quinze.

Piso fundo no acelerador. Parte da dificuldade reside no fato de eu estar hesitante em dirigir a cento e quinze por hora, a outra parte está no fato de o próprio carro se recusar a andar a cento e quinze por hora. Ele começa a tremer de um jeito que parece indicar que vai cair aos pedaços. Continuo na faixa da esquerda, embora não seja o carro mais veloz da estrada. Me sinto mal por haver gente me ultrapassando pela direita, mas preciso de uma pista vazia, pois, diferentemente dos outros carros na estrada, não posso ir mais devagar. E este é meu papel: dirigir e ficar nervoso. E então percebo que não é a primeira vez que recebo essa função.

E Ben? O papel de Ben é precisar ir ao banheiro. Primeiro parece que sua função principal é reclamar que não temos nenhum CD e que todas as estações de rádio de Orlando são uma porcaria, exceto a estação universitária, que já está fora de alcance. Mas logo ele ignora tudo isso em função de sua verdadeira vocação: precisar ir ao banheiro.

— Eu preciso ir ao banheiro — diz ele às 3h06 da tarde.

Estamos na estrada há quarenta e três minutos. Temos aproximadamente um dia de viagem pela frente.

— Bem — diz Radar —, a boa notícia é que vamos parar. A notícia ruim é que vai ser daqui a quatro horas e trinta minutos.

— Acho que dá pra segurar — diz Ben. E às 3h10 ele anuncia: — Na verdade, eu realmente preciso mijar. Sério.

Todo mundo no carro responde em coro:

— Aguenta aí.

— Mas eu... — diz ele.

— Aguenta aí! — responde todo mundo de novo.

Está engraçado, por enquanto, com Ben precisando ir ao banheiro e a gente precisando fazê-lo segurar. Ele ri e reclama que rir só faz com que precise ainda mais ir ao banheiro. Lacey se estica e começa a fazer cosquinha na lateral da barriga dele. Ele ri e reclama, e eu também rio, mantendo a velocidade de cento e quinze quilômetros por hora. Me pergunto se Margo criou esta viagem para nós de propósito ou por acaso — e, qualquer que seja a resposta, é a coisa mais divertida que já fiz desde a última vez que passei horas atrás do volante de um carro.

HORA DOIS

Ainda estou dirigindo. Agora seguimos para o norte, na rodovia I-95, subindo próximos à costa da Flórida, mas não exatamente nela. O caminho é cercado por pinheiros finos demais para a altura deles, mais ou menos como eu. Mas diante de nós só há a estrada, carros ficando para trás e, uma vez ou outra, carros nos ultrapassando, e tenho sempre que prestar atenção em quem está na frente e quem está atrás, quem se aproxima e quem se afasta.

Lacey e Ben estão sentados no mesmo banco, e Radar está na parte de trás, e eles começam a jogar uma versão retardada de "Adivinhação" na qual só é permitido adivinhar coisas que não podem ser vistas fisicamente.

— O que é, o que é... algo tragicamente descolado? — diz Radar.

— É o meio sorriso de Ben? — pergunta Lacey.

— Não — diz Radar. — E pare de ser tão melosa com Ben. É nojento.

— É a ideia de ficar pelado debaixo da beca e então ter que viajar de carro até Nova York, enquanto todo mundo nos outros carros acha que você está de vestido?

— Não — diz Radar. — Isso é apenas trágico.

— Um dia vocês vão aprender a gostar de vestidos. — Lacey sorri. — É legal sentir o ventinho.

— Já sei, já sei! — digo do banco do motorista. — É uma viagem de vinte e quatro horas em uma minivan. É descolado porque viagens de carro são sempre descoladas; é trágico porque o gás carbônico que o carro está emitindo vai destruir o planeta.

Radar diz que não, e eles continuam tentando adivinhar. Sigo dirigindo a cento e quinze quilômetros por hora, torcendo para não levar uma multa e jogando "Adivinhação Metafísica". E descobrimos que a coisa tragicamente descolada é não termos devolvido nossas becas alugadas a tempo. Passo a toda por um carro de polícia estacionado no canteiro central da rodovia. Aperto o volante com força, certo de que ele vai seguir o carro e nos mandar encostar. Mas ele não faz nada. Talvez saiba que só estou indo rápido porque é realmente necessário.

HORA TRÊS

Ben voltou para o banco do carona. Ainda estou dirigindo. Estamos todos com fome. Lacey distribui um chiclete para cada um, o que não dá nem para o começo. Ela está fazendo uma lista gigantesca com tudo que vamos comprar no BP em nossa primeira parada. É melhor que seja um posto muito bem abastecido, pois vamos fazer a limpa.

Ben está balançando as pernas sem parar.

— Dá para parar com isso?

— Já faz três horas que estou com vontade de ir ao banheiro.

— Você já falou isso.

— Dá para sentir o xixi chegando até as minhas costelas — diz ele. — Estou literalmente cheio de xixi. Cara, neste instante, setenta por cento do meu corpo é feito de xixi.

— Ahã — respondo, mal abrindo um sorriso. É engraçado e tal, mas estou cansado.

— Eu estou prestes a chorar, e vou chorar xixi.

Dessa vez funciona. Rio um pouco.

Quando olho para Ben de novo alguns minutos depois, ele está com uma das mãos na virilha, apertando a beca com força.

— Que diabos...? — pergunto.

— Cara, eu *preciso* mijar. Estou tentando me segurar aqui. — E então ele se vira para trás: — Radar, quanto mais até o posto?

— Ainda faltam uns duzentos e trinta quilômetros para conseguirmos manter o máximo de quatro paradas, o que significa mais ou menos uma hora, cinquenta e oito minutos e trinta segundos, se Q mantiver a velocidade.

— Estou mantendo a velocidade! — grito.

Já estamos ao norte de Jacksonville, nos aproximando da Geórgia.

— Não vai rolar, Radar. Ache alguma coisa em que eu possa mijar.

E todo mundo grita junto: NÃO. De jeito nenhum. Segura a onda aí, como um homem. Como uma dama vitoriana protege seu hímen. Com dignidade e graça, como o presidente dos Estados Unidos deve zelar pelo futuro do mundo livre.

— ALGUÉM ME DÊ ALGUMA COISA OU VOU MIJAR NESTE BANCO. RÁPIDO!

— Ai, caramba — diz Radar, soltando o cinto de segurança. Ele pula para a parte de trás e abre o isopor no porta-malas. Então volta para o banco, se inclina para a frente e passa uma cerveja para Ben.

— Graças a Deus essa não precisa de abridor — diz Ben, usando a beca para ajudar a abrir a garrafa.

Ele baixa o vidro e, pelo retrovisor do carona, eu vejo a cerveja sendo derramada na pista. Ben dá um jeito de colocar a garrafa debaixo da beca sem expor as supostamente maiores bolas do mundo, e nós ficamos aqui, sentados, aguardando, com nojo demais para olhar.

— Não dá mesmo para segurar? — estava dizendo Lacey quando ouvimos o barulhinho.

Trata-se de um som que eu nunca tinha ouvido, mas reconheço do mesmo jeito: o barulho de xixi batendo no fundo de uma garrafa. É quase musical. Uma música repugnante e muito agitada. Olho para o lado e vejo o alívio nos olhos de Ben. Ele está sorrindo, olhando para o horizonte.

— Quanto mais você espera, melhor é a sensação — diz ele.

O som muda logo em seguida de xixi batendo na garrafa para gotejar de xixi em cima de xixi. E, lentamente, o sorriso no rosto de Ben desaparece.

— Cara, acho que vou precisar de outra garrafa — diz ele, de repente.

— Outra garrafa, RÁPIDO — grito.

— Outra garrafa chegando!

Em um segundo vejo Radar se debruçando sobre o banco traseiro, a cabeça enfiada no isopor, tirando outra garrafa do gelo. Ele a abre sem usar a beca, baixa um pouco o vidro e joga a cerveja pela janela. Então se inclina para a frente, coloca a cabeça no vão entre os bancos e estende a garrafa para Ben, que está olhando ao redor, em pânico.

— Hum... a troca vai ser um tanto complicada — diz ele.

Desajeitado, ele se atrapalha um pouco, as mãos debaixo da beca, e eu fico tentando não imaginar o que está acontecendo quando surge uma garrafa de Miller Lite cheia de xixi (e que surpreendentemente se parece muito com Miller Lite). Ben coloca a garrafa cheia no porta-copos do carro, pega a garrafa vazia das mãos de Radar e suspira de alívio.

Enquanto isso, o restante de nós fica a contemplar o xixi no porta-copos. A estrada não é particularmente acidentada, mas o carro deixa a desejar em estabilidade, então o xixi balança dentro da garrafa.

— Ben, se você sujar meu carro novinho, eu vou cortar suas bolas.

Ainda mijando, Ben se vira para mim com um meio sorriso no rosto:

— Cara, você vai precisar de uma faca e tanto.

E então finalmente ouço o barulho do fluxo diminuir. Ele termina e em um movimento rápido joga a segunda garrafa pela janela. A primeira vai logo depois.

Lacey finge que está com ânsia de vômito – ou talvez esteja mesmo.

– Você acordou hoje de manhã e bebeu setenta litros d'água? – pergunta Radar.

Mas Ben está radiante. Erguendo os punhos no ar, triunfante, e gritando:

– Nem uma gotinha no banco! Meu nome é Ben Starling. Primeiro clarinete na banda da WPHS. Recordista de *keg stand*. Campeão mundial de mijada no carro. Eu deixo todo mundo boladão! Eu sou o maioral!

Trinta e cinco minutos depois, quando estamos quase totalizando três horas de viagem, Ben pergunta baixinho:

– Quando é mesmo que a gente vai parar?

– Daqui a uma hora e três minutos, se Q mantiver a velocidade – responde Radar.

– Beleza – diz Ben. – Porque eu preciso ir ao banheiro.

HORA QUATRO

Pela primeira vez, Lacey pergunta:

— Manhê, a gente já tá chegando?

Todo mundo ri. No entanto, *ainda* estamos na Geórgia, um estado que amo de paixão por um único motivo: o limite de velocidade é de cento e dez quilômetros por hora, o que significa que posso aumentar a velocidade para cento e vinte. Fora isso, a Geórgia me lembra da Flórida.

Passamos a última hora nos preparando para a primeira parada. É uma parada importante porque estou muito, muito, muito, muito faminto e desidratado. Por algum motivo, falar da comida que vamos comprar no posto alivia a fome. Lacey entrega uma lista de compras para cada um de nós, escrita em letrinhas pequenas no verso das notas fiscais que ela achou na bolsa. Ela faz com que Ben se incline para fora da janela do carona, para ver de que lado fica a bomba de gasolina. E nos obriga a decorar nossa lista e nos testa depois. Falamos sobre a parada um monte de vezes; ela precisa ser bem executada, exatamente como em um *pit stop* de corrida de carros.

— Mais uma vez — pede Lacey.

— Eu sou o frentista — diz Radar. — Depois que começar a encher o tanque, corro até a lojinha, muito embora eu devesse ficar ao lado da bomba de gasolina o tempo todo, e passo o cartão para você. Depois volto para o carro.

— Eu entrego o cartão para o cara do caixa — diz Lacey.

— Ou moça — acrescento.

— Não importa — responde Lacey.

— Só estou dizendo... Não seja tão machista.

— Ah, tanto faz, Q. Eu entrego o cartão para a pessoa do caixa. E digo a ele ou a ela para passar nesse cartão tudo o que a gente pegar. E então vou ao banheiro.

— Enquanto isso — acrescento —, levo tudo o que estiver na minha lista para o caixa.

— E eu estarei mijando — diz Ben. — Quando terminar, pego as coisas da minha lista.

— O mais importante é pegar umas camisetas — lembra Radar. — As pessoas estão olhando esquisito para mim.

— Aí eu assino o recibo quando sair do banheiro — diz Lacey.

— E assim que o tanque estiver cheio, vou entrar no carro e ir embora, então é melhor vocês três estarem de volta a tempo. Porque eu vou embora mesmo. Vocês têm seis minutos — avisa Radar.

— Seis minutos — digo, concordando com a cabeça.

E Lacey e Ben também repetem:

— Seis minutos.

— Seis minutos.

Às 5h35, faltando mais de mil e quatrocentos quilômetros, Radar nos avisa que, de acordo com seu tablet, haverá um posto da BP na próxima saída.

Assim que entro no posto de gasolina, Lacey e Radar estão encolhidos junto à porta de correr. Ben, já sem o cinto de segurança, está com uma das mãos na maçaneta e a outra apoiada no painel. Mantenho a maior velocidade possível pelo máximo de tempo, e então freio junto à bomba de gasolina. A minivan para com um solavanco e a gente sai voando pelas portas. Radar e eu nos cruzamos na frente do carro; jogo as chaves para ele e corro para a lojinha do posto. Lacey e Ben chegam antes de mim, mas por pouco. Enquanto Ben dispara para o banheiro, Lacey explica para a mulher grisalha (é uma mulher!) que vamos comprar um monte de coisas, que estamos com muita pressa e que ela tem que passar tudo que a gente trouxer para o caixa no cartão fidelidade da BP. A mulher parece um pouco assustada, mas concorda. Radar entra correndo, a beca sacudindo, e entrega o cartão para Lacey.

Enquanto isso, eu corro pela loja, pegando tudo da minha lista. Lacey está na seção de bebidas; Ben, na de itens não perecíveis; eu, na de comida. Faço a limpa como se eu fosse um guepardo e os pacotes de salgadinhos, gazelas feridas. Jogo um punhado de batatas fritas, tirinhas de carne-seca e amendoim no balcão e corro para a prateleira de doces. Um pacote de Mentos, outro de Snickers e – ah, não está na lista, mas que se dane, eu amo balinhas Nerds, então acrescento três caixinhas de Nerds. Corro de volta e sigo para o balcão de frios, que é composto basicamente por sanduíches velhos de peito de peru que parecem muito com presunto. Pego dois. No caminho de volta para o caixa, agarro dois pacotes de bala de caramelo, um pacote de Twinkies e um número indefinido de barrinhas de cereal. Volto para o caixa. Ben está de beca diante da mulher, entregando a ela algumas camisetas e óculos de sol baratos. Lacey está carregando refrigerantes, energéticos e garrafas de água. Garrafas grandes, do tipo que nem o Ben consegue encher de xixi.

– UM MINUTO! – grita Lacey, e eu entro em pânico.

Estou correndo em círculos, passando os olhos pelas prateleiras, tentando me lembrar do que está faltando. Dou uma olhada na lista. Parece que já peguei tudo, mas fico com a sensação de que esqueci algo importante. O que é? *Vamos lá, Jacobsen.* Batatas fritas, doces, peito de peru que parece presunto, sanduíches de pasta de amendoim e geleia e... o quê? Quais são os outros grupos alimentares? Carne, batata, doces e, e, e, e queijo!

— BISCOITOS! — digo um pouco alto demais e corro para aquela seção, pegando alguns pacotes sabor queijo e pasta de amendoim, e mais uns cookies por via das dúvidas, então corro de volta para o caixa e jogo tudo no balcão.

A moça já empacotou tudo em quatro sacolas. Quase cem dólares de compras, sem contar a gasolina. Vou levar o verão inteiro para pagar os pais de Lacey.

Há apenas um momento de pausa, quando a mulher atrás do caixa passa o cartão de Lacey. Dou uma conferida no relógio. Temos vinte segundos para sair. Finalmente ouço a impressão do recibo. A mulher tira o papelzinho da máquina, Lacey rabisca seu nome, e então Ben e eu agarramos as sacolas e corremos de volta para o carro. Radar faz o motor roncar como que para dizer *andem logo*, e nós corremos pelo estacionamento, a beca de Ben flutuando ao vento como se ele fosse uma espécie de bruxo das trevas, só que com as pernas brancas e os braços cheios de sacolas de compras. Consigo ver as batatas da perna de Lacey sob o vestido, os músculos contraídos devido à corrida. Não sei com o que eu me pareço, mas sei como me sinto: Jovem. Estúpido. Infinito. Lacey e Ben se jogam pelas portas laterais do carro. Mergulho atrás deles, aterrissando em um monte de sacolas plásticas e no colo de Lacey. Radar acelera enquanto fecho a porta de correr e então dispara pelo estacionamento, deixando uma marca de pneu no asfalto pela primeira vez na história das minivans. Radar pega o acesso para a estrada a uma velocidade considerada pouco segura por algumas pessoas e então entra de novo na rodovia. Estamos quatro segundos adiantados no cronograma. E como em um *pit stop* da Nascar, a gente comemora com *high-fives* e tapinhas nas costas. Temos suprimentos. Ben tem lugares o suficiente em que urinar. Eu tenho minhas tirinhas de carne-seca. Lacey tem seus Mentos. Radar e Ben têm camisetas para usar por cima da beca. A minivan se tornou uma biosfera – nos dê gasolina e seguiremos para sempre.

HORA CINCO

Certo, talvez não tenhamos tantos suprimentos assim. Na correria, Ben e eu cometemos alguns (embora não fatais) errinhos. Com Radar sozinho no banco da frente, Ben e eu nos sentamos atrás dele e começamos a desempacotar, passando todos os itens para Lacey na parte de trás do carro. Lacey, por sua vez, organiza as compras em pilhas seguindo uma lógica que só ela é capaz de entender.

— Por que os remédios para gripe não estão junto com os analgésicos? — pergunto. — Os remédios não deveriam ficar todos juntos?

— Q, meu amor, você é menino. Não sabe fazer essas coisas. O analgésico fica junto com os chocolates e o Mountain Dew porque todos eles contêm cafeína e ajudam a nos manter *acordados*. O remédio para gripe fica com as tirinhas de carne-seca porque dá tanto sono quanto comer carne.

— Impressionante — digo.

Depois que entrego a Lacey o último pacote de minha sacola, ela pergunta:

— Q, cadê as comidas... hum... saudáveis?

— O quê?

Lacey pega uma cópia da lista que ela escreveu para mim e lê em voz alta:

— Banana. Maçã. Frutas secas. Uva-passa.

— Ah — digo. — É verdade. O último grupo alimentar *não* era biscoito.

— Q! — diz ela, furiosa. — Eu não posso comer nada disso!

Ben coloca a mão no ombro dela.

— Mas você pode comer os cookies. Eles não fazem mal. São caseiros.

Lacey bufa, tirando uma mecha de cabelo do rosto. Parece realmente irritada.

— E tem as barrinhas de cereal — digo a ela. — São ricas em vitaminas.

— É, vitaminas e trinta gramas de gordura pura — responde ela.

— Ei, nada de falar mal das barrinhas de cereal — diz Radar lá da frente. — Você quer que eu pare o carro?

— Sempre que como uma barrinha de cereal — diz Ben —, eu penso: "Então esse é o gosto do sangue para os mosquitos."

Abro uma barrinha sabor brownie até a metade e a seguro diante do rosto de Lacey.

— Sinta só o cheiro — digo. — Sinta o cheiro delicioso das vitaminas.

— Eu vou ficar gorda.

— E espinhenta — acrescenta Ben. — Não se esqueça das espinhas.

Lacey tira a barrinha da minha mão e, relutante, dá uma mordida. Ela precisa fechar os olhos para esconder o prazer orgástico inerente ao se saborear uma barrinha de cereal sabor brownie.

— Ai. Meu. Deus. Tem gosto de esperança.

* * *

Enfim, desempacotamos a última sacola. Ela contém duas camisetas grandes, com as quais Radar e Ben parecem muito animados porque significa que eles podem virar garotos que usam camisetas enormes por cima de becas ridículas, em vez de só garotos que usam becas ridículas.

Mas, quando Ben desdobra as camisetas, percebemos dois pequenos problemas. Primeiro, aparentemente, uma camiseta grande em uma loja de conveniência da Geórgia não é do mesmo tamanho que uma camiseta grande da Old Navy, por exemplo. A camiseta do posto é gigante – está mais para um saco de lixo do que para uma camiseta. É menor do que as becas, mas não muito. Mas isso não é nada comparado ao segundo problema: ambas estão estampadas com bandeiras enormes da Confederação norte-americana. E sobre elas o lema HERANÇA, NÃO ÓDIO.

— Ah, não. Você não fez isso – diz Radar quando mostro a ele do que estamos rindo. – Ben Starling, é melhor você não ter comprado para mim, seu amigo negro, uma camiseta com um lema racista.

— Eu peguei as primeiras que vi, cara.

— Não venha com "cara" para cima de mim agora – diz Radar, mas ele está sacudindo a cabeça e rindo. Entrego a camiseta a ele, que se contorce para dirigir com os joelhos enquanto a veste. – Tomara que um guarda me pare. Queria muito ver a reação dele ao ver um negro usando uma camiseta da Confederação sobre um vestido preto.

HORA SEIS

Por algum motivo, aquele trecho da I-95 ao sul de Florence, na Carolina do Sul, parecia ser um *point* para motoristas na sexta-feira à noite. Ficamos presos em um engarrafamento por vários quilômetros, e, embora Radar esteja desesperado para ultrapassar o limite de velocidade, ele tem sorte quando consegue ir a mais de cinquenta por hora. Estou no banco do carona, e tentamos não nos preocupar brincando de "Aquele cara é um gigolô", um jogo que inventamos. A ideia é imaginar a vida das pessoas nos carros em volta.

Estamos dirigindo ao lado de uma mulher latina em um Toyota Corolla bem ferrado. Eu a observo na penumbra.

– Largou a família para vir para cá – digo. – Imigrante ilegal. Manda dinheiro para casa na última terça-feira do mês. Tem dois filhos pequenos... o marido viaja muito a trabalho. Ele está em Ohio agora... só passa três ou quatro meses por ano em casa, mas eles ainda se dão muito bem.

Radar se inclina para a frente e dá uma olhada nela por meio segundo.

– Caramba, Q, não seja tão melodramático assim. Ela é secretária de um escritório de advocacia... veja só a roupa dela.

Levou cinco anos, mas já está quase terminando o curso de direito que bancou sozinha. E não tem filhos, nem é casada. Mas tem um namorado. Ele é meio irresponsável. Tem medo de compromisso. Branco, um pouco bolado com essa questão meio *Febre da Selva*.

— Ela está de aliança — o corrijo.

Diferente de Radar, tive bastante tempo para analisá-la. Ela está à minha direita, um pouco abaixo de mim. Consigo vê-la pelo insulfilme, e a observo enquanto ela cantarola alguma música do rádio, os olhos fixos na pista. São tantas pessoas. É tão fácil se esquecer de como o mundo é cheio de pessoas, lotado, e cada uma delas é imaginável e sistematicamente mal interpretada. Acho que esse é um pensamento importante, uma daquelas ideias que o cérebro precisa cozinhar lentamente, na mesma velocidade que as pítons digerem o alimento. Mas, antes que eu possa elaborar um pouco mais, Radar fala:

— Ela só está de aliança para que nenhum pervertido dê em cima dela — explica ele.

— Talvez.

Sorrio, pego o resto da barrinha de cereal no meu colo e dou uma mordida. Permanecemos em silêncio por um tempo, e fico pensando no jeito como você pode enxergar ou deixar de enxergar as pessoas, pensando na janela escura entre mim e essa mulher que ainda está dirigindo bem ao nosso lado, nós dois dentro de carros com janelas e espelhos para todos os lados, enquanto ela se arrasta conosco pela rodovia engarrafada. Quando Radar volta a falar, percebo que ele também estava pensando:

— O lance do "Aquele cara é um gigolô" é que, no final das contas, ele revela mais sobre a pessoa que está imaginando do que sobre a que está sendo imaginada.

— É — concordo. — Eu estava pensando exatamente nisso.

E não consigo deixar de pensar que Whitman, com toda aquela beleza exagerada, talvez estivesse sendo otimista demais. Conseguimos escutar os outros e podemos viajar até eles sem sair do lugar, imaginá-los, e estamos todos interligados por um sistema radicular meio doido, como o das folhas de relva – mas o jogo me faz imaginar se somos realmente capazes de *nos tornar* os outros.

HORA SETE

Finalmente passamos por um caminhão atravessado na pista e voltamos à velocidade normal, mas Radar faz as contas de cabeça e diz que precisamos manter a velocidade média de cento e vinte e cinco quilômetros por hora daqui até Agloe. Já se passou uma hora inteirinha desde que Ben avisou que precisava ir ao banheiro, e o motivo é um só: ele está dormindo. Exatamente às seis da tarde ele tomou um pouco do remédio para gripe. Se deitou no último banco, e então Lacey passou os dois cintos de segurança nele. O que o fez ficar ainda mais desconfortável, mas 1) Era para o próprio bem dele e 2) Todos nós sabíamos que em vinte minutos nenhum desconforto faria diferença, porque ele iria apagar de qualquer jeito. E é assim que ele está agora. Vamos acordá-lo à meia-noite. E eu acabei de colocar Lacey para dormir, às nove da noite, na mesma posição no banco atrás de mim. Vamos acordá-la às duas da manhã. A ideia é dormir em turnos para não ficarmos caindo no sono de manhã, quando estivermos chegando a Agloe.

* * *

A minivan se tornou uma espécie de casa: eu estou no banco do carona, que é a sala de visitas. A meu ver, é o melhor cômodo: tem bastante espaço e o assento é bem confortável.

Sob o banco do carona fica o escritório, que contém o mapa dos Estados Unidos que Ben comprou no posto, o itinerário que eu imprimi da internet e o pedaço de papel no qual Radar fez as contas de velocidade e distância.

Radar está no banco do motorista. A sala de estar. É bem parecida com a sala de visitas, só que você não pode relaxar enquanto está nela. É mais limpa também.

Entre a sala de estar e a sala de visitas, fica o console central, ou a cozinha. É ali que guardamos um vasto estoque de tirinhas de carne-seca, barrinhas de cereal e um energético milagroso chamado Bluefin, que Lacey incluiu na lista de compras. O Bluefin vem em uma garrafinha de vidro toda enfeitada e tem gosto de algodão-doce azul. Também deixa a pessoa mais acordada do que qualquer outra coisa na história da humanidade, embora cause alguns tremeliques. Radar e eu concordamos em continuar bebendo Bluefin até duas horas antes do nosso turno de descanso. O meu começa à meia-noite, quando Ben acordar.

O banco atrás de mim é o primeiro quarto. É o pior quarto, porque fica perto da cozinha e da sala de estar, onde as pessoas estão acordadas e conversando, e de vez em quando o rádio fica ligado.

Atrás dele fica o segundo quarto, que é mais escuro, silencioso e, em geral, muito melhor do que o primeiro.

E no porta-malas fica a geladeira, ou o isopor, que atualmente contém duzentas e dez garrafas de cerveja nas quais Ben ainda não mijou, os sanduíches de peito de peru que parece muito mais com presunto e algumas Cocas.

A casa como um todo tem muitos pontos positivos. É toda acarpetada. Tem ar-condicionado e aquecimento central. Sistema de som em todos os cômodos. É verdade que possui apenas dezesseis metros quadrados de área útil. Mas o layout aberto é imbatível.

HORA OITO

Assim que passamos pela Carolina do Sul, flagro Radar bocejando e insisto em trocar de lugar com ele. Eu gosto de dirigir – e este carro pode até ser uma minivan, mas é *minha* minivan. Radar vai para o primeiro quarto enquanto seguro o volante, pulando depressa sobre a cozinha para assumir o banco do motorista.

Estou descobrindo que viajar ensina muito sobre você mesmo. Por exemplo, nunca pensei que pudesse ser o tipo de pessoa que mija em uma garrafa quase vazia de Bluefin enquanto dirige pela Carolina do Sul a cento e vinte e cinco quilômetros por hora – mas, na verdade, eu sou esse tipo de pessoa. Também nunca soube que quando se mistura um monte de xixi com um restinho de Bluefin, o resultado é uma cor turquesa fosforescente maravilhosa. É tão bonito que tenho vontade de tampar a garrafa e deixá-la no porta-copos para que Lacey e Ben vejam quando acordarem.

Mas Radar discorda de mim.

– Se você não jogar essa merda pela janela agora, termino nossa amizade de onze anos neste instante.

– Não é *merda* – respondo. – É *xixi*.

— Agora — ordena ele.

Então descarto a garrafa. Pelo retrovisor do motorista, vejo-a bater no asfalto e explodir feito um balão cheio d'água. Radar também vê.

— Ai, meu Deus — diz ele. — Espero que esta seja uma daquelas situações traumáticas tão nocivas à minha psique que são bloqueadas completamente da memória.

HORA NOVE

Nunca imaginei que fosse possível ficar enjoado de comer barrinhas de cereal. Mas é. Dou apenas duas mordidas na quarta barrinha do dia e meu estômago já está revirando. Abro o console central e jogo a barrinha de volta lá dentro. Nós nos referimos a esta parte da cozinha como despensa.

— Ah, como eu queria que a gente tivesse umas maçãs — diz Radar. — Deus, como seria gostoso comer uma maçã agora!

Suspiro. Bosta de último grupo alimentar. Para completar, embora eu tenha parado de beber Bluefin há algumas horas, ainda estou cheio de tremeliques.

— Ainda estou com uns tremeliques — digo.

— É — concorda Radar. — Não consigo parar de mexer os dedos. — Olho para baixo. Ele está batucando os dedos nos joelhos silenciosamente. — Estou falando sério. Não consigo mesmo parar.

— Certo, eu ainda não estou cansado, então a gente fica acordado até umas quatro da manhã, depois acorda os dois e dorme até as oito.

— Beleza — diz ele.

Ficamos em silêncio. A estrada está vazia agora; só eu e uns caminhões, e parece que meu cérebro está processando informações onze mil vezes mais rápido do que o normal, e então me dou conta de que o que estou fazendo é muito fácil, de que viajar em uma rodovia interestadual é a coisa mais simples e agradável do mundo: tudo que preciso fazer é me manter no meio da faixa e ter certeza de que ninguém chegue perto demais, ou que eu não chegue perto demais de ninguém, e continuar seguindo. Talvez Margo também tenha passado por isto, mas eu nunca teria me sentido assim se estivesse sozinho.

Até que Radar quebra o silêncio:

— Bem, se a gente não vai dormir até as quatro...

— É, a gente devia abrir outra garrafa de Bluefin — termino a frase por ele.

E é o que a gente faz.

HORA DEZ

Está chegando a hora de pararmos pela segunda vez. São 0h13. Sinto como se meus dedos não fossem dedos; é como se eles fossem movimento. Estou batucando no volante enquanto dirijo.

Depois que Radar localiza o posto BP mais próximo com o tablet, optamos por acordar Lacey e Ben.

— Gente, está quase na hora da parada — digo.

Nenhuma reação.

Radar se vira e coloca a mão no ombro de Lacey.

— Lacey, hora de acordar.

Nada.

Ligo o rádio. Sintonizo em uma estação dedicada a músicas antigas. No momento está tocando "Good Morning", dos Beatles. Aumento o volume. Zero reação. Então Radar aumenta o volume ainda mais. E aí aumenta mais. E, quando chega o refrão, ele começa a cantar junto. E então eu começo a cantar junto. Acho que é meu berro desafinado que, afinal, faz os dois acordarem.

— FAÇA ISSO PARAR! — grita Ben.

Nós diminuímos o volume.

— Ben, a gente vai parar agora. Você precisa mijar?

Ele fica em silêncio por um instante, então nós ouvimos um farfalhar na escuridão lá trás, e eu fico me perguntando se ele tem algum método para verificar se a bexiga está cheia.

— Pensando bem, acho que não — diz ele.

— Beleza, então você fica abastecendo.

— Como único integrante masculino do carro que ainda não mijou aqui dentro, sou o primeiro a ir ao banheiro — diz Radar.

— Shhh — murmura Lacey. — Calem a boca, todos vocês.

— Lacey, você precisa acordar e ir ao banheiro — diz Radar. — A gente vai parar agora.

— Você pode comprar umas maçãs — digo a ela.

— Hum... maçãs — sussurra ela com uma vozinha de criança. — Lacey ama maçãs.

— E depois quem vai dirigir é *você* — diz Radar. — Então é melhor acordar agora.

Ela senta e, em sua voz normal, diz:

— Já isso Lacey não ama tanto assim.

Pegamos a saída, e o posto fica a um quilômetro e meio da estrada, o que não parece tão longe, mas Radar diz que vamos levar uns quatro minutos para chegar lá. Além disso, o trânsito na Carolina do Sul já nos tomou muito tempo, e Radar avisa que vamos passar por obras na estrada em mais ou menos uma hora — e isso pode ser um problemão. Mas não tenho o direito de me preocupar. Lacey e Ben já estão acordados o bastante para esperar junto à porta de correr, como da outra vez, e quando freamos do lado da bomba de gasolina todo mundo pula do carro, e eu jogo as chaves para Ben, que as pega no ar.

Radar e eu passamos depressa pelo cara branco do caixa, até que Radar para ao reparar que o cara o está encarando.

— É isso mesmo — diz ele, sem vergonha alguma. — Estou usando uma camiseta HERANÇA, NÃO ÓDIO por cima da minha beca de formatura. Aliás, vocês vendem calças aqui?

— Tem umas calças camufladas perto dos óleos de motor — responde o caixa, parecendo desconcertado.

— Excelente — diz Radar. Então se vira para mim e fala: — Você pode fazer a gentileza de pegar uma calça camuflada para mim? E talvez uma camiseta melhorzinha?

— Pode deixar.

E então descubro que calças camufladas não seguem a numeração normal. Só têm dois tamanhos: médio e grande. Pego uma média e uma camiseta grande e cor-de-rosa que diz MELHOR VOVÓ DO MUNDO. E três garrafas de Bluefin.

Entrego tudo para Lacey quando ela sai do banheiro e entro no banheiro feminino, já que Radar ainda está ocupando o masculino. Acho que nunca entrei em um banheiro feminino de posto de gasolina antes.

Diferenças:
Não tem máquina de camisinha
As paredes não são tão pichadas
Não tem mictório

O cheiro é mais ou menos o mesmo, o que é uma decepção e tanto.

Quando saio, Lacey está pagando, Ben está buzinando, e depois de um instante de confusão eu corro em direção ao carro.

— Perdemos um minuto — diz Ben, sentado no banco do carona.

Lacey pega a rua que nos levará de volta à rodovia.

— Foi mal — responde Radar do banco de trás, ao meu lado, vestindo sua calça camuflada nova por baixo da beca. — O lado bom é que agora tenho uma calça. E uma camiseta nova. Cadê ela, Q? — Lacey joga a camiseta para ele. — Muito engraçado.

Ele tira a beca e veste a camiseta da vovó enquanto Ben reclama que ninguém comprou calça para *ele*. Ele diz que está com a bunda coçando. E, pensando bem, ele meio que precisa ir ao banheiro.

HORA ONZE

Chegamos ao trecho em obras. A rodovia afunila para uma pista só e ficamos presos atrás de um caminhão articulado que segue *precisamente* no limite de velocidade de sessenta quilômetros por hora. Lacey é a melhor motorista para a situação; eu teria ficado batendo no volante, mas ela apenas conversa tranquilamente com Ben, até que finalmente se vira e diz:

— Q, preciso muito ir ao banheiro, e a gente está perdendo tempo aqui atrás deste caminhão de qualquer forma.

Faço que sim com a cabeça. Não posso culpá-la. Eu teria obrigado a gente a parar há muito tempo se não pudesse mijar em uma garrafa. Era muito heroico da parte dela aguentar por todo aquele tempo.

Ela entra com o carro em um posto vinte e quatro horas, e saio para esticar as pernas dormentes. Quando Lacey volta correndo para a minivan, estou no banco do motorista. Nem sei como acabei sentado ali, nem por quê. Ela se aproxima da porta da frente e me vê. A janela está aberta.

— Eu posso dirigir — digo.

O carro é meu, afinal de contas, e a missão é minha. Ela responde:

— Sério? Tem certeza?

— Tenho, tenho. Tranquilo — respondo, e ela simplesmente abre a porta de correr e se deita no banco atrás de mim.

HORA DOZE

São 2h40. Lacey está dormindo. Radar está dormindo. Eu estou dirigindo. A estrada está deserta. Até os motoristas de caminhão foram dormir. Faz alguns minutos que não vejo faróis vindo no sentido contrário. Ben me mantém acordado, conversando comigo. Estamos falando de Margo.

— Você chegou a pensar em como a gente vai, tipo, *achar* Agloe? — pergunta ele.

— Hum, tenho uma ideia aproximada de como é o cruzamento — respondo. — E não é nada além de um cruzamento.

— E ela vai simplesmente estar sentada na esquina, em cima do capô do carro, com o queixo apoiado nas mãos, esperando por você?

— Isso certamente ajudaria — respondo.

— Cara, estou meio preocupado que você possa... tipo, se isso não sair do jeito que você está planejando... que você possa ficar muito decepcionado.

— Eu só quero encontrá-la — digo, porque é verdade.

Quero que ela esteja viva e bem, que seja encontrada. Não quero perder o fio da meada. Tudo o mais é secundário.

— É, mas... sei lá — diz Ben. Posso sentir o olhar dele em mim, dando uma de Ben, o Sério. — Só... Só tenha em mente que às vezes o jeito como a gente pensa em alguém não é exatamente o jeito como essa pessoa é. Tipo, eu sempre achei Lacey bonita, legal, o máximo, mas agora que estou com ela de verdade... não é exatamente a mesma coisa. As pessoas são diferentes quando você sente o cheiro delas e as vê de perto, entendeu?

— Sei disso — respondo. Sei exatamente por quanto tempo e com qual intensidade eu a imaginei da maneira errada.

— Só estou dizendo que, para mim, era fácil gostar de Lacey antes. É muito fácil gostar de alguém a distância. Mas, quando ela deixou de ser aquela coisa maravilhosa e inatingível e tal e começou a ser só uma menina que tem uma relação esquisita com a comida, de pavio curto e meio mandona, eu basicamente tive que começar a gostar de uma pessoa completamente diferente.

Dava para sentir minhas bochechas ficando vermelhas.

— Você está dizendo que não gosto da Margo *de verdade*? Depois de tudo isto, doze horas dentro deste carro, e você não acha que eu me importo com ela porque eu... — Paro de falar. — Você acha que só porque tem namorada pode subir em um pedestal e ficar me dando lição de moral? Você às vezes é tão...

E então paro de falar porque vejo, logo depois do alcance dos faróis, aquilo que muito em breve vai me matar.

Duas vacas distraídas no meio da estrada. Elas se tornam visíveis de repente: uma vaca malhada na faixa da esquerda e, na nossa faixa, uma criatura imensa, da largura do nosso carro, absolutamente paralisada, a cabeça virada para trás, nos avaliando com olhos inexpressivos. É inteiramente branca, uma muralha branca de vaca que não se pode escalar ou passar por baixo ou desviar. Só o que se pode fazer é acertá-la em cheio. Eu sei que Ben também está vendo porque prendeu a respiração.

Dizem que a vida passa diante de nossos olhos em momentos como este, mas não é o que acontece comigo. Nada passa diante dos meus olhos exceto a imensidão impossível de pelo branco, a apenas um segundo de nós agora. Não sei o que fazer. Não, esse não é o problema. O problema é que não há nada a fazer, a não ser acertar a parede branca, matando tanto ela quanto nós todos. Piso no freio, mas só por força do hábito, e não por esperança de que vá dar certo: não tem como fugir. Tiro as mãos do volante. Não sei por que faço isso, mas ergo as mãos como se estivesse me rendendo. E penso na coisa mais banal do mundo: não quero que isso aconteça. Não quero morrer. Não quero que meus amigos morram. E, honestamente, enquanto o tempo desacelera e minhas mãos estão no ar, me dou a chance de pensar em ainda mais uma coisa, e penso nela. Eu a culpo por esta caçada ridícula e fatal – eu a culpo por nos colocar em risco, por me transformar no tipo de imbecil que fica acordado a noite inteira e dirige depressa demais. Eu não estaria aqui morrendo se não fosse por ela. Teria ficado em casa, como sempre fiz, e estaria a salvo, teria feito a única coisa que sempre quis fazer: envelhecer.

Depois de abandonar o controle do veículo, fico surpreso ao ver a mão de alguém no volante. Fazemos uma curva antes que eu perceba que estamos virando, e então me dou conta de que Ben está puxando o volante na própria direção, girando o carro em uma tentativa desesperada de desviar da vaca, e então estamos no acostamento e logo em seguida na grama. Ouço os pneus girando à medida que Ben vira o volante com força na direção oposta. Paro de olhar. Não sei se meus olhos estão fechados ou se simplesmente pararam de enxergar. Meu estômago e meus pulmões colidem dentro de mim e se esmagam. Algo pontudo acerta minha bochecha. Nós paramos.

Não sei por quê, mas toco meu rosto. Tiro a mão e vejo que está suja de sangue. Toco meus braços em uma espécie de abraço, mas estou apenas verificando se estão no lugar, e estão. Olho para minhas pernas. Lá estão elas. Tem um pouco de vidro. Olho ao redor. Garrafas quebradas. Ben está olhando para mim, tocando o próprio rosto. Parece bem. Ele se abraça, exatamente como eu. Seu corpo ainda está funcionando. Ele fica só olhando para mim. Vejo a vaca pelo retrovisor. E só agora, depois de um tempo, é que Ben começa a gritar. Ele me encara e grita, a boca escancarada, um grito grave, gutural e desesperado. Ele para de gritar. Tem alguma coisa errada comigo. Sinto-me fraco. Meu peito está queimando. E então inspiro. Tinha me esquecido de respirar. Estava prendendo a respiração o tempo todo. E me sinto muito melhor agora. *Inspire pelo nariz, expire pela boca.*

— Quem se machucou?! — grita Lacey.

Ela solta os cintos de segurança da posição de dormir e se inclina para o porta-malas. Quando me viro, vejo que a porta traseira está aberta e por um instante penso que Radar foi jogado para fora do carro, mas então eu o vejo se levantar. Ele está passando as mãos no rosto e dizendo:

— Eu tô legal, eu tô legal. Todo mundo legal?

Lacey nem responde; ela pula para a frente, entre mim e Ben. Está apoiada na cozinha da casa, olhando para Ben e dizendo:

— Meu amor, você está bem?

Seus olhos estão cheios d'água, como uma piscina em dia de chuva. Ben responde:

— TudobemtudobemQtásangrando.

Ela se vira para mim, e eu não devia chorar mas não consigo evitar, não porque esteja sentindo dor, mas porque estou apavorado, e ergui as mãos, e Ben nos salvou, e agora tem uma menina olhando para mim meio que do mesmo jeito que uma mãe faz, e isso não devia me fazer chorar, mas faz.

Eu sei que o machucado em minha bochecha não é sério, e fico tentando dizer isso, mas só consigo chorar. Lacey aperta o corte com a ponta dos dedos finos e macios e grita para Ben arrumar alguma coisa que sirva de curativo, então surge uma faixa da bandeira da Confederação pressionada na minha bochecha, à direita do meu nariz.

— Segure isso bem apertado — diz ela. — Você está bem? Tem mais alguma coisa doendo?

Respondo que não. Só então percebo que o carro ainda está ligado, com a marcha engrenada, e só está parado porque estou pisando no freio. Coloco em ponto morto e desligo o motor. Assim que giro a chave, ouço um barulho de líquido vazando — não pingando, quase uma cascata.

— É melhor a gente sair do carro — diz Radar.

Mantenho a bandeira da Confederação no rosto. O barulho de líquido escorrendo continua.

— É gasolina! Vai explodir! — grita Ben.

Ele escancara a porta do carona e sai correndo, em pânico. Pula uma cerca de madeira e dispara por um campo de feno. Eu também salto do carro, mas não com a mesma pressa. Radar está do lado de fora, e enquanto Ben pica a mula, ele ri.

— É cerveja — diz ele.

— O quê?

— As cervejas quebraram — explica, apontando para o isopor quebrado e os litros de espuma líquida que escorrem de dentro dele.

Tentamos chamar Ben, mas ele não nos ouve porque está muito ocupado correndo pela plantação, gritando:

— VAI EXPLODIR!

A beca sobe, expondo sua bunda ossuda sob a luz cinzenta do amanhecer.

Eu me viro para a estrada ao ouvir um carro se aproximando. O monstro branco e sua amiga malhada conseguiram cruzar para o acostamento do outro lado, ainda impassíveis. Ao me virar para a minivan, percebo que ela está batida na cerca.

Avalio os danos, enquanto Ben finalmente decide voltar para o carro. Quando giramos na pista, o carro deve ter se arrastado na cerca, pois tem um arranhão profundo na porta de correr, tão profundo que, olhando bem de perto, dá para ver o interior da minivan. Mas, fora isso, está tudo perfeito. Nenhum outro amassado. Nenhum vidro quebrado. Nenhum pneu furado. Dou a volta até a traseira do carro e examino as duzentas e dez garrafas quebradas de cerveja ainda borbulhando. Lacey se aproxima e passa o braço ao meu redor. Ficamos os dois encarando o riacho de espuma de cerveja escorrendo até a vala do acostamento.

— O que aconteceu?

Eu conto a ela: estávamos mortos, mas Ben conseguiu girar o carro de um jeito especial, feito uma espécie de bailarina veicular espetacular.

Ben e Radar se enfiam debaixo do carro. Nenhum deles entende absolutamente nada do assunto, mas imagino que o gesto ofereça algum conforto. A bainha da beca de Ben sobe e suas panturrilhas ficam de fora.

— Cara — grita Radar. — Parece que está tudo, tipo, *bem*.

— Radar — digo —, o carro rodou umas oito vezes. É claro que não está tudo *bem*.

— Bom, *parece* que está tudo bem — diz Radar.

— Ei — digo, segurando os tênis de Ben. — Ei, chega aqui. — Ele se arrasta de debaixo do carro, e eu o ajudo a se levantar. Suas mãos estão sujas de graxa. Eu puxo uma delas e o abraço. Se eu não tivesse largado o volante, e se ele não o tivesse agarrado com tanta determinação, tenho certeza de que estaria morto. — Obrigado — digo, batendo nas costas dele, provavelmente com força demais. — Você foi o melhor copiloto que já vi.

Com a mão suja de graxa, ele dá uma palmadinha em minha bochecha não machucada.

— Eu fiz aquilo para me salvar, não para salvar você — diz ele. — Pode acreditar, não pensei em você nem por um segundo.

— Nem eu em você — digo, rindo.

Ben me encara, quase sorrindo, e então fala:

— Cara, que vaca gigante. Acho que não era nem uma vaca, estava mais para uma baleia terrestre.

Eu rio. Radar se aproxima:

— Cara, realmente acho que está tudo bem. Quer dizer, a gente só perdeu uns cinco minutos. Não precisamos nem aumentar a velocidade.

Lacey está encarando o arranhão na lateral do carro, os lábios contraídos.

— O que você acha? — pergunto a ela.

— Vambora — responde ela.

— Vambora — Radar dá seu voto.

Ben infla as bochechas e expira.

— Só porque eu sou suscetível a pressão da sociedade: vambora.

— Vambora — acrescento. — Mas eu não dirijo mais de jeito nenhum.

Ben pega as chaves da minha mão. Entramos no carro. Radar o guia pelo terreno acidentado até voltarmos à rodovia interestadual. A oitocentos e setenta e dois quilômetros de Agloe.

HORA TREZE

De dois em dois minutos, Radar diz:

— Vocês se lembram daquela vez em que a gente ia morrer com certeza, e aí Ben agarrou o volante e desviou de uma vaca gigantesca, o carro saiu girando feito uma xícara da Disney e a gente não morreu?

Lacey se inclina para o lado oposto da cozinha, a mão no joelho de Ben, e diz:

— Você é um *herói*, sabia? Eles dão *medalhas* por esse tipo de coisa.

— Já falei e vou falar de novo: eu não estava pensando em nenhum de vocês. Eu. Só. Queria. Me. Salvar.

— Seu mentiroso. Seu mentiroso fofo e heroico — diz ela, plantando um beijo na bochecha dele.

— Ei, gente — chama Radar —, vocês se lembram daquela vez em que eu estava preso por dois cintos de segurança no último banco do carro e a porta abriu, entornando toda a cerveja, mas eu saí completamente ileso? Como é *possível*?

— Vamos brincar de "Adivinhação Metafísica" — diz Lacey. — O que é, o que é... o coração de um herói, um coração que bate não por si, mas pela humanidade como um todo?

— EU NÃO ESTOU SENDO MODESTO. EU SÓ NÃO QUERIA MORRER! — grita Ben.

— Vocês se lembram daquela vez, na minivan, há vinte minutos, quando a gente, sabe-se lá como, não morreu?

HORA CATORZE

Passado o choque inicial, começamos a limpeza. Tentamos juntar a maior quantidade possível de cacos das garrafas quebradas de Bluefin em pedaços de papel e depois reuni-los em um único saco de lixo. O carpete do carro está ensopado e grudento de Mountain Dew, Bluefin e Coca Diet, e nós tentamos secá-lo com os poucos guardanapos que temos. Na verdade a sujeira só vai sair de verdade com uma boa lavagem, mas não temos tempo para isso até chegarmos a Agloe. Radar pesquisou o preço para trocar a porta de correr: trezentas pratas, mais a pintura. O custo desta viagem está subindo cada vez mais, mas durante as férias vou juntar dinheiro trabalhando no escritório do meu pai e, de qualquer forma, é pouco pelo resgate de Margo.

O sol está nascendo à nossa direita. Minha bochecha ainda sangra. A bandeira da Confederação grudou no corte, então não preciso mais ficar segurando.

HORA QUINZE

Uma fileira estreita de carvalhos esconde os milharais que se estendem até o horizonte. A paisagem muda, mas só ela. Grandes rodovias como esta transformam os Estados Unidos em um único lugar: McDonald's, postos BP, Wendy's. Eu sei que deveria odiar rodovias por isso e ansiar pelos dias despreocupados de outrora, quando se é invadido pelos matizes locais a cada curva – mas tanto faz. Gosto disso. Gosto de estabilidade. Gosto do fato de poder dirigir por quinze horas sem que o mundo mude tanto assim. Lacey me coloca no último banco, com dois cintos de segurança.

– Você precisa descansar – diz ela. – Já passou por muita coisa hoje.

Impressionante como até agora ninguém me culpou por não ter sido mais proativo na batalha contra a vaca.

Eu começo a adormecer ouvindo-os rir uns dos outros – não chego a escutar as palavras exatas, mas sinto o ritmo, os altos e baixos da conversa. Gosto de ficar apenas escutando, vadiando na relva. Então decido que, se chegarmos lá a tempo e não a encontrarmos, é isto que vamos fazer: dirigir por Catskill e achar um lugar para me sentar e passar o tempo, vadiando na relva, conversando, contando piadas. Talvez a certeza de que ela está viva torne tudo isso possível de novo – mesmo que eu nunca tenha a prova disso. Eu quase posso imaginar uma felicidade sem ela, a capacidade de deixá-la ir embora, de sentir que nossas raízes estão interligadas mesmo que eu nunca mais veja aquela folha de relva novamente.

HORA DEZESSEIS

Eu durmo.

HORA DEZESSETE

Eu durmo.

HORA DEZOITO

Eu durmo.

HORA DEZENOVE

Quando acordo, Radar e Ben estão debatendo o nome do carro aos berros. Ben quer chamá-lo de Muhammad Ali, porque, exatamente como Muhammad Ali, a minivan leva um soco, mas segue em frente. Radar diz que não se pode batizar um carro com o nome de uma figura histórica. Ele acha que a minivan devia se chamar Lurlene, porque gosta da sonoridade.

— Você quer colocar o nome *Lurlene*? — pergunta Ben, erguendo a voz de tanto horror. — Não acha que o pobre coitado do carro já sofreu o suficiente?!

Solto um dos cintos de segurança e me sento. Lacey se vira para mim:

— Bom dia. Bem-vindo ao grande estado de Nova York.

— Que horas são?

— São 9h42. — Os cabelos dela estão presos em um rabo de cavalo, mas as mechas mais curtas se soltaram. — Como você está? — pergunta ela.

— Com medo — respondo.

Lacey sorri e assente.

— É, eu também. É como se tivesse coisas demais para as quais se preparar.

— Pois é.

— Espero que a gente continue amigos neste verão — diz ela.

E, por algum motivo, isso ajuda. Nunca se sabe o que pode ajudar.

Radar agora está dizendo que o carro devia se chamar Gray Goose. Eu me inclino para a frente de modo que todos possam me ouvir e digo:

— Dreidel. Quanto mais forte girar, melhor.

Ben concorda. Radar vira para trás.

— Acho que você deveria ser nosso escolhedor oficial de nomes.

HORA VINTE

Estou sentado no primeiro quarto com Lacey. Ben dirige, com Radar no carona. Eu estava dormindo durante a última parada, mas eles compraram um mapa do estado de Nova York. Agloe não está marcada, mas existem apenas cinco ou seis cruzamentos ao norte de Roscoe. Sempre pensei em Nova York como uma metrópole gigante e em constante crescimento, mas estamos em um mar de morros, os quais a minivan vence heroicamente a cada subida. Quando a conversa se acalma e Ben estende a mão em direção ao botão do rádio, eu digo:

— "Adivinhação Metafísica"!

Ben começa:

— O que é, o que é... algo de que gosto muito?

— Ah, eu sei — diz Radar. — O gosto de bolas.

— Não.

— O gosto de pênis? — chuto.

— Não, seu idiota — responde Ben.

— Hum — diz Radar. — O *cheiro* de bolas?

— A *textura* de bolas? — tento de novo.

— Fala sério, seus descerebrados, não tem nada a ver com genitália. Lace?

— Hum, a sensação de saber que você acabou de salvar três vidas?

— Não. E acho que as chances de vocês acabaram.

— Tá, o que é, então?

— Lacey — fala ele, e o vejo fitando-a pelo retrovisor.

— Seu burro — digo —, era para ser "Adivinhação *Meta*física". Tem que ser uma coisa que não dá para ver.

— E é — diz ele. — É disso que gosto: de Lacey, mas não da Lacey visível.

— Ai, acho que vou vomitar — diz Radar, mas Lacey solta o cinto de segurança, se debruça sobre a cozinha e fala algo ao ouvido de Ben, que fica vermelho em resposta. — Certo, prometo não ser tão meloso — continua. — O que é, o que é... algo que todos nós estamos sentindo?

— Cansaço extremo? — tento.

— Não, mas é um belo chute.

— É aquela sensação esquisita que a gente tem quando bebe muita cafeína e parece que o corpo inteiro está pulsando, e não só seu coração? — pergunta Lacey.

— Não. Ben?

— Hum, está todo mundo sentindo vontade de ir ao banheiro ou sou só eu?

— Como sempre, é só você. Mais alguém?

Ficamos em silêncio.

— A resposta certa é que todos nós estamos sentindo que vamos ficar muito mais felizes depois de cantar "Blister in the Sun" *a capella*.

E é verdade. Por pior que seja minha surdez musical, canto tão alto quanto todo mundo. E, quando terminamos, comento:

— O que é, o que é... uma história e tanto?

Ninguém diz nada por um instante. Só existe o som de Dreidel comendo o asfalto enquanto acelera ladeira abaixo. E depois de um tempo, Ben diz:

— É isso, não é?

Faço que sim.

— É — diz Radar. — Desde que a gente não morra, esta vai ser uma história e tanto.

Vai ajudar se a gente conseguir encontrá-la, penso, mas fico calado. Ben finalmente liga o rádio e encontra uma estação de rock que está tocando umas baladas que a gente pode cantar junto.

HORA VINTE E UM

Depois de mais de mil setecentos e setenta quilômetros em rodovias interestaduais, chegou a hora de pegar a saída. É absolutamente impossível dirigir a cento e vinte e três por hora em uma estrada de mão dupla que vai para o norte, em direção a Catskills. Mas vai dar tudo certo. Radar, sempre um estrategista brilhante, economizou trinta minutos na conta sem nos avisar. É lindo aqui, o sol do final da manhã banhando a floresta de árvores antigas. Mesmo os prédios de tijolo dos vilarejos decadentes pelos quais passamos parecem bem definidos sob esta luz.

Lacey e eu estamos dizendo a Ben e a Radar tudo em que conseguimos pensar, na esperança de que isso possa ajudá-los a encontrar Margo. Fazendo com que eles se lembrem dela. Fazendo com que a gente se lembre dela. O Honda Civic prateado. O cabelo castanho e liso. Seu fascínio por prédios abandonados.

— Ela carrega sempre um caderninho preto — digo.

Ben se vira para mim:

— Tá legal, Q. Se eu vir uma garota exatamente igual a Margo em Agloe, Nova York, não vou fazer nada. A menos que ela tenha um *caderninho*. Essa vai ser a dica.

Dou de ombros. Só quero me lembrar dela. Uma última vez, quero me lembrar dela enquanto ainda espero vê-la novamente.

AGLOE

O limite de velocidade cai de noventa para setenta quilômetros por hora, e então para sessenta. Atravessamos os trilhos de uma linha de trem e chegamos a Roscoe. Dirigimos devagar pelo centro adormecido da cidade: um café, uma loja de roupas, uma loja de um e noventa e nove e duas vitrines cobertas por folhas de compensado.

Eu me inclino para a frente e digo:

— Consigo imaginá-la ali.

— É — concorda Ben. — Cara, eu realmente não queria ter que invadir nenhum prédio. Acho que não ia sobreviver em uma prisão de Nova York.

A ideia de explorar esses prédios, no entanto, não chega a me assustar, já que a cidade inteira parece deserta. Não tem nada aberto. Passado o centro, apenas uma única rua cruza a rodovia, e é nela que fica o único bairro residencial de Roscoe, além de uma escola primária. Casas pré-fabricadas modestas se espremem entre as árvores que, nesta região, têm troncos grossos e longos.

Pegamos outra rodovia e o limite de velocidade sobe gradualmente de novo, mas Radar dirige devagar, de qualquer forma. Menos de dois quilômetros depois, vemos uma estrada de terra à esquerda, sem nenhuma placa para nos indicar o nome da rua.

— Pode ser essa — digo.

— É a *entrada* de alguma propriedade — responde Ben, mas Radar entra na rua assim mesmo.

E parece *mesmo* ser a entrada de uma casa, feita de terra batida. À esquerda, a grama alta chega até a altura dos pneus; não vejo nada, embora me preocupe com o fato de que seria muito fácil para qualquer um se esconder no mato. Prosseguimos por um tempo, e a estrada termina em uma fazenda em estilo vitoriano. Fazemos a volta e continuamos rumo ao norte, na rodovia de mão dupla. A rodovia se transforma na Cat Hollow Road, e dirigimos até encontrarmos outra estradinha exatamente igual à primeira, desta vez à direita, conduzindo a algo parecido com um celeiro de madeira cinzenta em ruínas. Imensos fardos cilíndricos de feno margeiam ambos os lados do terreno, mas a grama já começou a crescer. Radar não passa dos dez quilômetros por hora. Estamos procurando por algo fora do comum. Alguma falha na paisagem perfeitamente idílica.

— Você acha que isso pode ter sido a Agloe General Store? — pergunto.

— Aquele celeiro?

— É.

— Sei lá — diz Radar. — Esse tipo de loja normalmente parece um celeiro?

Solto um longo suspiro através dos lábios contraídos.

— Não sei.

— Aquilo ali é... porra, é o carro dela! — grita Lacey ao meu lado. — É é é é o carro dela o carro dela!

Radar freia a minivan e eu olho para a direção que o dedo de Lacey aponta, os fundos do terreno, atrás do prédio. Uma pontinha prateada. Eu me inclino, aproximado meu rosto do dela, e consigo ver a curva formada pela lataria do teto do carro. Deus sabe como ele chegou ali, já que não existe nenhum caminho naquela direção.

Radar encosta, eu salto e corro em direção ao carro. Vazio. Destrancado. Abro o porta-malas. Vazio também, exceto por uma mala, também vazia e aberta. Olho ao redor, começando pelo que agora acredito que seja o que restou da Agloe General Store. Ben e Radar passam por mim enquanto corro pelo terreno capinado. Entramos no celeiro não por uma porta, mas por um dos diversos buracos onde a parede de madeira simplesmente desabou.

Lá dentro, o sol ilumina trechos do piso de madeira apodrecida através dos muitos buracos que há no telhado. Enquanto procuro por ela, percebo algumas coisas: o chão encharcado. O cheiro de amêndoas, como o dela. Uma banheira velha com pés de metal em um dos cantos. Tantos buracos por toda parte que o lugar está do lado de dentro e do lado de fora ao mesmo tempo.

Sinto um puxão forte na camiseta. Viro a cabeça e vejo Ben, os olhos se revezando entre mim e um dos cantos do ambiente. Preciso olhar através de um facho intenso de luz branca que vem do telhado, mas ainda assim consigo enxergar. Dois painéis de acrílico translúcido cinzento, sujos e compridos, mais ou menos na altura do peito de uma pessoa, estão apoiados um no outro em um ângulo agudo e encostados na parede de madeira. É um cubículo triangular, se é que tal coisa é possível.

E o lance a respeito de acrílico translúcido é o seguinte: ele permite que a luz atravesse. Então dá para ver a cena chocante, ainda que em tons de cinza: Margo Roth Spiegelman sentada em uma cadeira de escritório preta, debruçada em uma carteira de colégio, escrevendo. Seu cabelo está muito mais curto — ela cortou a franja bem acima das sobrancelhas, e ele está todo embaraçado, como que para enfatizar a assimetria do corte –, mas é ela. Está viva. Transferiu seu escritório de um centro comercial abandonado na Flórida para um celeiro abandonado em Nova York, e eu a encontrei.

Nós quatro caminhamos em direção a Margo, mas ela parece não nos ver. Continua escrevendo. Por fim, alguém – Radar, acho – chama:

– Margo. Margo?

Ela fica na ponta dos pés, as mãos pousadas nas paredes improvisadas do cubículo. Se está surpresa em nos ver, seus olhos não demonstram. Eis Margo Roth Spiegelman, a um metro e meio de mim, os lábios rachados, sem maquiagem, as unhas sujas, os olhos silenciosos. Nunca tinha vistos os olhos dela mortos daquele jeito, mas, pensando bem, talvez eu nunca tenha visto os olhos dela de fato. Ela me encara. Tenho certeza de que está me observando, e não a Lacey, Ben ou Radar. Nunca me senti tão observado desde que os olhos mortos de Robert Joyner me fitaram em Jefferson Park.

Ela permanece ali, calada, por muito tempo, e eu estou com muito medo dos olhos dela para me aproximar. "Aqui estamos eu e este mistério", escreveu Whitman.

Até que ela diz:

– Me deem uns cinco minutos.

E então se senta novamente e volta a escrever.

Eu a observo. Exceto pela sujeira, ela parece a mesma de sempre. Não sei por que, mas sempre achei que ela estaria diferente. Mais velha. Que eu mal a reconheceria quando finalmente a reencontrasse. Mas ali está ela, e eu a observo através do acrílico, e ela se parece exatamente com Margo Roth Spiegelman, aquela menina que conheço desde os dois anos de idade – aquela ideia de menina por quem eu me apaixonei.

E só agora, quando ela fecha o caderno, guarda-o na mochila a seu lado, fica de pé e caminha em nossa direção é que percebo que tal ideia não apenas estava equivocada como também é perigosa. Que coisa mais traiçoeira é acreditar que uma pessoa é mais do que uma pessoa.

— Oi — diz ela para Lacey, sorrindo. Primeiro abraça Lacey, então aperta a mão de Ben e de Radar. E aí ergue uma sobrancelha e diz: — Oi, Q. — E então me abraça brevemente, sem convicção.

Quero prolongar o abraço. Quero fazer disso um acontecimento. Quero sentir os soluços sofridos dela em meu peito, sentir as lágrimas escorrendo das bochechas sujas em minha camiseta. Mas ela apenas me abraça brevemente e se senta no chão. Eu me sento diante dela, com Ben, Radar e Lacey nos imitando, formando uma linha, de modo que ficamos todos diante de Margo.

— Bom ver você — falo depois de um tempo, sentindo como se estivesse quebrando um silêncio sagrado.

Ela ajeita a franja para o lado. Parece estar decidindo exatamente o que vai dizer antes de abrir a boca.

— Eu, bem. Hum... Raramente fico sem palavras, né? Não tenho falado muito ultimamente. Hum. Acho que talvez a gente deva começar com: o que diabos vocês estão fazendo aqui?

— Margo — diz Lacey. — Caramba, cara, a gente estava tão preocupado.

— Não tem por que se preocupar — responde Margo, animada. — Eu estou bem. — Ela ergue o polegar. — Estou ótima.

— Você podia ter ligado ou nos avisado — diz Ben, parecendo frustrado. — Teria nos economizado umas boas horas de estrada.

— Pela minha experiência, Mija-sangue, quando você vai embora de um lugar, a melhor coisa a fazer é *ir embora*. Aliás, por que você está de vestido?

Ben fica vermelho.

— Não chama ele assim — repreende Lacey.

Margo se volta para Lacey:

— Ai, meu Deus, você está *ficando* com ele? — Lacey não responde. — Você não está *mesmo* ficando com ele.

— Para falar a verdade, estou sim — retruca Lacey. — E, para falar a verdade, ele é o máximo. E, na verdade, você é uma vaca. E, quer saber?, eu vou embora. Muito bom rever você, Margo. Obrigada por me deixar morrendo de medo, por me fazer me sentir uma merda durante o último mês de aulas inteiro e por ser tão babaca depois de a gente correr atrás de você só para ter certeza de que você está bem. Foi um prazer conhecer você.

— O prazer é meu. Quer dizer, se não fosse por você, eu jamais saberia o quão gorda eu sou, não é?

Lacey se levanta e dispara para fora do celeiro, pisando duro no chão apodrecido. Ben a segue. Olho para o lado, e Radar também se levantou.

— Eu não sabia quem você era até conhecê-la pelas pistas que deixou — diz ele. — Gosto mais das pistas do que de você.

— Do que diabos ele está falando? — pergunta Margo a mim.

Radar não responde. Simplesmente vai embora. Eu deveria fazer o mesmo, é claro. Eles são meus amigos — na certa, mais do que Margo. Mas tenho muitas perguntas. E enquanto ela se levanta para retornar ao cubículo, começo pela dúvida mais óbvia:

— Por que você está sendo tão má?

Ela se vira, segura minha camisa e grita bem na minha cara:

— Como você ousa aparecer aqui sem nem avisar?

— Como é que eu poderia ter avisado se você desapareceu completamente da face da Terra?!

Eu a observo piscar lentamente e sei que ela não tem resposta para isso, então continuo. Estou com tanta raiva. Por... por... eu não sei. Por não ser a Margo que eu esperava que fosse. Por não ser a Margo que finalmente pensei ter imaginado certo.

— Eu tinha certeza de que havia um bom motivo para você nunca ter entrado em contato com ninguém depois daquela noite. E... esse é o seu bom motivo? Você queria viver feito uma mendiga?

Ela solta minha camiseta e se afasta.

— Quem está sendo mau agora? Eu fui embora do único jeito que se pode ir. Você arranca sua vida inteira de uma vez só, feito um Band-Aid. E então pode ser você mesmo, e Lace pode ser Lace, e todo mundo pode ser todo mundo, e eu posso ser eu.

— Só que eu não pude ser eu mesmo, Margo, porque achei que você estivesse *morta*. Por um tempão. Então tive que fazer um monte de porcaria que jamais faria.

Agora ela está berrando, se agarrando à minha camiseta, cara a cara comigo:

— Porra nenhuma. Você não veio até aqui só para ver se eu estava bem. Você veio até aqui porque queria salvar a pobrezinha da Margo de sua personalidadezinha complicada, para que eu ficasse tão grata ao meu cavaleiro no cavalo branco que arrancaria a roupa e imploraria para você possuir meu corpo.

— Porra nenhuma! — grito, com alguma razão. — Você estava só zoando com a nossa cara, não é? Só queria ter certeza de que mesmo depois que embarcasse nessa sua aventurazinha, ainda seria o centro das atenções.

E ela grita de volta, mais alto do que jamais imaginei que fosse possível:

— Você nem está com raiva de mim, Q! Você está com raiva da ideia que você guarda de mim na sua cabeça desde que a gente era criança!

Ela tenta se afastar, mas eu a agarro pelos ombros e a seguro diante de mim, então falo:

— Você alguma vez chegou a pensar no que sua partida ia significar? Alguma vez pensou em Ruthie? Em mim ou em Lacey ou em qualquer um que se preocupasse com você? Não. Claro que não. Porque se algo não acontece a você, é como se nem sequer tivesse acontecido. Não é mesmo, Margo? Hein?

Dessa vez ela não responde. Desvencilha os ombros, se vira e caminha até o cubículo. Então chuta as duas paredes de acrílico, fazendo-as desabarem sobre a mesa e a cadeira e deslizarem até o chão.

— CALA A BOCA, SEU BABACA!

— Tá legal — digo. Algo no fato de Margo perder completamente o controle permite que eu recobre o meu. Tento falar como minha mãe: — Vou calar a boca. Nós dois estamos chateados. Um monte de, hum, questões não resolvidas.

Ela se senta na cadeira, os pés no que um dia foram as paredes de seu cubículo. Está olhando para um dos cantos do celeiro. Há pelo menos uns três metros de distância entre nós.

— Como você conseguiu me achar, aliás?

— Achei que fosse o que você queria — respondo.

Minha voz soa tão insignificante que o fato de ela ter me ouvido me surpreende, porém ela gira na cadeira e me encara.

— Ah, mas não era mesmo.

— "Canção de mim mesmo" — digo. — Guthrie me levou a Whitman. Whitman me levou à porta. A porta me levou ao centro comercial abandonado. Demos um jeito de ler a pichação coberta de tinta. Não entendi o que significava "cidades de papel"; podia ser um bairro planejado que nunca foi construído, então achei que você tivesse ido para um lugar desses e que nunca mais fosse voltar. Achei que estivesse morta por aí, que tivesse se matado e quisesse que eu a encontrasse sabe-se lá por quê. Então fui a vários bairros fantasmas, procurando por você. Mas aí encaixei o mapa da loja de suvenires aos buracos de tachinha na parede. Comecei a ler o poema com mais atenção e cheguei à conclusão de que provavelmente você não estava fugindo, de que estava só escondida em algum lugar, planejando. Escrevendo nesse caderno. Descobri Agloe no mapa, vi seu comentário na página de discussões do Omnictionary, matei a colação de grau e dirigi até aqui.

Ela joga o cabelo para a frente, mas ele já não está mais longo o suficiente para lhe cobrir o rosto.

— Odiei esse corte — diz ela. — Queria ficar diferente, mas só fiquei... ridícula.

— Eu gosto — respondo. — Emoldura bem seu rosto.

— Foi mal pela rabugice. Você só tem que entender... Vocês chegaram aqui, do nada, e quase me mataram de susto...

— Você poderia ter dito simplesmente: "Gente, vocês quase me mataram de susto."

— É, claro, porque essa é a Margo Roth Spiegelman que todo mundo conhece e ama — zomba ela, e então fica quieta por um instante. Daí acrescenta: — Eu sabia que não deveria ter dito aquilo no Omnictionary. Só achei que iria ser engraçado quando eles descobrissem depois. Achei que a polícia fosse rastrear aquilo de alguma forma, mas não tão rápido assim. Existem milhões de páginas no Omnictionary. Nunca achei...

— O quê?

— Respondendo à sua pergunta, eu pensei à beça em você. E em Ruthie. E nos meus pais. Claro que pensei, tá legal? Talvez eu seja a pessoa mais terrivelmente egoísta da história. Mas, meu Deus do céu, você acha que eu faria isso tudo se não fosse realmente *necessário*? — Ela balança a cabeça. E então, finalmente, se inclina em minha direção, os cotovelos apoiados nos joelhos, e estamos conversando. Longe um do outro, mas conversando. — Não havia outro jeito de sair sem acabar sendo sugada de volta para aquele lugar.

— Fico feliz por saber que você não está morta — digo a ela.

— É. Eu também — responde. E então sorri, e é a primeira vez que vejo o sorriso do qual senti tanta falta durante tanto tempo. – É por isso que eu precisava ir embora. Por mais que viver seja uma porcaria, é sempre melhor do que a alternativa.

Meu telefone toca. É Ben. Atendo.

– Lacey quer falar com Margo – diz ele.

Caminho até ela, entrego o telefone e fico por ali, enquanto ela ouve, sentada na cadeira com os ombros curvados. Dá para escutar os sons que saem do aparelho, e então ouço Margo interromper Lacey para falar:

– Olhe, sinto muito. Eu só estava com muito medo.

E então, silêncio. Lacey enfim volta a falar, Margo ri e diz alguma coisa. Sinto que elas precisam de privacidade, então começo a examinar o lugar. Na parede paralela à do escritório, no canto oposto do celeiro, Margo montou uma espécie de cama: quatro pallets de madeira sob um colchão inflável cor de laranja. Ao lado da cama, em outro pallet, vejo uma pequena pilha de roupas bem dobradas, uma escova e uma pasta de dentes, junto a um copo de plástico do Subway. Tudo isso em cima de dois livros: *A redoma de vidro*, de Sylvia Plath, e *Matadouro 5*, de Kurt Vonnegut. Não dá para acreditar que ela esteja vivendo deste jeito, nesta mistura irreconciliável de organização suburbana e decadência repugnante. Mas, por outro lado, não dá para acreditar quanto tempo passei achando que ela estivesse vivendo de qualquer outro jeito.

– Eles vão passar a noite num motel no parque. Lace mandou avisar que vão embora amanhã de manhã, com ou sem você – diz Margo às minhas costas. E é só quando ela diz *você* e não *a gente* que, pela primeira vez, penso no que vai acontecer em seguida. – Eu me viro bem sozinha – diz, agora de pé ao meu lado. – Tem uma casinha ali fora, mas não está muito bem conservada, então uso o banheiro da parada de caminhoneiros a leste de Roscoe. Eles têm chuveiros lá, e o banheiro feminino é bem limpo porque não existem muitas caminhoneiras. Além do mais, lá tem internet. É como se aqui fosse a minha casa, e a parada de caminhoneiros, minha casa de praia.

Eu rio.

Ela passa por mim e se ajoelha, olhando dentro dos pallets sob a cama. Pega uma lanterna e um retângulo fino de plástico.

— Estas são as únicas coisas que comprei neste mês, tirando gasolina e comida. Gastei só umas trezentas pratas. — Pego o retângulo de plástico e finalmente me dou conta de que é um toca-discos a pilha. — Eu trouxe alguns discos comigo — diz ela. — Mas vou comprar mais na cidade.

— Nova York?

— É. Estou indo para Nova York hoje. Daí meu comentário no Omnictionary. Vou começar a viajar de verdade. Originalmente, este era o dia no qual eu iria sair de Orlando... Eu ia à colação de grau, ia dar todos aqueles trotes com você durante a noite e então iria embora na manhã seguinte. Mas eu não estava aguentando mais. Nem por uma hora. E quando fiquei sabendo da traição de Jase, pensei: "Eu já tenho tudo planejado; só vou mudar o dia." Mas me desculpe por ter deixado você assustado. Tudo que eu queria era *não* deixar você assustado, mas essa parte final foi muito corrida. Não foi um dos meus melhores planos.

Em se tratando de planos de fuga recheados de pistas, para mim, aquele era bastante impressionante. Mas o que me deixou surpreso foi o fato de ela ter me envolvido no plano original também.

— Quem sabe você não poderia me botar a par? — falei, abrindo um sorriso. — Sabe, eu tenho me perguntado... O que foi planejado e o que não foi? O que significava o quê? Por que as pistas eram para mim, por que você foi embora, esse tipo de coisa.

— Hum, tudo bem. Certo. Para explicar isso a gente tem que começar por outra história. — Ela se levanta, e sigo seus passos enquanto ela vai evitando os remendos no piso podre. De volta ao escritório, ela pega a mochila e saca um caderninho preto. Senta-se no chão, as pernas cruzadas, e dá uma batidinha na madeira ao lado dela. Eu sento. Ela bate na capa do caderno com a ponta dos dedos. – Bom, tudo começou há muito tempo. Quando eu estava no quarto ano, comecei a escrever uma história neste caderno. Era uma espécie de suspense policial.

Penso que, se eu tomar o livro dela, posso usá-lo como chantagem. Posso fazê-la voltar para Orlando, e ela vai arrumar um trabalho durante o verão e morar em um apartamento até o início da faculdade, e pelo menos vamos ter o verão para nós. Mas fico só escutando.

– Eu não gosto de me vangloriar, mas trata-se de uma obra de literatura de uma sagacidade extraordinária. Brincadeira. São só as divagações retardadas e fantasiosas de uma Margo de dez anos de idade. Começa com uma menina chamada Margo Spiegelman, que é igualzinha a mim com dez anos de idade, só que os pais dela são legais e ricos e compram tudo o que ela quer. Margo tem uma quedinha por um garoto chamado Quentin, que é igualzinho a você, porém é corajoso, heroico e disposto a morrer para salvá-la. E tem também Myrna Mountweazel, que é igualzinha à Myrna Mountweazel, exceto pelo fato de ter poderes mágicos. Por exemplo, na história, todo mundo que faz carinho em Myrna Mountweazel não consegue mentir pelos dez minutos seguintes. Ela também fala. Claro que fala. Que criança de dez anos já escreveu um livro sobre um cachorro que *não* é capaz de falar?

Eu rio, mas ainda estou pensando na Margo de dez anos com uma quedinha pelo Quentin de dez anos.

– Bom, na história – prossegue ela –, Quentin, Margo e Myrna Mountweazel investigam a morte de Robert Joyner, que ocorre da mesma forma que a morte dele na vida real exceto pelo fato de que, em vez de ter dado um tiro na própria cara, *alguém* deu um tiro na cara dele. E o livro é sobre nós descobrindo quem é o culpado.

— E quem é o culpado?

Ela ri.

— Você quer que eu estrague o final?

— Bem — respondo —, acho melhor ler o livro.

Ela abre uma página aleatória e me mostra. É indecifrável, não porque a letra de Margo seja ruim, mas porque, além de ter escrito horizontalmente na folha, ela também ocupou o espaço verticalmente.

— Eu escrevo em xadrez — diz ela. — Muito difícil para alguém além de mim decodificar. Certo, vou contar o final, mas primeiro você tem que me prometer que não vai ficar bravo.

— Prometo.

— No final das contas, o crime foi cometido pelo irmão alcoólatra da irmã da ex-mulher de Robert Joyner. Ele ficou louco depois de ser possuído pelo espírito maligno de um gato do Egito Antigo. Literatura classe A, como você pode ver. Mas, enfim, na história, eu, você e Myrna Mountweazel confrontamos o assassino, e ele tenta atirar em mim, mas você pula na minha frente e morre heroicamente em meus braços.

— Genial. — Dou uma risada. — Era uma história tão promissora, com a mocinha bonita apaixonada por mim, mistério e intriga, e no final eu bato as botas.

— É, pois é. — Ela sorri. — Mas eu tinha que matar você, porque o único outro final possível era a gente se pegar, e eu ainda não estava emocionalmente pronta para escrever sobre isso aos dez anos de idade.

— Muito justo — digo. — Mas na edição final quero um pouco mais de ação.

— Depois que você levar um tiro do assassino, quem sabe. Um beijo no leito de morte.

— Muito generoso da sua parte.

Eu poderia me levantar e dar um beijo nela agora. Poderia. Mas ainda há tanta coisa em risco.

— Enfim, concluí a história já no quinto ano. Alguns anos depois, decidi fugir para o Mississippi. Então comecei a escrever os planos para esse evento épico no mesmo caderninho, em cima da história antiga, e finalmente fui: peguei o carro de minha mãe, enchi o tanque e deixei aquelas pistas na sopa de letrinhas. Eu nem *gostei* da viagem, sério, foi tão solitária, mas adorei o fato de ter feito aquilo, entende? Então continuei a rabiscar mais planos por cima da história: brincadeiras, ideias para juntar determinados casais na escola, grandes trotes com papel higiênico, outras viagens secretas de carro e sei lá mais o quê. No começo do terceiro ano, o caderno já estava na metade, e foi quando decidi fazer mais uma coisa, um plano grandioso, e ir embora.

Ela estava prestes a começar a falar de novo, mas eu tive que interrompê-la:

— Acho que minha dúvida principal é se foi o lugar ou se foram as pessoas. Por exemplo, e se as pessoas ao seu redor tivessem sido outras?

— Mas não dá para separar uma coisa da outra, não é? As pessoas são o lugar, e o lugar é as pessoas. De qualquer forma, eu não achei que *houvesse* mais ninguém para ser amiga. Eu pensava que todo mundo fosse medroso, feito você, ou indiferente, feito Lacey. E...

— Não sou tão medroso quanto você pensa — digo. O que é verdade. Só me dou conta disso depois de dizer. Mas ainda assim...

— *Calma*, já vou chegar nesse ponto — diz ela, quase resmungando. — Quando eu ainda estava no primeiro ano, Gus me levou ao Osprey... — Inclino a cabeça, confuso. — O centro comercial abandonado. E aí comecei a ir lá por conta própria, para ficar de bobeira, rabiscar meus planos. No ano passado, todos os planos começaram a girar em torno desta última fuga. E não sei se é porque eu estava lendo minha história antiga enquanto escrevia os planos de fuga, mas incluí você desde o início. A ideia era fazermos todas aquelas coisas juntos, tipo invadir o SeaWorld, que estava no plano original, e eu ia colocar você no mau caminho. Tipo, libertá-lo por apenas uma noite. E então eu iria desaparecer e você sempre se lembraria de mim por causa daquilo.

"Bom, o plano ficou com umas setenta páginas, estava prestes a acontecer, e parecia que tudo iria se encaixar. Mas aí fiquei sabendo da traição de Jase e decidi ir embora de uma vez. Imediatamente. Não preciso colar grau. Qual o sentido de colar grau? Mas primeiro eu tinha que amarrar umas pontas soltas. Então fiquei o dia inteiro na escola com meu caderno, tentando feito louca adaptar as ideias para Becca, Jase, Lacey e todos que tinham provado não serem tão meus amigos quanto eu achava que fossem, tentando inventar um jeito de fazer com que soubessem como eu estava com raiva antes de dar um pé na bunda deles de vez.

"Mas eu ainda queria fazer aquilo com você; gostava da ideia de talvez ser capaz de criar em você ao menos um eco do herói cafajeste da minha história de criança.

"E então você me surpreendeu. Para mim, você tinha sido apenas um garoto de papel por todos aqueles anos: um personagem de duas dimensões no papel e uma pessoa de duas dimensões na vida real, mas ainda assim sem profundidade. Só que, naquela noite, você se provou uma pessoa de verdade. E acabou sendo tudo tão estranho, divertido e mágico que, assim que voltei para meu quarto, senti *saudade* de você. Eu queria voltar e ficar mais um pouco com você, conversar, mas já havia decidido ir embora, então eu não podia recuar. E, no último segundo, tive a ideia de fazer você ir até o Osprey. Para que ele ajudasse você a deixar de ser um gatinho medroso.

"E foi isso. Tive a ideia muito de repente. Colei o pôster do Woody nas costas da persiana, marquei dois versos da 'Canção de mim mesmo' com uma cor diferente da que eu já havia usado para marcar o livro quando o li pela primeira vez. E depois que você saiu para o colégio, entrei pela sua janela e coloquei o bilhete recortado do jornal em sua porta. E então fui para o Osprey naquela manhã, em parte porque ainda não estava pronta para ir embora e também porque queria arrumar o lugar antes de você chegar. A ideia era *não* assustar você. Foi por isso que cobri a pichação com tinta; eu não sabia que ia dar para ler. Arranquei as páginas do calendário que estava usando e tirei o mapa também, que estava pendurado lá desde que descobri que Agloe estava marcado nele. E então, como eu estava cansada e não tinha para onde ir, dormi por lá mesmo. Acabei passando duas noites, na verdade, tentando reunir coragem, acho. E também, sei lá, acho que imaginei que você poderia descobrir o lugar logo. E então fui embora. Levei dois dias para chegar aqui. E estou aqui desde então."

Ela pareceu ter terminado, mas eu tinha mais uma pergunta:

— E por que aqui, dentre tantos lugares para ir?

— Uma cidade de papel para uma menina de papel — responde ela. — Eu li a respeito de Agloe num livro sobre "fatos incríveis" aos dez ou onze anos. E nunca mais parei de pensar no assunto. A verdade é que sempre que ia para o topo do SunTrust, incluindo aquela vez em que fui com você, no fundo eu não olhava para baixo e pensava que tudo era feito de papel. Eu olhava para baixo e pensava que *eu* era feita de papel. Eu é que era uma pessoa frágil e dobrável, e não os outros. E o lance é o seguinte: as pessoas adoram a ideia de uma menina de papel. Sempre adoraram. E o pior é que *eu* também adorava. Eu tinha cultivado aquilo, entende?

"Porque é o máximo ser uma ideia que agrada a todos. Mas eu nunca poderia ser aquela ideia para mim, não totalmente. E Agloe é um lugar onde uma criação de papel se tornou real. Um ponto no mapa que se tornou de verdade, mais do que as pessoas que o criaram jamais poderiam imaginar. Pensei que talvez a garota de papel também pudesse se tornar uma garota de verdade aqui. E parecia um jeito de dizer àquela garota que se preocupava com popularidade e roupas e tudo o mais: 'Você vai para as cidades de papel. E *nunca mais* vai voltar.'"

— A pichação — falei. — Meu Deus, Margo, eu passei por um monte de bairros fantasmas procurando pelo seu corpo. Eu realmente achei... eu achei que você estivesse morta.

Ela se levanta e vasculha a mochila por um instante, depois se estica, pega *A redoma de vidro* e lê um trecho para mim:

— "Mas quando cheguei às vias de fato, a pele do meu pulso parecia tão branca e indefesa que não consegui nada. Era como se o que eu quisesse matar não estivesse naquela pele ou naquele pulso magro e azulado que latejava sob meu polegar, mas sim em algum outro lugar, mais profundo, mais secreto e muito mais difícil de ser alcançado."

Ela se senta junto a mim, bem perto, na minha frente, o jeans de nossas calças se tocando sem que nossos joelhos se toquem de fato. Então diz:

— Eu sei do que ela está falando. Sobre o lugar mais profundo e mais secreto. É como rachaduras dentro de você. Como se houvesse falhas que fazem com que as partes não se encontrem direito.

— Gosto disso — digo. — Ou talvez sejam como rachaduras no casco de um navio.

— Isso mesmo.

— Chega uma hora que você naufraga.

— Exatamente — concorda ela. Agora estamos trocando ideias muito rápido.

— Não acredito que você não queria que eu a encontrasse.

— Desculpe. Se serve de consolo, estou muito impressionada. E é legal ter você aqui. Você é um bom companheiro de viagem.

— Isso é um convite? — pergunto.

— Talvez.

Ela sorri.

Meu coração já vem pulando dentro do peito há tanto tempo que essa nova variedade de intoxicação parece quase suportável. Mas apenas quase.

— Margo, se você voltar só para passar o verão... Meus pais falaram que você pode ficar com a gente, ou você pode arranjar um emprego e um apartamento só durante o verão, e aí as aulas vão começar e você nunca mais vai ter que morar com seus pais de novo.

— O problema não é só esse. Eu seria sugada de volta para aquela vida — responde ela —, e nunca mais conseguiria sair. Não são só as fofocas, as festas e toda aquela merda, mas a fascinação da vida vivida do jeito certo: faculdade, trabalho, marido, filhos e toda essa bobagem.

A questão é que eu *acredito* em faculdade, em empregos e talvez até em filhos, um dia. Acredito no futuro. Talvez seja uma falha de caráter, mas, em mim, é congênita.

— Mas a faculdade aumenta suas oportunidades, não limita — digo afinal.

— Muito obrigada, Orientador Vocacional Jacobsen — diz ela, sorrindo, e então muda de assunto: — Fiquei pensando em você no Osprey. Se você se acostumaria àquele lugar. Se pararia de se preocupar com os ratos.

— Parei — respondo. — Comecei até a gostar de lá. Passei a noite do baile de formatura lá, inclusive.

— Maneiro. — Ela sorri. — Achei que você acabaria gostando. Nunca fiquei entediada ali, mas só porque eu tinha que voltar para casa em algum momento. Quando cheguei aqui, aí sim fiquei entediada. Não tem nada para fazer; já li bastante desde que cheguei. E fiquei cada vez mais nervosa também, por não conhecer ninguém. Fiquei esperando que a solidão e o nervosismo me fizessem querer voltar para casa, mas isso nunca chegou a acontecer. É a única coisa que não posso fazer, Q.

Assinto. Entendo o que ela quer dizer. Imagino que seja complicado voltar, quando já se sentiu os continentes na palma da mão. Porém tento mais uma vez:

— Mas e quando acabar o verão? E a faculdade? E o restante de sua vida?

— O que tem?

Ela deu de ombros.

— Você não está preocupada com o... *para sempre*?

— O para sempre é composto de agoras — diz Margo. Não tenho nada para refutar isso; fico só assimilando a frase quando ela continua: — Emily Dickinson. É sério, tenho lido muito.

Penso que o futuro merece um pouco de nossa fé. Mas é difícil argumentar contra Emily Dickinson. Margo se levanta, joga a mochila no ombro e estende a mão para mim.

— Vamos dar uma volta.

Enquanto caminhamos lá fora, ela pede meu telefone. Disca um número e eu começo a me afastar para deixá-la falar, mas ela agarra meu antebraço e me mantém por perto. Então caminho ao lado dela pelo campo enquanto ela conversa com os pais.

— Oi, aqui é Margo... Estou em Agloe, Nova York, com Quentin... hum... Bem, não, mãe, estou só tentando pensar em um jeito de responder à sua pergunta com sinceridade... Mãe, calma... Eu não sei... Resolvi me mudar para um lugar fictício. Foi isso que aconteceu... É, bem, eu não acho que esteja indo para aí mesmo... Posso falar com Ruthie?... Ei, mocinha... É, mas eu já amava você antes... É, foi mal. Fiz besteira. Eu pensei...

Eu não sei o que pensei, Ruthie, mas sei que fiz besteira e vou telefonar daqui para a frente. Pode ser que eu não telefone para mamãe, mas vou ligar para você... Toda quarta-feira, pode ser?... Você está ocupada às quartas-feiras. Hum, tudo bem. Que dia é melhor para você?... Então terça-feira, está marcado... É, toda terça-feira... Isso, incluindo a próxima. – Margo fecha os olhos e cerra os dentes. – Certo, Ruthers, pode passar para a mamãe de novo?... Eu amo você, mãe. Vou ficar bem. Prometo... Tá legal, você também. Tchau.

Ela para de caminhar e desliga o telefone, mas continua segurando-o por um momento. Vejo a pontinha dos dedos dela ficando rosadas devido à força com que aperta o aparelho, e então ela deixa o celular cair no chão. Seu grito é curto, mas ensurdecedor, e diante dele me dou conta, pela primeira vez, do silêncio abjeto de Agloe.

– É como se ela achasse que tenho a obrigação de agradá-la, e que isso deveria ser meu maior desejo. E quando não faço o que ela quer... ela me afasta. Ela trocou as fechaduras da casa. Foi a primeira coisa que ela me falou. Mas que merda.

– Sinto muito – digo, afastando uns capins da altura do meu joelho para recuperar o telefone. – Mas foi bom falar com Ruthie, não?

– Foi, ela é uma fofa. E eu meio que me odeio por... você sabe... não ter falado com ela antes.

– Imagino – comento, e ela me empurra de brincadeira.

– Você deveria fazer eu me sentir melhor, não pior! – censura ela. – É sua função!

– Eu não sabia que era minha obrigação agradar você, Sra. Spiegelman.

– Ah, me comparando com a minha mãe. – Ela ri. – Essa doeu. Mas até que é justo. E então... o que você tem feito? Se Ben está saindo com Lacey, na certa você está participando de altas orgias com dezenas de animadoras de torcida.

Caminhamos lentamente pelo terreno irregular. Não parece grande, mas, à medida que prosseguimos, percebo que as árvores a distância não estão se aproximando. Conto a ela sobre ter faltado à colação de grau e sobre o milagre do Dreidel rodando na pista. E conto sobre o baile de formatura, Lacey e Becca brigando, minha noite no Osprey.

— Foi naquela noite que tive certeza de que você tinha estado ali — digo a ela. — O cobertor tinha seu cheiro.

E quando digo isso a mão dela esbarra na minha, e eu a seguro, porque agora já não há mais tanto em risco. Margo me encara.

— Eu tive que ir embora. Não tinha nada que assustar você e aquilo foi muito idiota, eu deveria ter ido embora sem causar estragos, mas eu precisava ir. Você me entende agora?

— Entendo — digo —, mas acho que você já pode voltar. De verdade.

— Não, você não acha — retruca ela, e está certa.

Ela é capaz de ver isso na minha cara. Eu entendo agora que não posso ser quem ela é, e que ela não pode ser quem eu sou. Talvez Whitman tivesse um dom que não tenho. Já eu preciso perguntar ao ferido onde dói, pois não sou capaz de me tornar o ferido. O único ferido que posso ser sou eu mesmo.

Pisoteio um montinho de grama e me sento no chão. Margo se deita a meu lado, usando a mochila como travesseiro. Eu me deito também. Ela tira alguns livros da mochila e os passa para mim, assim posso improvisar um travesseiro também. *Poemas selecionados de Emily Dickinson* e *Folhas de relva*.

— Eu tinha dois exemplares — diz, sorrindo.

— É um poema e tanto — digo. — Você não poderia ter escolhido melhor.

— Sério, tomei a decisão por impulso naquela manhã. Eu me lembrei do trecho sobre as portas e achei perfeito. Mas aí, quando cheguei aqui, comecei a reler. A última vez que li foi no segundo ano, na aula de inglês, e, pois é, gostei muito. Tentei ler um bocado de poesia. Estava tentando identificar... Tipo, o que foi que me surpreendeu a seu respeito naquela noite? E por muito tempo imaginei que foi quando você citou T.S. Eliot.

— Mas não foi nada disso — falo. — Você se surpreendeu com o tamanho do meu bíceps e com minha elegância ao saltar janelas.

Ela sorri.

— Fique quieto e me deixe elogiar você, seu bobo. Não foi nem a poesia nem seu bíceps. O que me surpreendeu foi o fato de que você, apesar de seus ataques de ansiedade e tudo o mais, foi *igual* ao Quentin da minha história. Quer dizer, eu venho escrevendo por cima dela há anos, e toda vez que sobrescrevo em uma página nova, também releio o que está escrito, e, não me leve a mal, eu costumava morrer de rir pensando: "Deus, não acredito que eu imaginava *Quentin Jacobsen* como um defensor da justiça gato e superfiel." Mas no final das contas, sabe, você meio que *era* assim.

Eu podia me virar de lado, e talvez ela se virasse de lado também. E nós nos beijaríamos. Mas qual o sentido de beijá-la agora? Não vai dar em nada. Ficamos ambos encarando o céu sem nuvens.

— Nada acontece como a gente acha que vai acontecer — diz ela.

O céu é como uma pintura contemporânea monocromática, me atraindo com sua ilusão de profundidade, me puxando para cima.

— Verdade — digo. Mas depois que penso a respeito por um segundo, acrescento: — Mas, se você não imaginar, as coisas sequer chegam a acontecer.

A imaginação não é perfeita. Não dá para mergulhar por inteiro dentro de outra pessoa. Eu jamais poderia ter imaginado a raiva de Margo ao ser encontrada, ou a história que ela estava reescrevendo. Mas imaginar ser outra pessoa, ou que o mundo pode ser diferente, é a única saída. É a máquina que mata fascistas.

Ela se vira para mim e deita a cabeça em meu ombro, e ficamos deitados ali, exatamente como eu havia imaginado há muito tempo na grama do SeaWorld. Foram necessários milhares de quilômetros e muitos dias, mas aqui estamos: a cabeça dela em meu ombro, a respiração em meu pescoço, um cansaço enorme em nós dois. Somos agora o que eu gostaria que fôssemos então.

Quando acordo, o crepúsculo ressalta tudo, desde o amarelado do céu até os talhos de grama acima da minha cabeça, movimentando-se em câmera lenta como uma miss em um concurso de beleza. Deito de lado e vejo Margo Roth Spiegelman postada de quatro a alguns metros de mim, a calça jeans justa nas pernas. Levo um momento para perceber que ela está cavando. Engatinho em direção a ela e começo a cavar ao seu lado, a terra debaixo da grama seca feito pó em meus dedos. Ela sorri para mim. Meu coração dispara na velocidade do som.

— Por que estamos cavando? — pergunto.

— Pergunta errada — diz ela. — A pergunta correta é: para quem estamos cavando?

— Tá legal, então. Para quem estamos cavando?

— Estamos cavando túmulos para a Pequena Margo, o Pequeno Quentin, a cadelinha Myrna Mountweazel e o pobre falecido Robert Joyner — diz ela.

— Acho que eu apoio esses enterros — digo.

A terra está seca e quebradiça, cheia de buracos de inseto, como um formigueiro abandonado. Cavamos com as próprias mãos, cada punhado de terra acompanhado por uma pequena nuvem de poeira. Cavamos um buraco largo e profundo. O túmulo deve ser decente. Logo o buraco está na altura dos meus cotovelos. As mangas de minha camisa ficam sujas quando limpo o suor do rosto. O rosto de Margo está vermelho. Sinto o cheiro dela, e é o mesmo cheiro da noite em que mergulhamos no fosso do SeaWorld.

— Nunca cheguei a pensar nele como uma pessoa de verdade — diz ela.

E enquanto ela fala, aproveito para parar por um instante, sentando-me no chão.

— Quem, Robert Joyner?

— É. — Ela continua cavando. — Quer dizer, ele meio que foi algo que aconteceu *comigo*, entende? Mas, antes de ser esse personagem secundário no drama da minha vida, ele foi o protagonista no drama da vida dele, sabe?

Também nunca pensei nele como uma pessoa. Um cara que brincou na terra, como eu. Que um dia se apaixonou, como eu. Um cara cujos fios se arrebentaram, que não sentia a raiz de sua folha de relva conectada ao campo, um cara cheio de rachaduras. Como eu.

— É — concordei depois de um tempinho enquanto voltava a cavar. — Para mim, ele sempre foi só um corpo.

— Eu gostaria que a gente pudesse ter feito alguma coisa — diz ela. — Eu gostaria que a gente tivesse provado nosso heroismo.

— É. Teria sido legal poder dizer a ele que, não importava o que fosse, aquilo não era o fim do mundo.

— É, embora, no final das contas, *alguma coisa* acabe matando você.

— Pois é, eu sei. — Dou de ombros. — Não estou dizendo que é possível sobreviver a tudo. Pode-se sobreviver a tudo, exceto à última coisa.

Enfio a mão no chão de novo, a terra tão mais escura do que a do lugar onde moro. Jogo um punhado no monte atrás de nós e me sento. Eu me sinto como se estivesse prestes a ter uma ideia, e tento desenvolvê-la pensando alto. Nunca falei tanto com Margo durante nosso longo e célebre relacionamento, mas, lá vai, minha última cartada:

— Quando pensava na morte dele, o que, diga-se de passagem, não aconteceu tantas vezes assim, eu sempre pensava da forma como você tinha descrito, como se os fios dentro dele tivessem se arrebentado. Mas existem milhares de maneiras de se pensar a situação: talvez os fios se arrebentem, talvez o navio naufrague ou talvez nós sejamos relva, nossas raízes tão interdependentes que ninguém estará morto enquanto houver alguém vivo. O que quero dizer é que as metáforas não são poucas. Mas você precisa ser cuidadoso ao escolher sua metáfora, porque ela faz diferença. Se escolher os fios, significa que está imaginando um mundo no qual você pode se arrebentar de forma irreparável. Se escolher a relva, então quer dizer que todos nós somos interligados e que usamos esse sistema radicular não apenas para compreendermos uns aos outros, mas também para nos tornarmos o outro. As metáforas têm consequências. Está entendendo o que quero dizer?

Ela faz que sim com a cabeça.

— Gosto dos fios. Sempre gostei. Porque é exatamente *assim* que eu me sinto. No entanto, acho que eles fazem a dor parecer mais fatal do que realmente é. Não somos tão frágeis quanto os fios nos fariam acreditar. E gosto da relva também. Foi ela que me trouxe até você, que me ajudou a imaginá-lo como uma pessoa de verdade. Mas não somos brotos diferentes da mesma planta. Eu não consigo ser você. Você não consegue ser eu. Por mais que você imagine o outro, nunca o imaginará com perfeição, não é?

“Talvez seja mais como o que você falou antes, rachaduras em todos nós. Como se cada um tivesse começado como um navio inteiramente à prova d'água. Mas as coisas vão acontecendo... as pessoas se vão, ou deixam de nos amar, ou não nos entendem, ou nós não as entendemos... e nós perdemos, erramos, magoamos uns aos outros. E o navio começa a rachar em determinados lugares. E então, quando o navio racha, o final é inevitável. Quando começa a chover dentro do Osprey, ele nunca vai voltar a ser o que era. Mas ainda há um tempo entre o momento em que as rachaduras começam a se abrir e o momento em que nós nos rompemos por completo. E é nesse intervalo que conseguimos enxergar uns aos outros, porque vemos além de nós mesmos, através de nossas rachaduras, e vemos dentro dos outros através das rachaduras deles. Quando foi que nos olhamos cara a cara? Não até que você tivesse visto através das minhas rachaduras, e eu, das suas. Antes disso, estávamos apenas observando a ideia que fazíamos um do outro, tipo olhando para sua persiana sem nunca enxergar o quarto lá dentro. Mas, uma vez que o navio se racha, a luz consegue entrar. E a luz consegue sair."

Ela leva os dedos até os lábios, como se estivesse se concentrando, ou escondendo a boca de mim, ou como se quisesse sentir as próprias palavras.

— Você é especial — diz ela afinal.

E me encara; meus olhos e os dela, e nada entre eles. Não tenho nada a ganhar dando um beijo nela. Mas já não quero ganhar nada.

— Tem uma coisa que preciso fazer — digo, e ela faz que sim de leve com a cabeça, como se soubesse do que estou falando, e eu a beijo.

O beijo termina um bom tempo depois, e ela diz:

— Você pode vir para Nova York. Vai ser divertido. Vai ser como beijar. — E eu digo:

— Beijar é algo sério. — E ela diz:

— Você está dizendo que não. — E eu digo:

— Margo, toda a minha vida está lá, e eu não sou você e... — Mas não consigo continuar, porque ela me beija de novo, e quando ela me beija sei, sem sombra de dúvida, que estamos seguindo em direções opostas.

Ela se levanta, caminha até o ponto onde estávamos dormindo, até alcançar a mochila. Pega o caderno preto, retorna ao túmulo e põe o caderninho no chão.

— Vou sentir sua falta — sussurra ela.

Eu não sei se ela está falando comigo ou com o caderno. Nem sei com quem eu mesmo estou falando quando digo:

— Eu também. — E acrescento: — Adeus, Robert Joyner. — E jogo um punhado de terra sobre o caderno preto.

— Adeus, jovem e heroico Quentin Jacobsen — diz ela, jogando outro punhado.

Mais um punhado cai enquanto digo:

— Adeus, destemida orlandense Margo Roth Spiegelman.

E mais um quando ela diz:

— Adeus, cadelinha mágica Myrna Mountweazel.

Cobrimos o caderno com terra, tapando o buraco. A grama vai crescer em breve. E para nós será a cabeleira comprida e bonita dos túmulos.

Damos as mãos sujas de terra enquanto caminhamos de volta para a Agloe General Store. Ajudo Margo a carregar seus pertences até o carro: uma muda de roupa, produtos de higiene pessoal e a cadeira. A preciosidade do momento, que deveria facilitar o diálogo, só dificulta.

Estamos de pé no estacionamento de um hotel de um andar de beira de estrada, quando as despedidas se tornam inevitáveis.

— Vou arrumar um celular, e aí ligo para você — diz ela. — Mando e-mail também. E vou deixar alguns comentários misteriosos na página de discussão do artigo das cidades de papel no Omnictionary.

Sorrio.

— Vou mandar um e-mail para você quando chegar em casa, e espero uma resposta.

— Prometo que vou responder. A gente se vê. A gente ainda vai se encontrar de novo.

— No final do verão, talvez eu possa encontrar você em algum lugar, antes do início das aulas da faculdade — digo.

— É — responde ela. — Boa ideia.

Sorrio e aceno. Ela se vira de costas para mim e fico me perguntando se está sendo sincera, então vejo seus ombros tremerem. Está chorando.

— Até mais, então. Vou escrever para você enquanto isso — digo.

— É — responde ela sem se virar, a voz embargada. — Eu também.

Dizer essas coisas é o que nos impede de desmoronar. E, talvez, ao imaginar esses futuros, a gente possa torná-los reais, ou não; de qualquer forma temos que imaginá-los. A luz sai e nos inunda.

Fico de pé no estacionamento, me dando conta de que nunca estive tão longe de casa, e aqui está a menina que amo, mas que não posso seguir. Espero que seja esta a provação do herói, porque não ir atrás dela é a coisa mais difícil que já tive que fazer.

Fico pensando que Margo vai entrar no carro, mas não entra, e por fim ela se vira para mim, e vejo seus olhos cheios d'água. O espaço físico entre nós desaparece. Entrelaçamos nossos fios arrebentados uma última vez.

Sinto as mãos dela em minhas costas. E está escuro quando a beijo, mas fico de olhos abertos, e Margo faz o mesmo. Ela está perto o bastante para que eu possa enxergá-la, porque mesmo agora existem sinais visíveis da luz invisível, mesmo à noite naquele estacionamento na periferia de Agloe. Depois de nos beijarmos, nossas testas se tocam e fitamos um ao outro. Sim, consigo enxergá-la quase perfeitamente através desta escuridão rachada.

NOTA DO AUTOR

Descobri o que eram as cidades de papel quando me deparei com uma durante uma viagem no terceiro ano de faculdade. Meu colega de viagem e eu ficamos subindo e descendo um mesmo trecho desolado de uma rodovia em Dakota do Sul, procurando por uma cidade indicada no mapa – pelo que me lembro, o nome era Holen. Até que resolvemos encostar o carro e bater à porta de alguém. A senhora simpática que atendeu já tinha respondido àquela pergunta antes. Explicou que a cidade pela qual estávamos procurando só existia no mapa.

A história de Agloe, em Nova York – tal como descrita neste livro –, é quase toda verídica. Agloe começou como uma cidade de papel criada como proteção contra quebra de *copyright*. Mas então pessoas que tinham velhos mapas da Esso começaram a procurar por ela, e alguém acabou construindo uma loja, tornando Agloe um lugar real. O ramo da cartografia mudou muito desde que Otto G. Lindberg e Ernest Alpers inventaram Agloe, mas muitos cartógrafos ainda incluem cidades de papel como armadilhas contra quebra de *copyright*, como minha experiência desconcertante em Dakota do Sul pode comprovar.

A loja que um dia era Agloe já não existe mais. Mas acredito que, se a cidade fosse inserida novamente em nossos mapas, alguém acabaria por construí-la novamente.

AGRADECIMENTOS

Eu gostaria de agradecer:

* Aos meus pais, Sydney e Mike Green. Nunca pensei que fosse dizer isso, mas: obrigado por me criar na Flórida.
* Ao meu irmão e colaborador preferido, Hank Green.
* A Ilene Cooper, minha mentora.
* A todos na Dutton, mas especialmente à minha incomparável editora: Julie Strauss-Gabel, e Lisa Yoskowitz, Sarah Shumway, Stephanie Owens Lurie, Christian Fünfhausen, Rosanne Lauer, Irene Vandervoort e Steve Meltzer.
* À minha agente maravilhosamente obstinada, Jodi Reamer.
* Aos Nerdfighters, que me ensinaram tanto sobre o significado de ser *incrível.*
* Aos meus colegas de escrita Emily Jenkins, Scott Westerfeld, Justine Larbalestier e Maureen Johnson.
* A dois livros especialmente úteis que li quando estava pesquisando sobre desaparecimentos: *The Dungeon Master*, de William Dear, e *Na natureza selvagem*, de Jon Krakauer. Também sou muito grato a Cecil Adams, o cérebro por trás da coluna de jornal "The Straight Dope", cujo artigo sucinto sobre armadilhas para identificar quebra de *copyright* é, até onde sei, a fonte definitiva sobre o assunto.
* Aos meus avós: Henry e Billie Grace Goodrich, e a William e Jo Green.

* A Emily Johnson, cujas revisões deste livro foram inestimáveis; a Joellen Hosler, a melhor psicóloga que um autor poderia desejar; aos primos postiços Blake e Phyllis Johson; a Brian Lipson e a Lis Rowinski, da Endeavor; a Katie Else; a Emily Blejwas, que foi comigo até a cidade de papel; a Levin O'Connor, que me ensinou quase tudo que sei sobre ser engraçado; a Tobin Anderson e Sean, que me levaram em uma exploração urbana na cidade de Detroit; à bibliotecária Susan Hunt e a todos que arriscam seus empregos para lutar contra a censura; a Shannon James; a Marcus Zusak; a John Mauldin e aos meus maravilhosos sogros, Connie e Marshall Urist.
* A Sarah Urist Green, minha primeira leitora e primeira editora, além de melhor amiga e colega de trabalho preferida.